De tirannie van verdienste

Andere boeken van Michael J. Sandel bij Uitgeverij Ten Have:

Rechtvaardigheid; Wat is de juiste keuze?
Pleidooi tegen volmaaktheid; Een ethiek voor gentechnologie.
Niet alles is te koop; De morele grenzen van marktwerking.
Politiek en moraal; Filosofie voor het publieke debat.

Michael J. Sandel

DE TIRANNIE VAN VERDIENSTE

*Over de toekomst van
de democratie*

Vertaald door Rogier van Kappel en
Huub Stegeman

 ten have

Rogier van Kappel ontving voor zijn vertaling van de eerste helft van dit boek een subsidie van het Fonds voor de Letteren.

N ederlands
letterenfonds
dutch foundation
for literature

Oorspronkelijk verschenen onder de titel *The Tyranny of Merit*
Copyright © 2020, Michael J. Sandel

© Nederlandse vertaling: Rogier van Kappel en Huub Stegeman, 2020,
p/a Uitgeverij Ten Have,
Postbus 13288
3507 LG Utrecht
www.uitgeverijtenhave.nl

Omslag Bas Smidt
Foto auteur: Stephanie Mitchell

Derde druk 2020

ISBN 978 90 259 0750 1
ISBN e-book: 978 90 259 0751 8
NUR 730

Uitgeverij Ten Have vindt het belangrijk om op milieuvriendelijke en verantwoorde wijze met natuurlijke bronnen om te gaan. Bij de pro-ductie van het papieren boek van deze titel is daarom gebruikgemaakt van papier waarvan het zeker is dat de productie niet tot bosvernietiging heeft geleid.

Inhoud

Voor Kiku, met liefde

Proloog

Anders dan veel andere landen waren de Verenigde Staten volkomen onvoorbereid toen het coronavirus in 2020 toesloeg. Hoewel volksgezondheidsdeskundigen een jaar eerder al waarschuwingen hadden laten horen over het risico van de wereldwijde verspreiding van een nieuw virus, ontbrak het de Verenigde Staten zelfs in januari, toen China al te kampen had met een uitbraak, nog aan voldoende capaciteit om de grootschalige tests uit te voeren waarmee de epidemie ingedamd had kunnen worden. Terwijl de besmetting zich verspreidde, merkte het rijkste land ter wereld dat het niet in staat was om zijn zorgverleners zelfs maar te voorzien van de mondkapjes en andere beschermingsmiddelen die ze nodig hadden om de stroom geïnfecteerde patiënten te kunnen behandelen. Niet alleen de ziekenhuizen, maar ook de regeringen van afzonderlijke Amerikaanse staten probeerden tevergeefs voldoende levensreddende beademingsapparatuur aan te schaffen.

Dit gebrek aan voorbereiding had vele oorzaken. President Donald Trump had de waarschuwingen van zijn adviseurs in de wind geslagen, en enkele cruciale weken lang het belang van de crisis ontkend. 'We hebben het heel erg onder controle (…) We hebben een ongelooflijke prestatie geleverd (…) Het gaat verdwijnen.' De Amerikaanse Centers for Disease Control and Prevention (CDC) distribueerden aanvankelijk gebrekkige testkits, en het kostte ze veel tijd om daar een oplossing voor te vinden. En na tientallen jaren van outsourcing bleken de Verenigde Staten voor chirurgische maskertjes en andere medische uitrusting volledig afhankelijk van producenten in China en andere buitenlanden.[1]

Erger nog dan dit gebrek aan logistieke voorbereiding was dat het land ook in morele zin niet op de pandemie was voorbereid. De crisis was voorafgegaan door een jarenlange periode van diepe economische, culturele en politieke verdeeldheid. Decennia van financiële ongelijkheid en cultureel ressentiment hadden in 2016 tot een boze populistische reactie geleid die uitmondde in de verkiezing van Trump tot president, die kort nadat hij tijdens een impeachmentprocedure uiteindelijk niet uit zijn ambt was verwijderd, plotseling de leiding kreeg over de zwaarste crisis die het land had doorgemaakt sinds de terreuraanslagen van 11 september 2001. Terwijl de crisis gestaag verergerde, hield de grote onderlinge verdeeldheid aan. Slechts weinig Republikeinen (niet meer dan 29 procent) vertrouwden erop dat de nieuwsmedia betrouwbare informatie over het coronavirus verspreidden, en slechts weinig Democraten (19 procent) achtten de door Trump verspreide informatie betrouwbaar.[2]

Te midden van alle wantrouwen en politieke rancune werden we geconfronteerd met een gevaarlijke besmettelijke ziekte die een mate van solidariteit vereiste die slechts weinig samenlevingen buiten oorlogstijd weten op te brengen. Mensen overal ter wereld werd dringend verzocht om aan social distancing te doen, niet meer naar hun werk te gaan en thuis te blijven, en in sommige landen werd de bevolking daartoe zelfs gedwongen. Mensen die niet op afstand konden werken, kregen te kampen met een verlies van inkomsten en werkgelegenheid. Het virus was vooral gevaarlijk voor bejaarden, maar kon ook jongeren het leven kosten, en zelfs degenen die het wel zouden overleven, hadden ouders en grootouders met wie ze rekening dienden te houden.

Op het morele vlak herinnerde deze crisis ons aan onze kwetsbaarheid en onderlinge afhankelijkheid: overal ter wereld gebruikten ambtsdragers en adverteerders slogans als 'We moeten hier samen doorheen'. De solidariteit waartoe die opriepen, was echter een solidariteit van de angst – een angst voor besmetting die social distancing vereiste. Omwille van de volksgezondheid dienden we onze solidariteit en gedeelde kwetsbaarheid te beleven door juist afstand te houden en zelfisolatie in acht te nemen.

Dat solidariteit en afzondering nu samengingen, was binnen de context van een pandemie heel zinnig. Het heroïsche personeel van de gezondheidszorg en andere hulpdiensten moest zich om de getroffenen te kunnen helpen wel dicht in hun nabijheid wagen, en kassamedewerkers en bezorgers zetten hun gezondheid op het spel om mensen die thuis zaten van voedsel en andere noodzakelijkheden te voorzien, maar de rest van ons kreeg in de meeste gevallen te horen dat afstand houden de beste manier was om anderen te beschermen.

De morele paradox van solidariteit door afzondering vestigde wel de aandacht op iets hols en leegs in de verzekering dat 'we hier samen doorheen moeten'. Hiermee werd geen gevoel van gemeenschap beschreven, geen continue reeks van onderlinge verplichtingen en gedeelde opofferingen. Integendeel zelfs, de slogan was gemunt in een periode van grote en rancuneuze onderlinge verdeeldheid en een maatschappelijke ongelijkheid die in de wereldgeschiedenis vrijwel nooit eerder zo groot is geweest. Dezelfde marktgedreven mondialisering waardoor de Verenigde Staten plotseling niet over voldoende productiecapaciteit voor mondkapjes en medicijnen bleken te beschikken, had een groot aantal mensen beroofd van goedbetaalde banen en maatschappelijke waardering.

Intussen waren degenen die hadden geprofiteerd van de economische overvloed die de wereldwijde markten, productieketens en kapitaalstromen hadden opgeleverd, zowel in hun rol van producenten als in die van consumenten steeds verder verwijderd geraakt van hun medeburgers, zodat ze voor hun identiteit en economische vooruitzichten niet meer afhankelijk waren van lokale of nationale gemeenschappen. De winnaars van de mondialisering liepen steeds verder uit op de verliezers, en beoefenden daarmee een eigen vorm van social distancing.

In de huidige politiek, zo legden de winnaars uit, ging het niet meer in de eerste plaats over 'links en rechts' maar om 'open en gesloten'. In een open wereld is succes afhankelijk van onderwijs, want daarmee kun je je voorzien van de juiste vaardigheden om te kunnen concurreren en winnen in een mondiale economie. Dat houdt in dat nationale regeringen moeten garanderen dat iedereen gelijke kansen heeft om het onderwijs te volgen waarmee je succes kunt hebben, maar het betekent ook dat degenen die boven aan de maatschappelijke ladder belanden, gaan geloven dat ze hun succes verdiend hebben. En als er ook werkelijk gelijke kansen zijn, houdt dat ook in dat de achterblijvers hun lot aan zichzelf te wijten hebben.

Deze manier van denken over succes maakt het moeilijk te geloven dat 'we hier samen doorheen moeten'. De winnaars worden er zo toe aangezet om hun succes als hun eigen werk te beschouwen, en de verliezers krijgen het gevoel dat de winnaars vol minachting op hen neerkijken. Dit vormt mede een verklaring voor het feit dat de mensen die de mondialisering niet hebben kunnen bijbenen boos en rancuneus zijn, en zich aangetrokken voelen tot autoritaire populisten die woedend tekeergaan tegen de elites en beloven de landsgrenzen in ere te herstellen en extra streng te bewaken.

Ondanks al hun argwaan jegens deskundigen en hun gebrek aan vertrouwen in wereldwijde samenwerking is het nu aan deze populisten om het land door de pandemie te loodsen. Dat zal niet gemakkelijk worden. Het mobiliseren van de samenleving om de wereldwijde gezondheidscrisis op te lossen zal niet alleen medische en wetenschappelijke deskundigheid vergen, maar ook morele en politieke vernieuwing.

De kans dat het giftige mengsel van hoogmoed en ressentiment dat Trump aan de macht heeft gebracht de nu zo broodnodige

solidariteit zal opwekken, lijkt niet groot. Om zelfs maar te kunnen hopen op vernieuwing van ons morele en maatschappelijke
bestel zullen we eerst moeten begrijpen hoe onze sociale banden
en ons onderlinge respect in de afgelopen veertig jaar steeds
verder afgebrokkeld zijn. In dit boek probeer ik uit te leggen
hoe deze verandering zich heeft voltrokken, en te overdenken
hoe we een politiek zouden kunnen ontwikkelen die zich inzet
voor het algemeen welzijn.

April 2020, Brookline, Massachusetts

Inleiding

Ergens binnenkomen

Toen de leerlingen van de Amerikaanse highschools in maart 2019 de uitslagen van hun universitaire toelatingsexamens afwachtten, kwamen de federale openbare aanklagers met een verbijsterend bericht. Ze beschuldigden drieëndertig rijke ouders van betrokkenheid bij een zeer ingewikkelde vorm van oplichting om hun kinderen elite-universiteiten binnen te loodsen, waaronder Yale, Stanford, Georgetown en de University of Southern California (USC).[1]

De kern van dit oplichtersnetwerk werd gevormd door een zekere William Singer, een onscrupuleuze studiekeuzeadviseur die een bedrijfje runde dat zich inzette voor welgestelde maar bezorgde ouders. Singers specialisme was het door scherpe concurrentie gekenmerkte selectiesysteem dat Amerikaanse universiteiten hanteren bij hun toelatingsbeleid – dat in de afgelopen decennia is uitgegroeid tot de belangrijkste toegangspoort tot een leven van voorspoed en prestige. Voor aankomende studenten die niet beschikten over de door topuniversiteiten geëiste superhoge cijfers had Singer allerlei corrupte omweggetjes geregeld – sur-

veillanten werden bij gestandaardiseerde aanlegtoetsen als de
SAT en ACT betaald om de scores van de leerlingen op te vijzelen
door de antwoorden op hun toetsformulieren te verbeteren, en
sportcoaches kregen steekpenningen toegeschoven om studenten tot talentvolle sporters te bestempelen, ook al hadden ze de
betreffende sport nooit beoefend. In sommige gevallen vervalste
Singer zelfs hun sportverleden door de gezichten van zijn cliënten
in actiefoto's van echte sporters te monteren.

Singers illegale toelatingsservice was niet goedkoop. Zo telde
de voorzitter van een prestigieuze advocatenfirma vijfenzeven-
tigduizend dollar neer om zijn dochter een toelatingsexamen te
laten afleggen in een toetscentrum waar toezicht werd gehouden door een door Singer betaalde surveillant. Eén ouderpaar
betaalde Singer 1,2 miljoen dollar om hun dochter, die niet aan
voetbal deed, toch als veelbelovend voetbalster op Yale toegelaten te krijgen. Vierhonderdduizend dollar van dat honorarium
werd door Singer besteed aan het omkopen van een naderhand
eveneens veroordeelde voetbalcoach van Yale. Een tv-actrice en
een modeontwerper betaalden Singer een half miljoen dollar om
hun beide dochters als rekruten voor het roeiteam toegelaten
te krijgen op de USC. Een andere beroemdheid, actrice Felicity
Huffman – bekend vanwege haar rol in de tv-serie *Desperate
Housewives* – wist op de een of andere manier een voordelig
tarief te bedingen: voor een luttele vijftienduizend dollar regelde
Singer dat haar dochter goed scoorde op de SAT-toets.[2] Al met al
haalde Singer in de meer dan acht jaar dat hij zijn bedrieglijke
handeltje dreef meer dan vijfentwintig miljoen dollar binnen.

Het toelatingsschandaal leidde tot breed gedeelde verontwaardiging. In een gepolariseerde tijd, waarin Amerikanen het vrijwel
nergens over eens konden worden, kreeg dit schandaal enorm
veel aandacht in de media en werd het over de volle breedte van
het politieke spectrum veroordeeld. Van Fox News tot MSNBC,
en van *The Wall Street Journal* tot *The New York Times*, iedereen
was het erover eens dat omkoping en zwendel om toegelaten te
worden tot elite-universiteiten uiterst verwerpelijk was. Maar

al die verontwaardiging gaf blijk van iets wat dieper ging dan woede over geprivilegieerde ouders die zich van illegale middelen bedienden om hun kinderen prestigieuze universiteiten binnen te loodsen. Op allerlei manieren, die mensen vaak slechts moeizaam wisten te verwoorden, was dit een schandaal dat symbool stond voor grotere vragen over wie het ver brengt in deze maatschappij en waarom.

Het was natuurlijk onvermijdelijk dat al die verontwaardiging een politieke lading kreeg. Trump-surrogaten maakten gebruik van Twitter en Fox News om de Hollywoodse progressievelingen die in deze zwendel verstrikt waren geraakt te sarren. 'Kijk eens om welke mensen het gaat,' zei Lara Trump, de schoondochter van de president, op Fox. 'De Hollywood-elites, de progressieve elites die zich altijd zo druk maken over gelijkheid en die het zo belangrijk vinden dat iedereen een eerlijke kans krijgt, terwijl dit de grootste hypocrisie is die je maar bedenken kunt: ze betalen mensen om bedrog te plegen en hun kinderen die universiteiten binnen te loodsen, terwijl die plekken eigenlijk naar jongeren hadden moeten gaan die ze verdiend hadden.'[3]

De progressieven waren het ermee eens dat deze zwendel gekwalificeerde jongeren beroofde van de plek aan de universiteit die hun toekwam. Zij zagen het schandaal echter als een sterk staaltje van een veel breder maatschappelijk onrecht: de rol van rijkdom en privilege bij het universitaire toelatingsbeleid, zelfs als er niets illegaals werd gedaan. Toen hij de tenlastelegging bekendmaakte, verklaarde de openbaar aanklager welk principe hier volgens hem in het geding was: 'Er kan geen afzonderlijk toelatingsbeleid zijn voor de rijken.'[4] In de kranten merkten de auteurs van het redactioneel commentaar en de opiniepagina echter al snel op dat geld eigenlijk altijd een rol speelt bij wie kan gaan studeren en wie niet, en dat dit het meest expliciet tot uiting komt in de voorkeursbehandeling die veel Amerikaanse universiteiten bieden aan de kinderen van alumni en gulle gevers.

In reactie op pogingen van Trump-aanhangers om de progressieve elites de schuld te geven van het toelatingsschandaal, citeerden de progressieven op hun beurt weer uit artikelen waaruit bleek dat Jared Kushner, de schoonzoon van de president, ondanks zeer matige schoolprestaties was toegelaten tot Harvard, nadat zijn vader, een rijke projectontwikkelaar, de universiteit tweeënhalf miljoen dollar had geschonken. Trump zelf heeft rond de tijd dat zijn kinderen Donald junior en Ivanka daar studeerden naar verluidt anderhalf miljoen geschonken aan de Wharton School van de University of Pennsylvania.[5]

De ethiek van het binnenkomen

Singer, het grote brein achter de toelatingszwendel, erkende dat een forse schenking soms al genoeg is om nauwelijks gekwalificeerde kandidaten 'via de achterdeur' toegelaten te krijgen, maar als goedkoper alternatief bood hij zijn klanten een door hem ontworpen route 'via de zijdeur' aan. Hij hield zijn cliënten voor dat de doorsnee achterdeurbenadering 'tien keer zoveel' kostte als zijn eigen bedrieglijke opzetje en minder zekerheid bood. Een forse schenking aan de universiteit was geen garantie voor toelating, en zijn 'zijdeurbenadering' met steekpenningen en vervalste toetsresultaten wél. 'De ouders voor wie ik werk, willen een garantie,' legde hij uit.[6]

Toelating is zowel te koop via de achterdeur als via een zijdeurtje, maar toch zijn deze manieren om toegelaten te worden in ethisch opzicht niet hetzelfde. Zo is de achterdeur legaal, om maar eens iets te noemen, en een zijdeurtje niet. De openbaar aanklager liet er geen misverstand over bestaan: 'We hebben het hier niet over een gebouw schenken om je zoon of dochter meer kans op toelating te geven. We hebben het hier over misleiding en fraude, vervalste toetsresultaten, vervalste sportkwalificaties, nepfoto's en omgekochte universiteitsmedewerkers.'[7]

Dat Singer, zijn klanten en de corrupte coaches allemaal werden vervolgd, hield niet in dat het OM de universiteiten daarmee duidelijk wilde maken dat ze eerstejaars geen toelating tot een universiteit konden verkopen: het was gewoon fraudebestrijding. Los van alle juridische aspecten zijn de achterdeur en de zijdeur ook in dit opzicht niet hetzelfde: als ouders door middel van een grote schenking voor hun kind een plek op een universiteit kopen, gaat het geld naar de universiteit, die dat kan gebruiken om álle studenten beter onderwijs te bieden. Bij Singers zijdeurtjes gaat het geld echter naar derden, zodat het niet of nauwelijks ten goede komt aan de universiteit zelf. (In elk geval heeft een van de door Singer omgekochte coaches, de zeilcoach van Stanford, de steekpenningen gebruikt om het universitaire zeilprogramma te ondersteunen. Anderen hebben het geld echter in eigen zak gestoken.)

Bij de vraag of dit eerlijk is of niet is het echter moeilijk om verschil te zien tussen het 'achterdeurtje' en het 'zijdeurtje'. Beide benaderingen bieden kinderen van rijke ouders extra kansen, omdat ze verhinderen dat hun plek naar een beter gekwalificeerde kandidaat gaat. In beide gevallen krijgen mensen met geld voorrang op mensen die iets gepresteerd hebben.

Toelating op basis van eigen prestaties is kenmerkend voor binnenkomen door de 'voordeur'. Zoals Singer het formuleerde wil dat zeggen 'dat je op eigen kracht binnenkomt'. Dat is wat de meeste mensen als eerlijk beschouwen: kandidaten dienen te worden toegelaten op basis van hun eigen verdienste en niet omdat hun ouders veel geld hebben.

In de praktijk ligt het natuurlijk minder eenvoudig. Er zweeft niet alleen geld boven de achterdeurtjes, maar ook boven de voordeur. Prestaties zijn vaak moeilijk los te zien van een bevoorrechte economische positie. De makers van gestandaardiseerde toetsen als de SAT beweren uitsluitend eigen verdienste te meten, zodat studenten uit minder bevoorrechte milieus kunnen laten zien wat ze intellectueel in hun mars hebben, maar in de praktijk blijkt er een sterke samenhang te bestaan tussen SAT-score en ouderlijk inkomen: hoe rijker de ouders van een leerling, hoe beter diens toetsresultaten.[8]

Rijke ouders schrijven hun kinderen niet alleen in voor

SAT-trainingen, maar huren ook particuliere coaches en studie-begeleiders in om hun kinderen zo goed mogelijk voor de dag te laten komen. Ze sturen hun kinderen naar dans- en muzieklessen en laten ze elitaire sporten beoefenen, zoals schermen, squash, golf, tennis, roeien, lacrosse en zeilen, zodat ze kans maken om zich te kwalificeren voor een universitair sportteam. En ze sturen hun kinderen eropuit om goede werken te verrichten in verre oorden, zodat ze kunnen laten zien dat ze zich bekommeren om de verworpenen der aarde. En dat is slechts een greep uit de vele dure methoden waarvan rijke en ambitieuze ouders zich bedienen om hun kroost beter toe te rusten in de strijd om een plek op een topuniversiteit.

En dan zijn er de collegegelden. Er is een handjevol universiteiten dat rijk genoeg is om studenten toe te laten zonder te letten op hun vermogen om het collegegeld op te brengen, maar overal elders hebben studenten die geen financiële hulp en bijstand nodig hebben meer kans om toegelaten te worden dan hun hulpbehoevende collega's.[9]

In het licht van dit alles is het dan ook niet verrassend dat meer dan twee derde van de studenten aan een elite-universiteit afkomstig is uit huishoudens uit de bovenste 20 procent van de inkomensverdeling. Op Princeton en Yale zijn meer studenten met ouders die tot de bovenste 1 procent behoren dan er studenten zijn met ouders uit de onderste 60 procent van het hele land.[10] Deze verbijsterend ongelijke kansen zijn deels het gevolg van een toelatingsbeleid dat is gebaseerd op familiebanden met oud-studenten en het belonen van donateurs (de achterdeur), maar deels ook van de vele privileges waarmee kinderen uit welgestelde gezinnen rechtstreeks naar de voordeur worden geloodst.

Critici wijzen erop dat deze ongelijkheid aantoont dat het hoger onderwijs niet de meritocratie is die het beweert te zijn. Vanuit dit standpunt is het toelatingsschandaal een schandelijke uitwas van de bredere, alomtegenwoordige oneerlijkheid die verhindert dat het hoger onderwijs voldoet aan de meritocratische principes die het uitdraagt.

Ondanks hun onderlinge meningsverschillen zijn degenen die dit schandalige geval van toelatingsfraude als een schokkende afwijking van het gangbare toelatingsbeleid beschouwen en degenen die het als een extreem voorbeeld zien van tendensen waarvan het gehele universitaire toelatingsbeleid doortrokken is, het echter over één ding eens: studenten dienen te worden toegelaten op basis van hun eigen aanleg en vermogens, en niet op grond van factoren waarop ze geen invloed kunnen uitoefenen. Met andere woorden, ze zijn eensgezind van mening dat toelating gebaseerd dient te zijn op eigen verdienste. Ze zijn het er ook over eens, in elk geval impliciet, dat degenen die worden toegelaten op basis van eigen verdienste, hun toelating hebben verdiend, en daarom recht hebben op alle daaruit voortvloeiende voorrechten.

Als deze vertrouwde zienswijze klopt, is het probleem met de meritocratie niet gelegen in het principe ervan, maar in het feit dat dit principe niet gehandhaafd wordt. Dit blijkt ook uit de politieke debatten tussen conservatieven en *liberals*[11]. Onze maatschappelijke discussie gaat niet over de meritocratie zelf, maar over hoe we die dienen te verwezenlijken. Zo betogen conservatieven dat positieve discriminatie op basis van ras en etnische afkomst neerkomt op verraad aan een op eigen verdienste gebaseerd toelatingsbeleid. Liberals verdedigen positieve discriminatie echter als een remedie tegen aanhoudende oneerlijkheid en betogen dat een echte meritocratie alleen te verwezenlijken valt door een gelijk speelveld te creëren tussen mensen met een bevoorrechte achtergrond en mensen uit achterstandsmilieus.

In dit debat wordt echter over het hoofd gezien dat het probleem met de meritocratie weleens dieper zou kunnen liggen.

Laten we onze aandacht nogmaals op het universitaire toelatingsbeleid richten. Het grootste deel van de woede en verontwaardiging was gericht op de zwendel en de oneerlijkheid daarvan. De houding die aanleiding gaf tot dit bedrog is echter al even verontrustend. Op de achtergrond van dit schandaal lag een aanname die zo vanzelfsprekend is geworden dat ze nauwelijks nog wordt opgemerkt, namelijk dat toelating tot een topuniversiteit een felbegeerde hoofdprijs is. Het schandaal trok niet alleen zo sterk de aandacht omdat er beroemdheden en grote projectontwikkelaars bij betrokken waren, maar ook omdat de toelating die ze probeerden te kopen voor zo veel mensen zo begeerlijk was en door hen koortsachtig werd nagestreefd.

Hoe komt dat? Waarom is de kans om een studie te volgen aan een prestigieuze universiteit iets wat zo fel wordt begeerd dat bevoorrechte ouders fraude plegen om hun kinderen daar naar binnen te loodsen? Of waar ze, ook zonder zich schuldig te maken aan fraude, tienduizenden dollars voor neertellen? Dat geld gaat naar coaches en toetstrainingen, die het lesprogramma van de middelbare school voor hun kinderen veranderen in een stressvolle hindernisbaan met een verzwaard lesprogramma, allerlei sporten en culturele activiteiten voor op hun cv, plus andere vormen van prestatiedruk. Waarom is het bemachtigen van een plek op een topuniversiteit in onze samenleving zo enorm belangrijk geworden dat de FBI veel mankracht besteedt aan de bestrijding van deze zwendel, en dat nieuws over het toelatingsschandaal, vanaf de eerste aanklacht tot aan de veroordeling van de daders, maandenlang tot krantenkoppen en massale aandacht leidt?

Deze obsessie met het universitaire toelatingsbeleid komt voort uit de groeiende ongelijkheid van de afgelopen decennia, en vormt een weerspiegeling van het feit dat er méér op het spel staat dan wie waar wordt toegelaten. Naarmate de rijkste 10 procent zich verder losmaakte van de rest van de samenleving, werd het steeds belangrijker om een plek aan een prestigieuze universiteit te bemachtigen. Vijftig jaar geleden was het heel wat minder stressvol om je aan te melden bij een universiteit. Nog niet één op de vijf Amerikanen ging een vierjarige academische opleiding volgen, en degenen die dat wél deden, schreven zich over het algemeen in aan een universiteit niet ver van huis. De score die een universiteit haalde op de nationale ranglijst maakte veel minder uit dan tegenwoordig.[12]

Maar naarmate de ongelijkheid toenam en de inkomenskloof tussen mensen met en zonder universitaire opleiding steeds breder werd, nam het belang van een universitaire graad toe, en dat gold ook voor de universiteit waar je ging studeren. Tegenwoordig zoeken studenten over het algemeen de selectiefste instelling uit die hen maar wil toelaten.[13] Ook de ouderschapsstijlen zijn veranderd, vooral bij mensen met academische beroepen. Naarmate de inkomenskloof groeide, werd ook de angst voor een daling op de maatschappelijke ladder steeds groter. Om dat gevaar te bezweren gingen ouders zich intensief bemoeien met het leven van hun kinderen – ze zorgden voor een efficiënte dagplanning, hielden hun schoolcijfers scherp in de gaten, letten goed op hun hobby's en andere bezigheden, en wierpen zich op als beheerders van hun cv.[14]

Deze epidemie van bazige en bemoeizuchtige ouders kwam niet uit het niets. Het is een overbezorgde maar begrijpelijke reactie op de groeiende maatschappelijke ongelijkheid en het verlangen van welgestelde ouders om hun kinderen het precaire bestaan van mensen uit de middengroepen te besparen. Een diploma van een universiteit met een goede merknaam wordt tegenwoordig gezien als het belangrijkste middel om hogerop te komen voor jongeren die het verder willen brengen dan hun ouders, en als de beste bescherming tegen een maatschappelijke val voor jongeren die veilig verschanst hopen te blijven in de comfortabele klassen. Dit is de mentaliteit die paniekerige, bevoorrechte ouders ertoe aanzette om mee te doen aan de toelatingszwendel.

Maar het gaat hier niet alleen om economische angsten en zorgen. Singers cliënten kochten niet in de eerste plaats bescherming tegen een daling op de maatschappelijke ladder, maar eerder iets anders, iets wat minder tastbaar was maar toch waardevoller. Door hun kinderen van een plaats aan een prestigieuze universiteit te verzekeren, kochten ze de geleende glans van een voortreffelijke prestatie.

Betalen voor verdienste

In een ongelijke samenleving willen degenen die aan de top terechtkomen graag het gevoel hebben dat hun succes moreel gerechtvaardigd is, en in een meritocratische samenleving houdt dat in dat ze moeten kunnen geloven dat ze hun succes te danken hebben aan hun eigen inspanning en aanleg. Paradoxaal genoeg was dat precies wat de zwendelende ouders hun kinderen wilden meegeven. Als het hun er uitsluitend om begonnen was om hun kinderen een welvarend bestaan te garanderen, hadden ze ook een familiefonds voor hen kunnen opzetten. Maar ze wilden iets anders: het meritocratische cachet dat toelating tot een elite-universiteit mensen verleent.

Singer voelde dat goed aan toen hij uitlegde dat de voordeur inhield dat 'je er op eigen kracht binnenkomt'. Zijn zwendeltje was de op één na beste oplossing. Toegelaten worden op basis van een vervalste toetsscore of voorgewende atletische prestaties is natuurlijk niet hetzelfde als op eigen kracht iets bereiken, en daarom hield het gros van deze ouders hun kuiperijen verborgen voor hun kinderen. Binnenkomen door de zijdeur levert je alleen meritocratische eer op als je verborgen weet te houden dat je je op illegale wijze toegang hebt verschaft. 'Ik ben toegelaten tot Stanford omdat mijn ouders de zeilcoach hebben omgekocht,' is niet iets wat je trots rondbazuint.

Het contrast met toelating gebaseerd op eigen verdiensten lijkt voor de hand te liggen. Studenten die met schitterende cijfers en legitieme referenties zijn toegelaten, zijn trots op hun prestatie en vinden dat ze op eigen kracht zijn binnengekomen. Toch is dat in zekere zin misleidend. Want hoewel het feit dat ze zijn toegelaten tot een elite-universiteit inderdaad een afspiegeling vormt van hun inzet en toewijding, valt niet goed vol te houden dat ze dit succes uitsluitend aan zichzelf te danken hebben. Want hoe zit het met de ouders en de leraren die hun de weg hebben gewezen? En hoe zit het met de gaven en talenten die ze niet volledig op eigen kracht hebben ontwikkeld? Hoe zit het met het geluk dat ze hebben gehad om op te groeien in een omgeving die de talenten waarover ze toevallig beschikken zorgvuldig heeft opgekweekt en beloond?

Degenen die dankzij hun eigen aanleg en inspanning in een competitieve meritocratie komen bovendrijven, hebben dat te danken aan factoren die door de concurrentie aan het zicht worden onttrokken. Naarmate de meritocratie intenser wordt, neemt al die inspanning ons zo in beslag dat we uit het oog verliezen hoezeer we bij anderen in de schuld staan. In die zin wekt zelfs een eerlijke meritocratie, dat wil zeggen een meritocratie zonder bedrog, omkoping of speciale voorrechten voor de rijken, de misleidende indruk dat we onze successen op eigen kracht behaald hebben. De jaren van zware inspanningen die worden gevergd van mensen die zich aanmelden bij elite-universiteiten dwingen hen bijna te geloven dat ze hun succes aan zichzelf te danken hebben, en dat ze een eventueel falen uitsluitend en alleen aan zichzelf te wijten hebben.

Voor jonge mensen is dat een zware last. En dat niet alleen, het heeft ook een ondermijnende uitwerking op ons besef van burgerschap. Want hoe meer we onszelf beschouwen als mensen die het op eigen kracht gemaakt hebben, en die niemand anders nodig hebben, hoe moeilijker het wordt om dankbaarheid en nederigheid te ontwikkelen. En zonder die sentimenten zul je je niet snel gaan bekommeren om het algemeen welzijn.

Toelating tot de universiteit is niet de enige levensgebeurtenis die aanleiding geeft tot meningsverschillen over verdiensten. Discussies over wat aan wie toekomt, zijn in de hedendaagse politiek overal te horen. Oppervlakkig gezien hebben die discussies betrekking op wat eerlijk en rechtvaardig is: is het nou écht zo dat iedereen op voet van gelijkheid met anderen wedijvert om allerlei wenselijke goederen en maatschappelijke posities?

Onze meningsverschillen over verdienste hebben niet alleen betrekking op hoe eerlijk de concurrentiestrijd is. Ze gaan ook over de wijze waarop we succes en mislukking, winnen en ver-

liezen definiëren – en over de wijze waarop de winnaars zich
dienen op te stellen tegenover mensen die minder succes hebben
gehad dan zijzelf. Dit zijn uiterst beladen vragen, en die gaan
we net zolang uit de weg tot er niet meer aan te ontkomen valt.

Als we de gepolariseerde hedendaagse politiek achter ons willen laten, dienen we op de tast onze weg te zoeken en goed na
te denken over wat mensen toekomt. Hoe komt het dat de betekenis van succes en verdienste de afgelopen decennia zo sterk
veranderd is, en wel zodanig dat arbeid sterk aan waardigheid
heeft ingeboet en veel mensen het gevoel hebben dat de elites op
hen neerkijken? Zijn de winnaars van de mondialisering terecht
van mening dat ze hun succes op eigen kracht hebben bereikt
en het daarom ook werkelijk verdienen, of is dit niet meer dan
meritocratische hoogmoed?

In een tijd waarin woede op de elites de democratie aan het
wankelen heeft gebracht, wordt de vraag wat mensen toekomt,
wat eigen verdienste is en wat niet, nog veel dringender. We
dienen onszelf de vraag te stellen of de remedie voor de extreme
maatschappelijke verdeeldheid die onze politieke meningsverschillen vrijwel onhanteerbaar maakt, te vinden is in een striktere
handhaving van het principe van loon naar werken of dat we
beter kunnen streven naar een algemeen welzijn dat voorbijgaat
aan al die selectieprocessen en al dat ambitieuze geploeter.

1

Winnaars en verliezers

De democratie verkeert in zwaar weer. Dat is te zien aan de toenemende vreemdelingenhaat en de groeiende steun voor antidemocratische figuren die aan alle kanten de grenzen van de democratische normen opzoeken. Deze trends zijn op zichzelf al onrustbarend genoeg. Maar al net zo verontrustend is het feit dat de gevestigde partijen en politici maar heel weinig lijken te begrijpen van de onvrede die overal ter wereld de politiek doet gisten en kolken. Sommigen doen de golf van populistisch nationalisme af als weinig meer dan een xenofobe of zelfs racistische reactie op immigratie en multiculturalisme. Anderen begrijpen de onrust vooral in economische termen, als een protest tegen het verlies van banen en werkgelegenheid dat het gevolg is van steeds intensievere wereldhandel en nieuwe technologieën.

Het is echter een vergissing om populistisch protest te beschouwen als niet meer dan racisme, of om daar alleen maar economische onvrede achter te zoeken. Zowel de triomf van de brexiteers als de verkiezing van Donald Trump in 2016 was een boze veroordeling van tientallen jaren gestaag groeiende ongelijkheid en van een type mondialisering dat de bovenste lagen van de maatschappij veel oplevert, maar waardoor gewone burgers het gevoel krijgen met lege handen langs de kant te staan. Het was ook een afwijzende reactie op een technocratische benadering van de politiek die doof is voor het ressentiment van mensen die het gevoel hebben niet meer mee te kunnen komen in hun eigen economie en cultuur.

De harde werkelijkheid is dat Trump is gekozen door in te spelen op een hele reeks angsten, frustraties en legitieme grieven waarop de gevestigde politiek geen overtuigend antwoord had. De Europese democratieën zitten in een al even netelig parket. Om weer een brede aanhang te verwerven, zullen de gevestigde partijen hun missie en doel opnieuw moeten formuleren. En daarbij zullen ze moeten leren van het populistische protest dat hen naar de zijlijn heeft gedrongen – niet door de vreemde-lingenhaat en het felle nationalisme van de populisten over te nemen, maar door de legitieme grieven waarmee deze kwalijke sentimenten verstrengeld zijn serieus te nemen.

Bij het denken hierover dienen we allereerst te erkennen dat al deze onvrede niet louter economisch van aard is, maar ook een ethische en culturele component heeft. Het gaat niet alleen om banen en lonen, maar ook om maatschappelijke waardering.

Het kost de gevestigde partijen en regerende elites, die nu merken dat ze tot mikpunt van het populistische protest zijn geworden, grote moeite om te begrijpen wat er aan de hand is. Over het algemeen interpreteren ze de onvrede óf als vijandig-heid jegens immigranten en raciale en etnische minderheden óf als angst voor mondialisering en technologische veranderingen. Beide diagnoses zien iets belangrijks over het hoofd.

Diagnoses van de populistische onvrede

De eerste diagnose ziet de populistische woede op de elites voor-namelijk als een reactie op raciale, etnische en genderdiversiteit.

De witte mannen uit de arbeidersklasse die op Trump hebben gestemd, waren gewend aan hun dominante rol binnen de sociale hiërarchie en voelen zich bedreigd door het vooruitzicht een minderheid te worden: een soort vreemdelingen in eigen land. Ze hebben het gevoel dat zij, méér dan vrouwen of raciale minderheden, het slachtoffer zijn van discriminatie en voelen zich onderdrukt door de eisen van het 'politiek correcte' publieke discours. De diagnose van gekrenkte trots en ondermijnde sociale status benadrukt de lelijke aspecten van het populistische sentiment: de door Trump en andere nationalistische populisten verwoorde mengeling van 'eigen volk eerst'-denken, vrouwenhaat en racisme.

De tweede diagnose schrijft het ressentiment van de arbeidersklasse toe aan de verbijstering en ontwrichting die het gevolg zijn van de snelle veranderingen in deze tijd van mondialisering en technologie. In de nieuwe economische orde is het idee van een baan voor het leven iets uit het verleden. Tegenwoordig komt het aan op innovatie, flexibiliteit, ondernemingslust en een voortdurende bereidheid om je nieuwe vaardigheden eigen te maken. Maar, zo verklaren aanhangers van deze zienswijze, veel arbeiders gaan steigeren als ze zich genoodzaakt zien om 'te investeren in zichzelf' en iets heel anders te gaan doen omdat hun vroegere werk verdwijnt naar lagelonenlanden of wordt overgenomen door robots. Ze koesteren een bijna nostalgisch verlangen naar de stabiele gemeenschappen en loopbanen van het verleden. Geconfronteerd met de onafwendbare krachten van de mondialisering en de technologische ontwikkelingen, zijn ze zich ontheemd gaan voelen en halen ze fel uit naar immigranten, de vrijhandel en de bestuurlijke elites. Maar hun boosheid is misplaatst, want ze beseffen niet dat ze woedend tekeergaan tegen krachten die al net zo onvermurwbaar zijn als het weer. Hun angsten en zorgen zijn het beste te verhelpen met opleidingsprogramma's en andere maatregelen die hen kunnen helpen om zich aan te passen aan de dwingende geboden van de mondialisering en de snelle technologische verandering.

Beide diagnoses bevatten een kern van waarheid, maar geen van beide doet recht aan het populisme. Door populistisch protest voor te stellen als boosaardig of misplaatst, ontslaat de bestuurlijke elite zich van haar verantwoordelijkheid voor het scheppen van omstandigheden die de arbeid langzaam maar zeker van haar waardigheid hebben beroofd en veel mensen uit de arbeidersklasse hebben achtergelaten met het gevoel dat ze vrijwel geen macht hebben over hun eigen leven en geen enkel respect genieten. De economische en culturele status die deze mensen de afgelopen decennia hebben ingeleverd, is geen gevolg van onafwendbare krachten, maar van het beleid van de gevestigde partijen en elites.

Deze elites zijn nu – terecht – geschrokken van het gevaar dat Trump en andere door de populisten gesteunde autocraten betekenen voor de democratische normen. Maar hun eigen aandeel in het opwekken van dit populistische ressentiment onderkennen ze niet. Ze hebben niet in de gaten dat de opschudding waarvan we nu getuige zijn een politieke reactie vormt op een politiek falen van historische proporties.

Technocratie en marktvriendelijke mondialisering

De essentie van dit falen is gelegen in de wijze waarop de gevestigde politieke partijen het mondialiseringsproject de afgelopen veertig jaar hebben opgevat en uitgevoerd. Twee aspecten van de mondialisering hebben de omstandigheden gecreëerd die de drijvende krachten vormen achter het populistische protest: de technocratische wijze waarop binnen het mondialiseringsproject tegen het algemeen welzijn wordt aangekeken en de meritocratische wijze waarop voorstanders van de mondialisering winnaars en verliezers definiëren.

Het technocratische beeld van de politiek is verstrengeld met een geloof in de markt. Het gaat hierbij niet per se om het onbelemmerde laisser-fairekapitalisme, maar om de bredere overtuiging dat marktmechanismen de belangrijkste instrumenten vormen voor de verwezenlijking van het algemeen welzijn. Deze manier van denken over politiek is technocratisch van aard, en wel in die zin dat het publieke discours hierbij wordt ontdaan van alle substantiële ethische vragen, en ideologisch omstreden dilemma's worden gereduceerd tot kwesties van economische efficiëntie die het domein vormen van deskundigen.

Het is niet moeilijk te begrijpen hoe geloof in markt en technologie de weg heeft gebaand voor de huidige populistische onvrede. De marktgedreven versie van de mondialisering heeft tot groeiende ongelijkheid geleid en bovendien gevoelens van nationale identiteit en vaderlandsliefde van hun waarde beroofd. Terwijl goederen en kapitaal onbelemmerd over de landsgrenzen heen stroomden, gingen degenen die zich binnen de mondiale economie goed wisten te handhaven steeds meer waarde hechten aan hun kosmopolitische identiteit, die ze beschouwden als een progressief en verlicht alternatief voor de beperkte en benauwde wereld van protectionisme, tribalisme en conflicten. De werkelijke politieke scheidslijn, zo betoogden ze, was niet meer links versus rechts maar 'open' versus 'gesloten'. Dit impliceerde dat iedereen die kritiek had op vrijhandelsovereenkomsten, onbelemmerde kapitaalstromen en het uitbesteden van productieprocessen aan het buitenland zich bekrompen toonde in plaats van blijk te geven van een open geesteshouding, en de economie alleen maar vanuit zijn eigen beperkte, tribale standpunt kon beschouwen in plaats van die in mondiaal perspectief te zien.[1]

Intussen leidde de technocratische aanpak van het openbaar bestuur ertoe dat veel maatschappelijke vragen werden behandeld als technische kwesties die het domein vormden van experts en waarover gewone burgers niets te zeggen hadden. En dat leidde weer tot een sterke inperking van de reikwijdte van de democratische discussie, uitholling van het maatschappelijk debat en een groeiend gevoel van machteloosheid.

De marktvriendelijke, technocratische visie op mondialise-

ring werd enthousiast overgenomen door de gevestigde partijen
links en rechts van het midden. Maar vooral het feit dat de
centrumlinkse partijen het marktdenken en de marktwaarden zo
enthousiast onthaalden, heeft ingrijpende gevolgen gehad, niet
alleen voor het mondialiseringsproject zelf, maar ook voor de
daaropvolgende populistische protesten. Tegen de tijd dat Trump
verkozen werd, had de Democratische Partij zich ontwikkeld tot
een technocratische liberale partij die veel meer weerklank vond
bij hoogopgeleiden dan bij de kiezers uit de arbeiders- en middenklasse waarop haar macht ooit was gegrondvest. Hetzelfde
gold voor de Britse Labourpartij ten tijde van de Brexit en voor
de Europese sociaaldemocratische partijen. Deze transformatie
stamde uit de jaren tachtig.[2] Ronald Reagan en Margaret Thatcher hadden betoogd dat de overheid het probleem was en de
markt de oplossing. Nadat zij van het politieke toneel verdwenen
waren, werd hun geloof in de markt in gematigde vorm overgenomen door hun centrumlinkse opvolgers: Bill Clinton in de
Verenigde Staten, Tony Blair in Groot-Brittannië en Gerhard
Schröder in Duitsland. Ze haalden de scherpe randjes van de onbelemmerde marktwerking af, zonder de uitgangspunten aan te
vechten die aan de kern lagen van het denken uit de periode Re-
agan-Thatcher, namelijk dat marktmechanismen de belangrijkste
instrumenten zijn om het algemeen welzijn te verwezenlijken. In
lijn met dit geloof stelden ze zich enthousiast op tegenover een
marktgedreven versie van de mondialisering en verwelkomden
ze de steeds sterkere financialisering van de economie.

In de jaren negentig sloegen de regering Clinton en de Republikeinen de handen ineen om internationale handelsovereen-
komsten te bevorderen en de financiële industrie te dereguleren.
Hoewel de voordelen van dit beleid vooral de mensen aan de top
ten goede kwamen, ondernamen de Democraten weinig tegen
de groeiende ongelijkheid en de steeds grotere macht van het
geld in de politiek. Het Amerikaanse progressieve denken (het
zogenoemde *liberalism*) dwaalde af van zijn tradionele missie, het
kapitalisme beteugelen en de economische macht democratische

verantwoording opleggen, en daarmee verloor het zijn vermogen om te inspireren.

Dat alles leek te veranderen toen Barack Obama op het politieke toneel verscheen. Tijdens de presidentscampagne van 2008 bood hij een opwindend alternatief voor de technocratische managerstaal die zo kenmerkend was geworden voor het progressieve politieke discours. Hij liet zien dat een progressieve politiek ook de taal van morele en spirituele doelen kon spreken.

De morele energie en het op gemeenschapszin gerichte idealisme die hij als kandidaat opwekte, wist hij echter niet over te brengen op zijn presidentschap. Toen hij midden in de financiële crisis werd ingezworen als president, benoemde hij economische adviseurs die zich onder de regering-Clinton hadden ingezet voor financiële deregulering. Op hun advies redde hij de banken zonder hen verantwoordelijk te houden voor het gedrag waarmee die de crisis hadden veroorzaakt, terwijl mensen die hun huis kwijt waren geraakt op weinig steun konden rekenen.

Beroofd van een groot deel van zijn morele gezag, koos Obama ervoor om de oplaaiende volkswoede richting Wall Street te sussen in plaats van die te vertalen naar politiek handelen. De blijvende woede over de redding van de banken wierp een schaduw over Obama's presidentschap en zou uiteindelijk voeding geven aan een populistische proteststemming die weerklank vond over het gehele politieke spectrum: ter linkerzijde manifesteerde die zich in de Occupybeweging en de kandidatuur van Bernie Sanders, en ter rechterzijde in de Tea Party en de verkiezing van Trump.

De populistische revolte in de Verenigde Staten, Groot-Brittannië en Europa is een woedende reactie op het gedrag van de elites, maar de meest opvallende slachtoffers daarvan zijn de progressieve en middenpartijen: de Democraten in de Verenigde Staten, Labour in Groot-Brittannië, de Duitse SPD, die tot onder de 20 procent van de stemmen zakte, en de Franse Parti socialiste, die met haar presidentskandidaat in de eerste ronde van de verkiezingen van 2017 slechts 6 procent van de stemmen haalde.

Voordat deze partijen weer kunnen hopen op de steun van het brede publiek, dienen ze hun marktgeoriënteerde, technocratische benadering van het landsbestuur te herzien. Bovendien dienen ze zich te heroriënteren op iets wat weliswaar subtieler, maar zeker niet minder ingrijpend is: de visies op succes en mislukking die de afgelopen decennia samen met de groeiende ongelijkheid zijn opgekomen. Ze dienen zichzelf de vraag te stellen waarom degenen die het in de nieuwe economie niet voor de wind is gegaan het gevoel krijgen dat de winnaars minachtend op hen neerkijken.

De retoriek van het opklimmen

Waar komt het ressentiment vandaan dat zo veel kiezers uit de arbeiders- en middenklasse blijken te voelen jegens de elites? Het antwoord begint met de steeds groter wordende ongelijkheid van de afgelopen decennia, maar het gaat dieper. In laatste instantie heeft het iets te maken met de veranderende voorwaarden voor maatschappelijke erkenning en waardering.

In het tijdperk van de mondialisering zijn de beloningen ongelijk verdeeld, en dat is nog zwak uitgedrukt. In de Verenigde Staten is het grootste deel van de stijging van het nationale inkomen sinds de late jaren zeventig naar de bovenste 10 procent gegaan, terwijl de onderste helft van de bevolking daar vrijwel niet van heeft geprofiteerd. Het reële mediane inkomen voor mannen in de werkzame leeftijd, dat in de huidige Verenigde Staten ongeveer zesendertigduizend dollar bedraagt, is lager dan veertig jaar geleden. Tegenwoordig verdient de rijkste 1 procent van alle Amerikanen meer dan de gehele onderste helft.[3]

Maar zelfs deze explosie van ongelijkheid is niet de belangrijkste bron van populistische woede. De Amerikanen hebben ongelijkheid in inkomen en bezit lang getolereerd, omdat ze geloofden dat het in Amerika, ongeacht waar je vandaan komt, altijd mogelijk is om van krantenjongen op te klimmen tot miljonair. Dit geloof in de mogelijkheid van sociale stijging ligt aan de kern van de Amerikaanse droom.

In overeenstemming met dit geloof hebben de gevestigde politieke partijen en politici op de groeiende economische ongelijkheid gereageerd met maatregelen ter bevordering van de kansengelijkheid, zoals omscholing van werknemers die hun baan zijn kwijtgeraakt als gevolg van de mondialisering en de technologische vooruitgang, betere toegankelijkheid van het hoger onderwijs en eliminatie van belemmeringen op grond van ras, etnische afkomst en gender. Deze retoriek van gelijke kansen wordt krachtig samengevat in de slogan dat degenen die hard werken en zich aan de regels houden, in staat zouden moeten zijn om 'zover op te klimmen als hun talenten hen maar kunnen brengen'.

De afgelopen jaren hebben politici van beide partijen deze slogan zo vaak herhaald dat het een soort mantra is geworden. Republikeinen als Ronald Reagan, George W. Bush en Marco Rubio, en Democraten als Bill Clinton, Barack Obama en Hillary Clinton hebben hem telkens weer uitgesproken. Obama was ook erg gesteld op een variatie op dit thema, die hij had ontleend aan de popsong 'You can make it if you try'. In de loop van zijn presidentschap heeft hij dit zinnetje in redevoeringen en verklaringen meer dan honderdveertig keer gebruikt.[4]

Deze retoriek van het opklimmen lijkt inmiddels echter een reeks holle frasen. In de hedendaagse economie is het niet eenvoudig om vooruit te komen in de wereld. Amerikanen die zijn geboren als kinderen van arme ouders zijn over het algemeen als volwassenen nog steeds arm. Van degenen die zijn geboren in de onderste 20 procent van de inkomensverdeling, zal slechts één op de twintig de bovenste 20 procent bereiken, en de meesten zullen zelfs geen middeninkomen weten te verdienen.[5] In Canada, Duitsland, Denemarken en andere Europese landen is het gemakkelijker om je op te werken uit de armoede dan in de Verenigde Staten.[6]

Dit komt niet overeen met de oude overtuiging dat sociale

mobiliteit het Amerikaanse antwoord is op maatschappelijke ongelijkheid. De Verenigde Staten, zo houden we onszelf voor, hoeven zich niet zo druk te maken over ongelijkheid als de door hardnekkige klassenverschillen gehinderde Europese samenlevingen, want hier is het mogelijk om vooruit te komen in de wereld. 70 procent van alle Amerikanen gelooft dat de armen zich op eigen kracht kunnen opwerken uit de armoede, terwijl slechts 35 procent van alle Europeanen die mening is toegedaan. Dit vertrouwen in sociale mobiliteit vormt mogelijk een verklaring voor het feit dat de Verenigde Staten een veel kariger stelsel van sociale voorzieningen kennen dan de meeste grote Europese landen.[7]

Tegenwoordig kennen de landen met de hoogste sociale mobiliteit over het algemeen juist de laagste ongelijkheid. Het vermogen om op te klimmen op de maatschappelijke ladder is kennelijk minder afhankelijk van de prikkel van de armoede dan van de toegankelijkheid van onderwijs, gezondheidszorg en andere maatschappelijke instellingen die mensen voorzien van de middelen die ze nodig hebben om te slagen in de wereld van het werk.

De explosief stijgende ongelijkheid van de afgelopen tientallen jaren heeft niet geleid tot een grotere sociale mobiliteit. Integendeel zelfs, de hoogste lagen van de maatschappij zijn erin geslaagd om hun privileges te bestendigen en door te geven aan hun kinderen. De barrières van ras, religie, gender en etnische afkomst die ooit de toelating tot de elite-universiteiten beperkten tot de zonen van de bevoorrechte klassen zijn de afgelopen eeuw uit de weg geruimd. De Scholastic Aptitude Test (SAT) kwam voort uit het idee dat studenten toegelaten dienen te worden op basis van hun schoolprestaties en intellectuele aanleg, en niet op basis van hun afkomst en klasse. De hedendaagse meritocratie is echter verworden tot een erfelijke aristocratie.

Twee derde van alle studenten aan Harvard en Stanford is afkomstig uit de bovenste 20 procent van de inkomensverdeling. Ondanks een royaal beurzenstelsel is nog geen 4 procent van alle studenten aan de acht beste Amerikaanse universiteiten (de zogenoemde Ivy League) afkomstig uit gezinnen uit de onderste 20 procent van de inkomensverdeling. Aan deze acht topuniversiteiten zijn meer studenten te vinden uit huishoudens uit de bovenste 1 procent (wat inhoudt dat hun jaarinkomen minstens 630.000 dollar bedraagt) dan studenten die afkomstig zijn uit onderste helft.[8]

Het Amerikaanse geloof dat iedereen die over aanleg beschikt en hard werkt kan opklimmen, strookt niet meer met de feiten. Dit zou kunnen verklaren waarom de retoriek van maatschappelijke kansen niet meer zo inspirerend werkt als vroeger. Sociale mobiliteit kan niet meer compenseren voor maatschappelijke ongelijkheid. Elke serieuze reactie op de kloof tussen rijk en arm zal zich rechtstreeks moeten richten op ongelijkheid van macht en bezit in plaats van dat we ons ermee tevreden stellen mensen te helpen een ladder te beklimmen waarvan de sporten steeds verder uit elkaar zijn komen te staan.

Het meritocratische ethos

Het probleem met de meritocratie is niet alleen dat ideaal en praktijk ver uiteenlopen. Als dat het geval was, zou de oplossing liggen in het streven naar grotere kansengelijkheid en een samenleving waarin mensen ongeacht hun afkomst werkelijk zover kunnen opklimmen als hun eigen aanleg en inspanning hen kunnen brengen. Het valt echter te betwijfelen of zelfs zo'n volmaakte meritocratie in ethisch of politiek opzicht wel bevredigend zou zijn.

Ethisch gezien is onduidelijk waarom de getalenteerden onder ons de buitensporige beloningen verdiend hebben waarmee marktgedreven samenlevingen succesvolle mensen overladen. Aan de kern van de verdediging van het meritocratische ethos ligt het idee dat we het niet verdienen om beloond of belemmerd te worden op basis van factoren die buiten onze macht vallen.

Maar is het werkelijk je eigen verdienste of schuld dat je al dan niet over bepaalde talenten beschikt? Als dat niet aan jezelf te danken of te wijten is, valt moeilijk in te zien waarom degenen die opklimmen dankzij hun talenten daarvoor een hogere beloning zouden verdienen dan anderen, die misschien wel net zo hard werken als zij, maar minder rijkelijk bedeeld zijn met de gaven waaraan een marktsamenleving toevallig veel waarde hecht.

De enthousiastelingen die het meritocratische ideaal tot de kern van hun politieke project maken, zien deze ethische kwestie over het hoofd. Ze negeren ook iets wat meer politieke potentie heeft: de moreel verwerpelijke houding die het meritocratische ethos bij zowel winnaars als verliezers oproept. Bij de winnaars leidt het tot hoogmoed, en bij de verliezers tot gevoelens van vernedering en ressentiment. Deze morele sentimenten liggen aan de kern van de populistische revolte tegen de elites. De populistische onvrede is niet primair een protest tegen immigratie en het verplaatsen van werkgelegenheid naar het buitenland, maar tegen de tirannie van verdienste. En die onvrede is gerechtvaardigd.

De onophoudelijke nadruk op het scheppen van een eerlijke meritocratie, waarin iemands maatschappelijke positie een weerspiegeling is van zijn aanleg en inspanning, heeft een corrumperend effect op de wijze waarop we ons succes (of het gebrek daaraan) interpreteren. Het denkbeeld dat het systeem aanleg en inspanning beloont, zet de winnaars ertoe aan om hun succes te beschouwen als iets wat ze volledig op eigen kracht behaald hebben – een teken van hun deugdzaamheid – en om neer te kijken op mensen die het minder goed getroffen hebben dan zij.

Deze meritocratische hoogmoed weerspiegelt de neiging van de winnaars om zich te laten bedwelmen door hun eigen succes, en daarbij alle geluk en voorspoed buiten beschouwing te laten die hen op weg hebben geholpen. Degenen die aan de top belanden, geloven vol zelfvoldane overtuiging dat ze hun lot verdiend hebben en dat dat ook geldt voor de mensen die aan de onderkant terechtkomen. Deze stellingname is onlosmakelijk verbonden met het ethische aspect van een technocratische politiek.

Een levendig besef van de rol van het toeval in ons leven is bevorderlijk voor een bepaalde nederigheid, zodat we als we iemand zien met wie het duidelijk niet goed gaat, beseffen: 'Slechts dankzij de genade Gods of de grillen van het lot ben ik dat niet.' Een volmaakte meritocratie verdrijft echter alle besef dat het goede waarvan we genieten een geschenk is, of een genadeblijk, en dat vermindert ons vermogen om onszelf te zien als mensen die allen hetzelfde lot delen. Een perfecte meritocratie laat weinig ruimte voor de solidariteit die kan ontstaan wanneer we ons realiseren hoe lukraak talenten worden uitgedeeld en hoe willekeurig het lot ons kan begunstigen of zwaar kan treffen. Dat is de reden waarom 'loon naar verdienste' een vorm van tirannie is – een onrechtvaardig regime.

De politiek van de vernedering

Van onderaf gezien is de hoogmoed van de elites werkelijk hemeltergend. Niemand vindt het leuk om geminacht te worden, maar het meritocratisch geloof stapelt de ene belediging op de andere. Het denkbeeld dat je je lot in eigen handen hebt, *you can make it if you try*, is een tweesnijdend zwaard, en kan zowel inspiratie bieden als beledigend zijn. Het feliciteert de winnaars, maar kleineert de verliezers, zelfs in hun eigen ogen. Want voor mensen die geen werk kunnen vinden of met dat werk niet in hun onderhoud kunnen voorzien, is het moeilijk om te ontkomen aan de ontmoedigende gedachte dat ze dat aan zichzelf te wijten hebben, en dat het hun eenvoudigweg ontbreekt aan voldoende aanleg en inzet om te slagen in het leven.

In dit opzicht verschilt de politiek van de vernedering van die van het onrecht. Protest tegen onrecht is naar buiten gericht. Het klaagt dat het systeem doorgestoken kaart is en dat de winnaars zich met list en bedrog hebben opgewerkt. Protesteren tegen

vernedering legt een zwaardere psychische druk, want het combineert ressentiment tegenover de winnaars met knagende twijfel
aan jezelf: misschien zijn de rijken wel rijk geworden omdat
ze meer gepresteerd hebben dan de armen; misschien zijn de
verliezers eigenlijk toch wel medeplichtig aan hun tegenspoed.

Dit aspect van de politiek van de vernedering maakt dat die
sneller tot politieke ongeregeldheden zal leiden dan andere politieke sentimenten. Vernedering is een krachtig ingrediënt van de
uiterst licht ontvlambare mengeling van woede en ressentiment
die de drijvende kracht vormt achter het populistische protest.
Hoewel Donald Trump miljardair is, heeft hij dit ressentiment
goed aangevoeld en weet hij er goed op in te spelen. Anders dan
Barack Obama en Hillary Clinton, die het voortdurend over
'kansen' hadden, heeft Trump dat woord nauwelijks gebruikt.
In plaats daarvan sprak hij botweg over winnaars en verliezers.
(Interessant genoeg spreekt Bernie Sanders, een sociaaldemocratische populist, ook maar heel weinig over kansen en sociale
mobiliteit, en richt hij zich in plaats daarvan op de scheve verdeling van macht en bezit.)

De elites zijn zo enorm veel waarde gaan hechten aan een
universitaire graad – niet alleen als middel om op te klimmen,
maar ook als grondslag voor maatschappelijke waardering – dat
het hun moeite kost om te begrijpen hoeveel hoogmoed een
meritocratie kan oproepen, en hoe streng en onbarmhartig het
oordeel is dat die velt over iedereen die niet heeft gestudeerd.
Dergelijke attitudes liggen aan de kern van het populistische
verzet en Trumps verkiezingsoverwinning.

Een van de diepste politieke scheidslijnen in de hedendaagse Amerikaanse politiek is die tussen mensen met en zonder
voltooide universitaire opleiding. Tijdens de verkiezingen van
2016 kreeg Trump twee derde van de witte kiezers zonder universitaire opleiding achter zich, terwijl Hillary Clinton onder
hoogopgeleide kiezers een beslissende overwinning behaalde. Een
soortgelijke verdeling zagen we bij het Britse Brexit-referendum:
van de kiezers zonder universitaire opleiding koos een overgrote

meerderheid voor Brexit, terwijl de grote meerderheid van degenen met minstens een mastertitel *remain* stemde.[9]

Toen ze anderhalf jaar later terugblikte op haar presidentscampagne gaf Hillary Clinton blijk van de meritocratische hoogmoed die had bijgedragen aan haar nederlaag. 'Ik heb gewonnen op de plekken die twee derde van het Amerikaanse bruto nationaal product vertegenwoordigen,' verklaarde ze tijdens een conferentie in Mumbai, India in 2018. 'Dus ik heb gewonnen op de optimistische, diverse en dynamische plekken, waar de mensen vooruit willen.' Trump daarentegen ontleende volgens haar zijn steun aan degenen die 'het niet prettig vonden dat zwarte mensen rechten krijgen' en 'die het niet konden waarderen dat vrouwen (...) banen krijgen'. Zij had de stemmen gewonnen van de winnaars van de mondialisering, terwijl Trump had gewonnen onder de verliezers.[10]

Ooit had de Democratische Partij het namens de boeren en de arbeiders opgenomen tegen de bevoorrechten. Maar nu, in een meritocratische tijd, pochte haar verslagen vaandeldraagster erop dat de welvarende en verlichte delen van het land op haar hadden gestemd.

Donald Trump was zeer ontvankelijk voor de politiek van de vernedering. Vanuit het standpunt van economische rechtvaardigheid was zijn populisme nep, een soort plutocratisch populisme. Hij kwam met een plan dat voor een groot deel van zijn aanhangers uit de arbeidersklasse tot grote bezuinigingen op de gezondheidszorg zou hebben geleid en heeft een belastingwet ingevoerd die de rijken overlaadde met fiscale voordelen. Maar door uitsluitend aandacht te besteden aan zijn hypocrisie, zouden we over het hoofd zien waar het hier werkelijk om gaat.

Toen hij de Verenigde Staten terugtrok uit het Klimaatakkoord beweerde Trump, al was dat nog zo onwaarschijnlijk, dat hij dat deed om Amerikaanse banen te beschermen. De werkelijke reden voor zijn besluit – de politieke rechtvaardiging daarvan – was te vinden in zijn schijnbaar achteloze opmerking: 'Op welk punt wordt Amerika vernederd? Op welk punt beginnen ze ons als land uit te lachen? (…) We willen niet meer uitgelachen worden door andere leiders en andere landen.'[11]

Toen de Verenigde Staten verlost werden van het juk dat het Klimaatakkoord kennelijk was, ging het niet werkelijk over banen of klimaatopwarming. Het ging, in Trumps politieke verbeelding, over het afwenden van vernedering. Dat vond weerklank bij Trump-kiezers, zelfs onder degenen die zich wel degelijk bekommerden om klimaatverandering.

Technocratische verdienste en moreel oordeel

Op zich is de gedachte dat een samenleving bestuurd dient te worden door degenen die zich verdienstelijk hebben gemaakt niet typisch iets voor onze tijd. In het oude China leerde Confucius zijn aanhangers al dat het landsbestuur in handen diende te liggen van lieden die uitmuntten in deugd en kunde. In het oude Griekenland filosofeerde Plato over een samenleving die werd geleid door een filosoof-koning, ondersteund door een klasse van wachters met hart voor de publieke zaak. Aristoteles verwierp Plato's filosoof-koning, maar ook hij betoogde dat de verdienstelijken in kwesties van algemeen belang de grootste invloed zouden moeten uitoefenen. Voor hem waren de voor het bestuur relevante verdiensten niet rijkdom en afkomst uit de adelstand, maar uitmuntendheid in burgerdeugd en *phronèsis*, de praktische wijsheid die een mens in staat stelt om op deugdelijke wijze na te denken over het algemeen belang.[12]

De stichters van de Amerikaanse republiek noemden zichzelf *Men of Merit* (Mannen van Verdienste) en hoopten dat deugdzame, over kennis van zaken beschikkende lieden zoals zijzelf in hoge ambten verkozen zouden worden. Ze waren gekant tegen een erfelijke aristocratie, maar al evenmin enthousiast over directe democratie, omdat ze vreesden dat die volksmenners aan de macht zou brengen. Ze streefden ernaar om institutionele procedures te ontwerpen – zoals het stelsel van indirecte verkiezingen waarmee de Amerikaanse president en senatoren worden gekozen – die de verdienstelijken in staat zouden stellen om het landsbestuur op zich te nemen. Thomas Jefferson verkoos 'een natuurlijke aristocratie' gebaseerd op 'deugd en talenten' boven een 'kunstmatige aristocratie gebaseerd op rijkdom en geboorte'. 'De beste bestuursvorm,' schreef hij, 'voorziet in een zuivere selectie van deze natuurlijke *aristoi* voor functies binnen het landsbestuur.'[13]

Ondanks hun verschillende opvattingen wordt in deze traditionele versies van de politieke meritocratie – van het confucianisme en platonisme tot aan het republikanisme – zonder uitzondering aangenomen dat de verdiensten die relevant zijn voor het landsbestuur ook morele en burgerdeugden omvatten, en dat het bevorderen van het algemeen welzijn op zijn minst gedeeltelijk bestaat uit ethische scholing van de burgers.

Onze technocratische versie van de meritocratie heeft de band tussen verdienste en morele oordelen verbroken. Binnen het domein van de economie gaan aanhangers van onze meritocratie er simpelweg van uit dat het algemeen welzijn samenvalt met het bbp, en dat de waarde van de bijdrage die mensen leveren gelijk is aan de marktwaarde van de goederen of diensten die ze verkopen. Binnen het overheidsdomein wordt wat iemand waard is afgemeten aan zijn of haar technocratische expertise.

Dit is goed te zien aan de toenemende invloed van economen op het beleid, de groeiende rol van marktmechanismen bij het bepalen wat het algemeen belang inhoudt en hoe dat na te streven, en het feit dat het publieke discours er niet in slaagt om zich bezig te houden met de grote ethische en maatschappelijke vraagstukken die juist aan de kern van het politieke debat zouden moeten liggen: Wat dienen we te ondernemen tegen de stijgende ongelijkheid? Wat is de ethische betekenis van landsgrenzen? Wat verschaft de arbeid waardigheid? Wat zijn we elkaar als burgers verschuldigd?

Deze in ethisch opzicht bekrompen en kortzichtige manier van denken over verdienste en algemeen welzijn heeft de kracht van onze democratische samenleving op verschillende wijzen ondermijnd. De eerste daarvan ligt het meest voor de hand. De afgelopen veertig jaar hebben de meritocratische elites het land niet bijster goed bestuurd. De elites die tussen 1940 en 1980 in de Verenigde Staten het heft in handen hadden, zijn veel succesvoller geweest: ze hebben de Tweede Wereldoorlog gewonnen, Europa en Japan geholpen bij hun wederopbouw, de welvaartsstaat versterkt en het rassenscheidingsbeleid opgeheven; bovendien zijn er onder hun hoede vier decennia van economische groei geweest, die zowel rijk als arm ten goede kwam. De elites die sindsdien in de Verenigde Staten aan de macht zijn geweest daarentegen, hebben het overgrote deel van de werkende bevolking vier decennia van stagnerende inkomsten gebracht; een sinds de jaren twintig van de vorige eeuw niet meer vertoonde inkomens- en vermogensongelijkheid; de Irakese oorlogen en een negentienjarige oorlog in Afghanistan die onbeslist geëindigd is; de financiële deregulering; de financiële crisis van 2008; een zwaar in verval rakende infrastructuur; het hoogste percentage gevangen gezette burgers ter wereld; en een systeem van campagnefinanciering en uiterst partijdig ingedeelde kiesdistricten voor de Congresverkiezingen, die onze democratie tot een aanfluiting maken.

Niet alleen is de technocratie duidelijk geen geschikte bestuursvorm gebleken, ze heeft ook de reikwijdte van het gehele maatschappelijke project sterk ingeperkt. Tegenwoordig wordt het algemeen welzijn voornamelijk in economische termen gezien. Het gaat minder om het bevorderen van onderlinge solidariteit of het verdiepen van de banden tussen de burgers onderling dan om het inspelen op consumentenvoorkeuren zoals die te meten zijn aan de hand van het bbp. Dit leidt tot een verarming van het publieke discours. Wat tegenwoordig doorgaat voor politieke discussie bestaat óf uit een uiterst beperkt technocratisch managementjargon dat niemand inspiratie biedt óf uit scheldpartijen waarbij sterk bevooroordeelde deelnemers langs elkaar heen schreeuwen. Dit holle publieke discours laat burgers van over het hele politieke spectrum met een boos en machteloos gevoel achter. Ze hebben terecht het gevoel dat het ontbreken van een robuust maatschappelijk debat niet inhoudt dat er geen beleidsbeslissingen worden genomen, maar dat dat nu elders gebeurt – in achterkamertjes, door allerlei bestuursorganen (die vaak in de ban zijn geraakt van de industrieën die ze reguleren), door centrale banken en obligatiemarkten, en door lobbyisten voor het grote bedrijfsleven die met hun bijdragen aan verkiezingscampagnes invloed kopen op gekozen ambtsdragers.

Maar dat is nog niet alles. Onze op technocratische kwalificaties gegrondveste meritocratie heeft de voorwaarden voor maatschappelijke erkenning zodanig herschreven dat het prestige van over allerlei diploma's en certificaten beschikkende mensen in hooggeschoolde beroepen steeds verder is toegenomen, en dat de handarbeiders en het kantoorpersoneel over het algemeen juist steeds minder maatschappelijk aanzien zijn gaan genieten. Dit aspect van de meritocratie is de meest rechtstreekse oorzaak van de boze, gepolariseerde politiek van onze tijd.

De populistische opstand

Zestig jaar geleden voorzag de Britse socioloog Michael Young de hoogmoed en het ressentiment die door de meritocratie worden opgewekt. Sterker nog, hij was degene die de term 'meritocratie' voor het eerst hanteerde. In zijn boek *The Rise of the Meritocracy* (1958) vroeg hij zich af wat er zou gebeuren als op een dag de barrières tussen de verschillende klassen geslecht zouden worden, zodat iedereen werkelijk over gelijke kansen zou beschikken om zich uitsluitend op basis van eigen verdienste een plaats te verwerven op de maatschappelijke ladder.[14]

In één opzicht zou dit zeker een verheugende ontwikkeling zijn: de kinderen uit de arbeidersklasse zouden nu eindelijk op eerlijke wijze kunnen wedijveren met de kinderen van de bevoorrechten. Toch zou de verwezenlijking van een perfecte meritocratie volgens Young geen onverdeelde triomf zijn, want bij de winnaars zou die ongetwijfeld tot hoogmoed leiden, terwijl de verliezers zich vernederd zouden voelen. De winnaars zouden hun succes beschouwen als een 'terechte beloning voor hun eigen vermogens, hun eigen inspanningen en hun eigen onloochenbare prestaties', en zouden daarom neerkijken op mensen die het minder ver geschopt hadden. Degenen die er niet in waren geslaagd om op te klimmen zouden het gevoel krijgen dat ze dat uitsluitend aan zichzelf te wijten hadden.[15]

Wat Young betrof, was een meritocratie geen nastrevenswaardig ideaal, maar een recept voor sociale disharmonie. Meer dan een halve eeuw geleden voorzag hij al de grimmige meritocratische logica die nu onze politiek vergiftigt en de drijvende kracht vormt achter de populistische woede. Voor degenen die zich gekrenkt voelen door de tirannie van verdienste ligt het probleem niet alleen in stagnerende lonen, maar ook in het verlies van maatschappelijk aanzien.

Het door technologische ontwikkelingen en outsourcing naar het buitenland veroorzaakte banenverlies heeft zich tegelijkertijd voorgedaan met de opkomst van het gevoel dat de samenleving steeds minder respect koestert voor het soort werk dat de arbeidersklasse doet. Naarmate het zwaartepunt van de economische bedrijvigheid is verschoven van de maakindustrie naar het managen van geld, en onze samenleving buitenproportionele beloningen is gaan toekennen aan fondsmanagers, bankiers en mensen in universitair geschoolde beroepen, is de waardering voor arbeid in de traditionele zin des woords steeds brozer en onzekerder geworden.

De gevestigde partijen en elites zien deze dimensie van de politiek over het hoofd. Ze denken dat het probleem met de marktgedreven mondialisering simpelweg een kwestie van verdelende rechtvaardigheid is: degenen die hebben gewonnen bij de wereldhandel, de nieuwe technologieën en de financialisering van de economie hebben de verliezers niet voldoende schadeloosgesteld.

Maar zo worden de klachten van de populisten verkeerd begrepen, en bovendien weerspiegelt deze manier van denken een tekortkoming in de technocratische benadering van het landsbestuur. Door ons maatschappelijk debat te voeren alsof het mogelijk zou zijn om morele en politieke oordelen over te laten aan de markt of aan deskundigen en technocraten, hebben we ons democratische debat van zin en betekenis beroofd. En dergelijke leemten worden altijd weer opnieuw gevuld door strenge, autoritaire vormen van identiteit en gezamenlijkheid – in de vorm van religieus fundamentalisme of een schril en strijdlustig nationalisme.

Dat is waarvan we vandaag de dag getuige zijn. Veertig jaar van marktgedreven mondialisering heeft het maatschappelijk debat uitgehold, gewone burgers machteloos gemaakt en een populistische reactie opgeroepen die ernaar streeft om de leemte in het publieke domein te vullen met een onverdraagzaam en wraakzuchtig nationalisme.

Om de democratische politiek nieuw leven in te blazen dienen we onze weg te zoeken naar een maatschappelijk debat dat in ethisch opzicht robuuster is dan het huidige en dat oog heeft voor de ondermijnende uitwerking van het meritocratische streven op de maatschappelijke banden die de basis vormen van ons gemeenschapsleven.

2

'Groot want goed': een korte geschiedenis van de 'eigen verdienste'

Er is niets mis met het aannemen van mensen op basis van hun prestaties. Sterker nog, over het algemeen is dat de juiste handelswijze. Als ik een loodgieter nodig heb om mijn kapotte toilet te repareren, of een tandarts om mijn gebit te herstellen, probeer ik degene te vinden die het best gekwalificeerd is voor die taak. Nou, misschien niet de beste, want ik ga niet de hele wereld afzoeken, maar wél iemand die goed gekwalificeerd is.

Bij het vervullen van vacatures doet het ter zake wat iemand gepresteerd heeft, en dat is minstens om twee redenen zo. De eerste is efficiëntie. Ik ben beter af als mijn loodgieter of tandarts zijn vak verstaat dan als hij incompetent is. De andere is eerlijkheid. Het zou verkeerd zijn om de best gekwalificeerde sollicitant te discrimineren op basis van raciale, religieuze of seksistische vooroordelen en in plaats daarvan iemand in te huren die minder goed gekwalificeerd is. Zelfs als ik, omdat ik aan mijn vooroordelen toegeef, bereid zou zijn om een knullig uitgevoerde toiletreparatie of wortelkanaalbehandeling voor lief te nemen, zou deze vorm van discriminatie nog oneerlijk zijn, want de beter gekwalificeerde kandidaten zouden dan terecht kunnen klagen dat hun onrecht was gedaan.

Als het vervullen van vacatures op basis van prestaties een goede en verstandige gewoonte is, wat zou er dan in hemelsnaam mis kunnen zijn met een meritocratie? Hoe kan zo'n goedaardig beginsel als 'benoeming op basis van verdienste' tot een storm van ressentiment leiden die zo sterk is dat de politiek er in democratische samenlevingen overal ter wereld een ander aanzien door heeft gekregen? Wanneer hebben principes als 'loon naar werken' en 'benoeming op basis van verdienste' zo'n verwoestende werking gekregen, en hoe is dat gekomen?

Waarom verdienste en prestaties van belang zijn

Het idee dat de samenleving economische beloningen en verantwoordelijke posities dient te verdelen aan de hand van de prestaties die mensen geleverd hebben, is om verschillende redenen aantrekkelijk. Twee daarvan zijn gegeneraliseerde versies van het pleidooi voor geleverde prestaties bij het aannemen of inhuren van mensen – efficiëntie en eerlijkheid. Een economisch systeem dat inspanning, initiatief en aanleg beloont, zal waarschijnlijk productiever zijn dan een systeem dat iedereen hetzelfde betaalt, ongeacht zijn of haar bijdrage, of dat aantrekkelijke maatschappelijke posities uitdeelt op basis van favoritisme. Mensen louter en alleen belonen op basis van verdienste is ook eerlijk, want dan wordt er uitsluitend 'gediscrimineerd' (dat wil zeggen onderscheid gemaakt) op basis van geleverde prestaties.

Een samenleving die prestaties beloont, is ook aantrekkelijk voor iedereen die iets wil bereiken. Niet alleen bevordert zo'n samenleving de efficiëntie en gaat ze discriminatie tegen, maar ze bevestigt ook een bepaald vrijheidsidee, namelijk dat we ons lot in eigen handen hebben, dat ons welslagen niet afhankelijk is van krachten waarop we geen invloed hebben en dat het uitsluitend van onszelf afhangt of we slagen of falen. We zijn geen slachtoffer van de omstandigheden, maar meester over ons eigen lot, en het staat ons vrij om net zover op te klimmen als onze inspanningen, talenten en dromen ons maar brengen kunnen.

Dit is een opwindend beeld van de mens als actor, en het gaat hand in hand met een in ethisch opzicht geruststellende conclusie: we krijgen wat ons toekomt. Als ik mijn succes aan mijn eigen werk te danken heb, als ik het heb verworven door middel van aanleg en inspanning, kan ik daar trots op zijn en erop vertrouwen dat ik de beloningen die mijn prestaties me opleveren werkelijk heb verdiend. Een meritocratische samenleving is dus op verschillende wijzen inspirerend: ze bevestigt een krachtig vrijheidsidee en ze beloont mensen naar de prestaties die ze geleverd hebben, zodat die beloning hun ook werkelijk toekomt.

Hoe inspirerend dit ook mag zijn, het principe van de eigen verdienste kan verworden tot iets tirannieks – niet alleen als het samenlevingen niet lukt om dit ideaal te verwezenlijken, maar vooral ook als ze daar wél in slagen. De duistere keerzijde van het meritocratische ideaal ligt besloten in zijn meest aanlokkelijke belofte: dat je meester bent over je eigen lot en zelf je eigen bestaan opbouwt en vormgeeft. Deze belofte legt namelijk ook een zware druk op mensen. Het meritocratische ideaal kent veel gewicht toe aan individuele verantwoordelijkheid. Hoewel dat principe ook te ver kan worden doorgevoerd, is het goed om mensen verantwoordelijk te houden voor hun eigen doen en laten, want zo respecteren we hun vermogen tot zelfstandig denken en handelen, als morele actor en als burger. Het is echter één ding om mensen verantwoordelijk te houden voor hun ethisch handelen, en iets anders om ervan uit te gaan dat ieder van ons volledig verantwoordelijk is voor zijn eigen levenslot.

Zelfs de term 'levenslot' maakt al gebruik van morele begrippen die suggereren dat onbeperkte eigen verantwoordelijkheid niet kan bestaan. Spreken van iemands 'lot' suggereert dat er loten worden getrokken, en dat wat iemand overkomt wordt bepaald door 'de loop der gebeurtenissen', het noodlot, de fortuin of de goddelijke genade, maar niet door onze eigen inspanningen.[1] Het wijst op iets wat voorbijgaat aan eigen verdienste en vrije keuze. Dit brengt ons in herinnering dat de meest invloedrijke vroege debatten over verdienstelijkheid geen betrekking hadden op inkomens en banen, maar op Gods goedgunstigheid: is dat iets wat we verdienen of wat ons geschonken wordt?

Een kosmische meritocratie

Het denkbeeld dat ons lot een weerspiegeling vormt van onze verdienste is diep verweven met de morele intuïtie van de westerse cultuur. De Bijbelse theologie leert ons dat alles wat van nature gebeurt een reden heeft. Gunstig weer en een overvloedige oogst zijn een goddelijke beloning voor goed gedrag. Droogten en epidemieën zijn straffen voor onze zonden. Als een schip in een storm verzeild raakt, vragen de bemanningsleden wie van hen Gods toorn over hen heeft afgeroepen.[2]

Als we vanuit onze huidige wetenschappelijke tijd terugblikken op dit verre verleden, mag deze manier van denken onschuldig of zelfs kinderlijk aandoen, maar zo ver staat die toch niet van ons af. Sterker nog, het meritocratische denken komt voort uit deze zienswijze, die een weerspiegeling vormt van het geloof dat het morele universum zodanig is ingericht dat voorspoed gepaard gaat met deugdzaamheid en leed met een gebrek daaraan. Dit is niet ver verwijderd van het vertrouwde hedendaagse denkbeeld dat rijkdom een gevolg is van aanleg en inspanning, en armoede een teken van luiheid.

In twee aspecten van de Bijbelse zienswijze is al een voorafspiegeling van de huidige meritocratie te onderscheiden. Het ene aspect is de grote nadruk die in de Bijbel wordt gelegd op de menselijke wil en handelingsvrijheid, het andere is de onbarmhartige Bijbelse opstelling naar mensen die te lijden krijgen onder tegenslag. Het lijkt misschien alsof de hedendaagse meritocratie het handelingsvermogen en de wilsvrijheid van de mens benadrukt en de Bijbel alle macht juist aan God toekent. Per slot van rekening is Hij degene die straffen en beloningen uitdeelt – de overstromingen en droogten, maar ook de oogstreddende regens.

In werkelijkheid is dit echter een sterk antropocentrisch getint beeld, waarin God het grootste deel van zijn tijd doorbrengt met reageren op de aansporingen van de mensen door hun goedheid te belonen en hun zonden te bestraffen. Paradoxaal genoeg heeft God hierdoor echter juist verplichtingen tegenover ons, omdat Hij gedwongen is, voor zover Hij rechtvaardig is, om ons te geven wat ons toekomt. Hoewel God degene is die de beloningen en straffen uitdeelt, doet Hij dat niet zomaar, maar aan de hand van wat we verdiend hebben. Dus zelfs in aanwezigheid van God krijgen mensen letterlijk wat hun toekomt, en hebben ze hun lot aan zichzelf te danken.

Ten tweede leidt deze meritocratische denkwijze tot een grimmige en onbarmhartige houding tegenover mensen die te lijden hebben onder tegenspoed. Hoe heviger het lijden, hoe groter de verdenking dat het slachtoffer dat over zichzelf heeft afgeroepen. Denk maar eens aan het boek Job. De rechtvaardige en rechtschapen Job krijgt onbeschrijflijke kwellingen te verduren, waaronder de dood van zijn zoons en dochters tijdens een noodweer. Job, die God altijd trouw blijft, kan niet begrijpen waarom hij al dit lijden te verduren krijgt. (Hij beseft niet dat hij het slachtoffer is van een kosmische weddenschap waarin God probeert tegenover Satan te bewijzen dat Jobs geloof niet zal wankelen, hoeveel ellende hij ook over zich uitgestort krijgt.)

Terwijl Job rouwt om het verlies van zijn gezinsleden, verklaren zijn vrienden (als je die zo kunt noemen) nadrukkelijk dat hij een of andere verschrikkelijke zonde begaan moet hebben, en ze dringen er bij hem op aan om na te gaan wat die zonde geweest zou kunnen zijn.[3] Dit is een vroeg voorbeeld van de tirannie van verdienste. De veronderstelling dat lijden betekent dat er gezondigd is, leidt ertoe dat het gemoed van Jobs vrienden verhardt. Ze zijn zelfs zo wreed dat ze zijn verdriet nog vergroten door te beweren dat hij vanwege de een of andere inbreuk op de goddelijke wet zelf wel schuld zal hebben aan de dood van zijn zoons en dochters. Hoewel hij weet dat hij onschuldig is, is Job net als zijn vrienden een aanhanger van de theologie van de verdienste, en dus vraagt hij God luidkeels waarom hij, een rechtvaardig en rechtschapen man, zo moet lijden.

Als God Job eindelijk antwoordt, verwerpt hij de wrede logica van de eigen schuld. Hij doet dat door te verklaren dat het meritocratische uitgangspunt waar zowel Job als zijn vrienden in geloven, onjuist is. Niet alles wat er gebeurt, is een straf of beloning voor menselijk gedrag, verklaart de stem van God vanuit de wervelwind. Niet alle regen valt om de gewassen van de rechtvaardigen te bevloeien, noch is elke droogte bestemd om de zondaars te bestraffen. Het regent per slot van rekening ook op plekken waar niemand woont – in de wildernis, waar geen menselijk leven voorkomt. De schepping is er niet alleen omwille van de mensen. De kosmos is groter en Gods wegen zijn raadselachtiger dan dit antropomorfe beeld doet vermoeden.[4]

God bevestigt dat Job een rechtschapen man is, maar straft hem omdat hij zo hoogmoedig is geweest om te denken dat hij de morele logica van het goddelijke bewind kan doorgronden. Dit is een radicale afwijking van de theologie van de eigen verdienste waarvan Genesis en Exodus doortrokken zijn.[5] Door te ontkennen dat hij leiding heeft over een kosmische meritocratie, verzekert God ons van zijn onbegrensde macht en leert hij Job nederig te zijn. Geloof in God houdt in dat we de grootsheid en raadselachtigheid van de schepping aanvaarden en niet van God verwachten dat hij straffen en beloningen uitdeelt op basis van wat ieder mens toekomt.

Verlossing en zelfhulp

De vraag naar de rol van verdienste keert vaker terug in christelijke debatten over de verlossing: kunnen de gelovigen hun verlossing verdienen door religieuze plechtigheden bij te wonen en goede werken te verrichten, of staat het God volkomen vrij om te beslissen wie hij zal verlossen, los van de vraag hoe mensen hun leven leiden?[6] De eerste mogelijkheid lijkt rechtvaardiger, omdat die het goede beloont en de zonde bestraft. Maar theologisch gezien stelt die ons voor een probleem, want deze veronderstelling roept vragen op over de goddelijke almacht. Als verlossing iets is wat we kunnen verdienen en waarop we dus als we goed zijn geweest recht hebben, volgt daaruit dat God onder bepaalde omstandigheden bij wijze van spreken verplicht is om onze goede daden te belonen. Verlossing wordt dan op zijn minst gedeeltelijk een kwestie van zelfredzaamheid, en dat impliceert dat er grenzen zijn aan Gods onbegrensde macht.

De tweede mogelijkheid, waarbij we de verlossing beschouwen als een geschenk dat we niet hoeven te verdienen, bevestigt Gods almacht, maar roept tegelijkertijd een ander probleem op: als God verantwoordelijk is voor alles wat er op de wereld gebeurt, dan moet Hij ook verantwoordelijk zijn voor het bestaan van het kwaad. Maar als God rechtvaardig is, hoe kan Hij dan toelaten dat het kwaad en het lijden bestaan terwijl het in zijn macht ligt om die te voorkomen? Als God almachtig is, lijkt uit het bestaan van het kwaad voort te vloeien dat hij onrechtvaardig is. Theologisch gezien is het moeilijk, zo niet onmogelijk, om de volgende drie denkbeelden tegelijkertijd als waar te beschouwen – dat God rechtvaardig is, dat God almachtig is en dat het kwaad bestaat.[7]

Een manier om dit probleem op te lossen is de mensen een vrije wil toedichten. Daarmee kunnen we de verantwoordelijkheid voor het bestaan van het kwaad verleggen van God naar onszelf. Als God ons niet alleen de wet heeft gegeven, maar ook de vrijheid om zelf te beslissen of we die zullen gehoorzamen of niet, dan zijn we zelf verantwoordelijk als we ervoor kiezen om te zondigen in plaats van rechtschapen te handelen. Degenen die zich slecht gedragen, verdienen elke straf die God maar uitmeet, zowel in deze wereld als in het hiernamaals. Hun lijden is dan geen kwaad, maar een rechtvaardige straf voor hun zonden.[8]

Een vroege verdediger van deze oplossing was de vijfde-eeuwse Britse monnik Pelagius. Hoewel hij niet erg bekend is, hebben enkele recente commentatoren betoogd dat hij als voorvechter van de vrije wil en de individuele verantwoordelijkheid binnen de christelijke theologie een voorbode is van het liberalisme.[9]

Pelagius' oplossing riep echter felle weerstand op. Onder zijn tegenstanders was ook Augustinus, de meest formidabele christelijke filosoof van zijn tijd. Augustinus stelde dat we door de mens een vrije wil toe te dichten de goddelijke almacht ontkennen, en daarmee de betekenis ondermijnen van zijn ultieme geschenk, het offer dat Christus voor ons heeft gebracht aan het kruis. Als mensen zozeer aan zichzelf genoeg hebben dat ze op eigen kracht de verlossing kunnen bereiken door middel van het verrichten van goede werken en het ondergaan van de sacramenten, dan is de menswording van Christus overbodig. Nederigheid tegenover de goddelijke genade maakt dan plaats voor trots op je eigen inspanningen.[10]

Hoewel Augustinus nadrukkelijk verklaarde dat we de verlossing alleen deelachtig kunnen worden door de genade Gods, heeft de kerkelijke praktijk het beginsel van de verdienste toch weer laten terugkeren. Riten en rituelen – doop, gebed, het bijwonen van de heilige mis en het ondergaan van de sacramenten – kunnen niet lang standhouden als de betrokkenen niet het gevoel hebben dat die ergens goed voor zijn. Het is niet gemakkelijk om te blijven geloven dat we door de kerkelijke gebruiken trouw in acht te nemen en goede werken te doen, niet bij God in de gunst zullen komen en Hij ons niet als verdienstelijk zal beschouwen. Als geloof de vorm aanneemt van uiterlijk vertoon, zoals het in acht nemen van een complexe reeks kerkelijke gebruiken, zal een theologie van dankbaarheid en genade onontkoombaar afglijden naar een theologie van trots en zelfhulp. Dat was in elk geval het beeld dat Maarten Luther had van de rooms-katholieke kerk van zijn tijd, elf eeuwen nadat Augustinus boos tekeer was gegaan tegen verlossing door geloof en goede werken.

De Reformatie kwam voort uit verzet tegen het idee van eigen verdienste. Maarten Luthers bezwaren tegen de katholieke kerk van zijn tijd hadden slechts gedeeltelijk te maken met de verkoop van aflaten – de corrupte praktijk waarbij rijke mensen probeerden hun verlossing te kopen. (Strikt genomen werd de aankoop van een aflaat geacht de boetedoening te bevorderen en je verblijf in het vagevuur te bekorten.) In bredere zin hielden zijn bezwaren, waarmee hij in de voetsporen trad van Augustinus, echter in dat verlossing uitsluitend het gevolg is van goddelijke genade, en noch beïnvloed kan worden door onze inspanningen om bij God in de gunst te komen, noch door goede werken, noch door religieuze riten. Bidden helpt al net zomin om de hemel binnen te komen als betalen. Wat Luther betreft, is uitverkoren zijn een volkomen onverdiende gunst. Proberen onze kansen te verbeteren door ter communie te gaan, de mis bij te wonen of op andere wijze een poging te doen om God te overtuigen van onze verdienstelijkheid is zo aanmatigend dat het grenst aan godslastering, of dat misschien zelfs is.[11]

Luthers strenge opvattingen over de goddelijke genade waren onwrikbaar antimeritocratisch. Zijn leer wees verlossing door goede werken van de hand en liet de mens geen vrijheid – geen ruimte om zijn eigen leven te scheppen. Paradoxaal genoeg leidde de Reformatie die hij in gang zette echter tot het strenge meritocratische arbeidsethos dat de puriteinen en hun opvolgers naar Amerika zouden overbrengen. In *De protestantse ethiek en de geest van het kapitalisme* legt Max Weber uit hoe dit in zijn werk is gegaan.[12]

Net als Luther stelde Johannes Calvijn, wiens theologische opvattingen een inspiratiebron hebben gevormd voor de puriteinen, dat verlossing een kwestie van goddelijke genade was die niet werd beïnvloed door menselijke inspanningen of verdienstelijkheid. Wie verlost wordt en wie verdoemd is staat al vast, en kan niet veranderd worden door de wijze waarop de mens zijn leven leidt. Zelfs de sacramenten kunnen daar niet bij helpen. De sacramenten dienen in acht genomen te worden ter meerdere glorie van God 'maar het zijn geen middelen om Gods genade te verkrijgen'.[13]

De calvinistische predestinatieleer schiep onverdraaglijke onzekerheid, en het is niet moeilijk te begrijpen waarom. Als je gelooft dat je plaats in het hiernamaals belangrijker is dan alles wat je in deze wereld maar dierbaar is, wil je wanhopig graag weten of je bij de uitverkorenen hoort of bij de verdoemden. God maakt dat echter niet van tevoren bekend, en ook aan het gedrag van de mensen valt dat niet te zien. 'De uitverkorenen zijn en blijven dus Gods onzichtbare kerk.'[14]

Zoals Weber schrijft: 'Voor elke individuele gelovige moest immers al snel deze ene vraag rijzen en alle andere belangen op de achtergrond dringen: Ben ik dan uitverkoren? En hoe kan ik zeker zijn van deze uitverkiezing?' Deze voortdurend knagende onzekerheid leidde de calvinisten tot een versie van het arbeidsethos. Omdat ieder mens door God geroepen wordt om te arbeiden in een bepaald beroep, is je met grote inzet aan die roeping wijden een teken van uitverkiezing.[15]

Het gaat bij dat werk niet om de welvaart die het oplevert, want het wordt gedaan ter meerdere glorie van God. Werken omwille van overvloedige consumptie zou afleiden van dit doel, en dus een vorm van zedelijk bederf zijn. Het calvinisme combineerde ingespannen arbeid dan ook met ascese. Weber merkt op dat deze gedisciplineerde benadering van het werk – hard werken maar weinig consumeren – tot de accumulatie van bezit leidt die de brandstof levert voor het kapitalisme. Zelfs als de oorspronkelijke religieuze drijfveren wegvallen, blijft het protestantse arbeidsethos van werk en ascese de culturele grondslag voor kapitalistische accumulatie.

Maar waar het ons hier om gaat, is dat de betekenis van dit drama gelegen is in de spanning die zich ontwikkelt tussen verdienste en genade. Een heel leven van gedisciplineerd werken in je roeping is niet zozeer een manier om de verlossing te bereiken als wel om te weten of je (al) een van de uitverkorenen bent. Het is een teken van verlossing, niet de bron ervan.

Het bleek echter moeilijk, zo niet onmogelijk, te voorkomen dat mensen van deze opvatting – van wereldlijke bezigheden als een mogelijk teken van uitverkoren-zijn – afgleden naar een denkwijze waarin ze als een bron van verlossing werden beschouwd. De gedachte dat God geen oog zou hebben voor de vrome arbeid die te zijner ere wordt verricht, is moeilijk te verdragen. Zodra ik eenmaal word aangemoedigd om uit mijn goede werken af te leiden dat ik een van de uitverkorenen ben, is het moeilijk om de gedachte te weerstaan dat die goede werken van mij op een of andere manier moeten hebben bijgedragen aan mijn uitverkoren-zijn. Theologisch gezien was het meritocratische denkbeeld van verlossing door goede werken al aanwezig op de achtergrond van het joods-christelijke denken, zowel in de katholieke nadruk op riten en sacramenten als in de joodse gedachte dat we bij God in de gunst kunnen komen door ons aan de wet te houden en de tien geboden te gehoorzamen.

Terwijl het calvinistische denkbeeld van werken in een roeping uitgroeide tot het puriteinse arbeidsethos, bleek het dan ook moeilijk om weerstand te bieden aan de meritocratische implicatie daarvan: dat verlossing verdiend wordt en dat werk een bron van verlossing is, en niet slechts een teken daarvan. 'In de praktijk betekent dat echter dat God degene helpt die zichzelf helpt,' merkt Weber op. 'Dus dat de calvinist, zoals het ook af en toe wordt uitgedrukt, zijn heil – correct uitgedrukt zou dat moeten zijn: de zekerheid daaromtrent – zelf "schept".' Van lutherse kant werd deze gedachtegang keer op keer bekritiseerd als 'werkheiligheid', en dat is nu precies de leer die Luther als een belediging van Gods genade beschouwde.[16]

De calvinistische predestinatieleer, in combinatie met het idee dat uitverkorenen hun uitverkoren-zijn dienen te bewijzen door in een roeping te werken, leidt tot het denkbeeld dat wereldlijk welslagen een goede indicatie is van voorbestemd-zijn voor verlossing. 'Want voor elkeen zonder onderscheid houdt Gods voorzienigheid een beroep in petto, waartoe hij zich moet bekennen en waarvoor hij moet werken,' verklaart Weber. Dit verleent een goddelijke aansporing aan de arbeidsverdeling en ondersteunt een 'providentiële interpretatie van de economische kosmos'.[17]

Bewijzen dat God je genade had betoond door middel van wereldlijke activiteiten brengt de meritocratie weer terug. De middeleeuwse monniken vormden een soort van 'spirituele aristocratie', die ver van al het wereldlijke streven haar ascetische roeping volgde. Met het calvinisme betrad de christelijke ascese 'de markt van het leven' en sloeg ze 'de deur van het klooster achter zich dicht'. Alle christenen werden opgeroepen om aan het werk te gaan en in hun wereldlijke bezigheden blijk te geven van hun geloof. 'En met de verankering van zijn ethiek in de predestinatieleer ontstond [in het calvinisme] zo een geestelijke aristocratie van door God van eeuwigheid af voorbeschikte heiligen in de wereld, die de plaats innam van de geestelijke aristocratie van de monniken buiten en boven de wereld.'[18]

Vol vertrouwen in haar uitverkoren-zijn keek deze spirituele aristocratie minachtend neer op degenen die kennelijk voorbestemd waren tot verdoemenis. Hier vangt Weber een glimp op van wat ik een vroege versie van meritocratische hoogmoed zou noemen. 'Want bij deze goddelijke genade van de uitverkorenen en daarom heiligen paste eerder een houding van haat en verachting jegens de zonde van de naaste, die als een vijand van God het merkteken van de eeuwige verwerping met zich meedraagt, dan welwillende hulpvaardigheid in het besef van de eigen zwakheid.'[19]

Het protestantse arbeidsethos heeft niet alleen tot de opkomst van de geest van het kapitalisme geleid, maar ook het ontstaan bevorderd van een ethos van zelfhulp en verantwoordelijkheid voor het eigen lot, dat zich goed verdroeg met allerlei meritocratische denkwijzen. Dit arbeidsethos ontketent een angstig en energiek streven dat grote welvaart oplevert, maar onthult tegelijkertijd de duistere keerzijde van de plicht tot zelfredzaamheid. De nederigheid die voortkomt uit een besef van hulpeloosheid ten opzichte van de onzekere genade maakt plaats voor de hoogmoed waartoe mensen worden aangezet door geloof in hun eigen verdienste.

Denken over de voorzienigheid: toen en nu

Voor Luther, Calvijn en de puriteinen hadden debatten over verdienste betrekking op de verlossing – hebben de uitverkorenen hun uitverkoren-zijn met hun eigen inspanningen verdiend of is de verlossing een teken van genade, een geschenk dat ons wel of niet gegeven wordt zonder dat wij daarop invloed kunnen uitoefenen? Voor ons hebben debatten over verdienste betrekking op wereldlijk welslagen: hebben de succesvollen hun succes zelf bewerkstelligd en daarom ook werkelijk verdiend of is dat het gevolg van factoren die buiten onze macht vallen?

Op het eerste gezicht hebben deze twee debatten weinig met elkaar gemeen. Het ene is religieus en het andere wereldlijk. Maar wanneer we wat aandachtiger kijken, zijn in onze hedendaagse meritocratie nog duidelijke sporen te vinden van de theologische krachtmeting waaruit ze is voortgekomen. Bij zijn ontstaan was het protestantse arbeidsethos een gespannen dialectiek van genade en verdienste, hulpeloosheid en zelfhulp. Uiteindelijk werd geloof in genade echter onder de voet gelopen door vertrouwen op verdienste. Het zelfredzaamheidsethos overweldigde het ethos van dankbaarheid en nederigheid. Werken en streven werden dwingende voorschriften op zich, losgezongen van alle calvinistische denkbeelden over predestinatie en de angstige zoektocht naar een teken van genade.

Het is verleidelijk om de triomf van zelfredzaamheid en eigen verdienste toe te schrijven aan de wereldlijke aard van onze huidige tijd. Terwijl het geloof in God steeds verder wegebt, wint het vertrouwen in het handelend vermogen van de mens geleidelijk aan kracht: hoe meer we onszelf beschouwen als wezens die hun eigen bestaan hebben opgebouwd en aan zichzelf genoeg hebben, hoe minder reden we hebben om dankbaar te zijn voor ons succes of het gevoel te hebben dat we dat op zijn minst voor een deel aan anderen te danken hebben.

Zelfs tegenwoordig staat onze houding tegenover succes echter niet zo los van het geloof in de voorzienigheid als we soms denken. Het beeld van de mens als vrije actor die in staat is om op eigen kracht de maatschappelijke ladder te beklimmen en te slagen in het leven, is maar één aspect van de meritocratie. Van al even groot belang is de overtuiging dat degenen die slagen in het leven hun succes verdiend hebben. Dit triomfalistische aspect van de meritocratie wekt hoogmoed op bij de winnaars en een gevoel van vernedering bij de verliezers. Het is een weerspiegeling van een gedeeltelijk nog aanwezig geloof in de voorzienigheid dat in het ethische discours van een in alle andere opzichten seculiere samenleving is blijven voortbestaan.

'De gelukkige [mens] is slechts zelden tevreden met het feit dat het lot hem gunstig gezind is geweest,' merkte Max Weber op. 'Hij voelt ook de behoefte om te weten dat hij recht heeft op dat hem gunstig gezinde lot. Hij wil ervan overtuigd zijn dat hij dat "verdiend" heeft, en vooral ook dat hij het meer verdiend heeft dan anderen. Hij wil kunnen geloven dat de minder fortuinlijken gewoon krijgen wat hun toekomt.'[20]

De tirannie van verdienste komt dus op zijn minst voor een deel voort uit deze impuls. De hedendaagse seculiere en meritocratische orde moraliseert succes op wijzen waarin een eerder geloof in de voorzienigheid doorklinkt: hoewel succesvolle mensen hun macht en rijkdom niet te danken hebben aan goddelijk ingrijpen – ze zijn opgeklommen dankzij hun eigen inspanningen – weerspiegelt hun succes hun superieure deugdzaamheid. De rijken zijn rijk omdat ze zich verdienstelijker hebben gemaakt dan de armen.

Dit triomfalistische aspect van de meritocratie is een soort voorzienigheidsgeloof zonder God, of in elk geval zonder een God die ingrijpt in de menselijke aangelegenheden. Succesvolle mensen hebben hun successen op eigen kracht behaald, maar die successen van hen zijn wél een teken van hun deugdzaamheid. Deze denkwijze voorziet de economische concurrentie van een nog zwaardere morele lading: de winnaars worden heilig verklaard en op de verliezers wordt neergekeken.

De cultuurhistoricus Jackson Lears legt uit hoe het voorzienigheidsdenken is blijven voortbestaan toen de calvinistische denkbeelden over predestinatie en aangeboren menselijke zondigheid wegvielen. Voor Calvijn en de puriteinen 'was iedereen even zondig en verdorven in de aanblik van God'. Omdat niemand de verlossing verdiende, moest die wel afhankelijk zijn van de goddelijke genade.[21]

> Toen vrijzinnige theologen echter steeds meer de nadruk begonnen te leggen op het vermogen van de mens om zichzelf te redden, begon welslagen een teken te worden van een het op één lijn liggen van iemands persoonlijke verdienste en het goddelijke plan. Geleidelijk aan, met horten en stoten maar onmiskenbaar, verwerd het protestantse geloof in de voorzienigheid tot (…) een manier om de economische status quo van spirituele goedkeuring te voorzien. (…) De voorzienigheid onderschreef impliciet alle ongelijkheden van inkomen en bezit.[22]

In de Amerikaanse cultuur ziet Lears een ongelijke strijd tussen een noodlotsethos en een veel robuuster zelfredzaamheidsethos. Het noodlotsethos houdt de ogen geopend voor de dimensies van het leven die zich uitstrekken tot buiten de macht en het begripsvermogen van de mens. Het onderkent dat de kosmos beloning niet noodzakelijkerwijs koppelt aan verdienste. Het laat ruimte voor mysterie, tragedie en nederigheid. Het is de sensibiliteit van het boek Prediker: 'Wederom zag ik onder de zon, dat niet de snelsten de wedloop winnen, noch de sterksten de strijd, noch ook de wijzen het brood, noch ook de schranderen de rijkdom, noch ook de verstandigen de gunst, want tijd en toeval treffen hen allen.'[23]

Het zelfredzaamheidsethos daarentegen legt 'de menselijke keuze aan de kern van de spirituele orde'.[24] Dat houdt niet in dat het bestaan van God geloochend wordt, maar wel dat zijn rol in de voorzienigheid anders wordt opgevat. Lears toont aan dat dit zelfredzaamheidsethos is voortgekomen uit het evangelische protestantisme en na verloop van tijd is gaan overheersen. Dat bracht een verschuiving met zich mee van een 'genadeverbond naar wat Luther juist zo had vervloekt: een verbond van goede werken'. Halverwege de achttiende eeuw 'waren die goede werken geen heilige rituelen meer (zoals in het traditionele katholicisme), maar een wereldlijk moreel streven'.[25] Dit wereldlijke streven ontleende zijn deugdzaamheid echter nog steeds aan een plan van de voorzienigheid.

> Volgens het protestantse geloof werd alles nog steeds be-
> stierd door de voorzienigheid. (…) Maar de mensen konden
> er vrijelijk voor kiezen om deel te nemen aan de ontvouwing
> van het goddelijke plan, en zichzelf op de een of andere
> manier in lijn brengen met Gods doel. In het evangelische
> rationalisme ontstond een evenwicht tussen geloof in een
> overkoepelende voorzienigheid en geloof in de menselijke
> prestaties dat in de geschiedenis zonder precedent was.[26]

Deze combinatie van menselijk streven en goedkeuring door de goddelijke voorzienigheid is een soort raketbrandstof voor de meritocratie. Ze verdrijft het noodlotsethos en belooft ons dat welslagen op één lijn staat met morele verdienste. Lears ziet dit als een moreel verlies. 'Een cultuur die wat minder sterk gericht zou zijn op de plicht van het individu tot zelfredzaamheid, zou de mens wellicht wat meer ruimte bieden, en wat genereuzer en genadiger zijn.' Een scherp besef van de onvoorspelbare aard van het noodlot en de fortuin 'zou fortuinlijke mensen er misschien eerder toe brengen om zich in te denken dat ze ook met tegenslag te kampen zouden kunnen krijgen, en zo boven de arrogantie van de meritocratische mythe uit te groeien en te onderkennen hoe grillig het lot kan zijn, en hoe weinig mensen erop kunnen rekenen dat ze krijgen wat hun toekomt'.[27]

Wanneer Lears de morele en maatschappelijke schade opneemt, gebruikt hij grimmige taal:

> De cultuur van macht over het eigen lot blijft de zelfvoldane, wereldlijke versie van het christelijke voorzienigheidsgeloof in stand houden die al eeuwenlang het kader vormt voor de Amerikaanse moraal, al is het favoriete idioom tegenwoordig eerder technocratisch dan religieus. De hoogmoed van het voorzienigheidsgeloof is gelegen in de neiging daarvan om het wereldlijke te heiligen, en in zijn al te gemakkelijke verzekering dat we niet alleen allemaal deel uitmaken van het goddelijke – of 'evolutionaire' – plan, maar dat de werking van dat plan ook daadwerkelijk te ontwaren is in de huidige maatschappelijke en economische situatie, en zelfs in de uitkomst van wereldomvattende machtsconflicten.[28]

Het op het geloof in de goddelijke voorzienigheid gebaseerde denkbeeld dat mensen krijgen wat hun toekomt, weerklinkt nog steeds in het huidige publieke discours, en wel in twee versies, waarvan de ene hoogmoedig is en de andere bestraffend. Beide versies dragen een verrassende kijk uit op de verantwoordelijkheid voor het eigen lot, of dat lot nu voorspoedig of rampzalig is. Tijdens de financiële crisis van 2008 zagen we een opmerkelijk voorbeeld van de hoogmoedige variant. Met hun hebzuchtige en riskante gedrag hadden de grote banken de wereldeconomie naar de rand van de afgrond gedreven, en de belastingbetalers moesten een enorm bedrag opbrengen om ze te redden. Terwijl huiseigenaren en gewone bedrijven de grootste moeite hadden om weer op te krabbelen, trakteerden de bankiers op Wall Street zichzelf echter alweer op tientallen miljarden aan bonussen. Toen hem werd gevraagd hoe hij zulke overvloedige beloningen kon verdedigen terwijl die toch grote maatschappelijke verontwaardiging opriepen, antwoordde Lloyd Blankfein, de CEO van Goldman

Sachs, dat hij en zijn medebankiers 'Gods werk verrichtten'.[29]

De bestraffende versie van het voorzienigheidsgeloof is in de nasleep van de dodelijke orkanen en andere natuurrampen kortgeleden verwoord door enkele christelijke conservatieven. Toen orkaan Katrina in 2005 New Orleans verwoestte, verklaarde de eerwaarde Franklin Graham dat de storm een goddelijke vergelding was voor een 'verdorven stad' die bekendstond om zijn Mardi Gras, zijn 'seksuele perversie' en zijn orgieën en andere zondige bezigheden. Toen een aardbeving in 2009 op Haïti meer dan tweehonderdduizend mensen het leven kostte, schreef de televisie-evangelist Pat Robertson dit toe aan een pact met de duivel dat Haïtiaanse slaven volgens hem gesloten zouden hebben toen ze in 1804 in opstand kwamen tegen de Franse overheersing.[30]

Slechts enkele dagen na de terreuraanslag op het Wereldhandelscentrum in New York op 11 september 2001 verklaarde de eerwaarde Jerry Falwell in Robertsons christelijke tv-programma dat de aanslag een goddelijke vergelding was voor de zonden van Amerika:

De aborteurs zullen een deel van de last hiervoor moeten dragen, want God laat niet met zich spotten. En als we veertig miljoen kleine onschuldige baby'tjes vernietigen, maken we God boos. Ik geloof echt dat de heidenen, en de aborteurs, de feministen en de homo's en lesbiennes die actief hun best doen om daar een alternatieve levenswijze van te maken, de ACLU [een Amerikaanse burgerrechten-organisatie] … al die mensen die hebben geprobeerd om de religie te verdrijven uit Amerika, ik wijs met mijn vinger in hun gezicht en zeg: 'Dit is mede door jullie toedoen gebeurd.'[31]

Rampen van epische proporties uitroepen tot een straf van God is niet voorbehouden aan geloof in de christelijke voorzienigheid. Toen Japan in 2011 werd getroffen door een verwoestende combinatie van een aardbeving en een tsunami, die weer tot een ongeluk in een kerncentrale leidde, beschreef de gouverneur van Tokio, Shintaro Ishihara, een nationalist die geen blad voor de mond neemt, deze gebeurtenis als goddelijke vergelding (*tenbatsu*) voor het Japanse materialisme. 'We hebben een tsunami nodig om het egoïsme weg te vagen dat zich al lange tijd als roest op de mentaliteit van de Japanners heeft afgezet.'

Gezondheid en rijkdom

De afgelopen decennia heeft het Amerikaanse christendom een opgewekte nieuwe variant van het voorzienigheidsgeloof voortgebracht, die wel wordt aangeduid als het 'welvaartsevangelie' (*prosperity gospel*). Dit evangelie, dat verkondigd wordt door televisiedominees en predikers in enkele van de grootste megakerken van het land, leert dat God geloof beloont met rijkdom en gezondheid. In plaats van de genade als een geheimzinnige, onverdiende gave Gods te beschouwen, benadrukt het welvaartsevangelie het menselijke handelend vermogen en de menselijke wil. E.W. Kenyon, een evangelist uit het begin van de twintigste eeuw die de grondslag heeft gelegd voor deze beweging, drong er bij christenen op aan om te verkondigen: 'Gods vermogen is het mijne. Gods kracht is de mijne. Zijn succes is het mijne. Ik ben een winnaar. Ik ben een veroveraar.' [32]

Kate Bowler, een historica die zich bezighoudt met de geschiedenis van het welvaartsevangelie, schrijft dat de leer daarvan kort kan worden samengevat in de frase 'Ik ben gezegend', en dat het bewijs van gezegend zijn bestaat uit rijkdom en gezondheid.[33] Joel Osteen, een gevierde welvaartsevangelist wiens kerk in Houston de grootste van Amerika is, zei tegen Oprah Winfrey dat 'Jezus gestorven is opdat wij zouden kunnen leven in overvloed'.[34] In zijn boek, dat een bestseller werd, geeft hij voorbeelden van de zegeningen die voortkomen uit het geloof, waaronder het enorme huis waarin hij woont en die keer dat hij een vliegreis moest maken en een gratis upgrade kreeg naar de businessclass.[35]

Je zou denken dat een evangelie waarin het gaat om Gods zegeningen aanleiding zou geven tot nederigheid wanneer de ontvangers geconfronteerd worden met voorspoed en geluk, en niet tot de meritocratische overtuiging dat gezondheid en rijkdom tekenen van deugdzaamheid zijn. Maar zoals Bowler opmerkt, is 'gezegend' een term die het onderscheid tussen geschenk en beloning onduidelijk maakt.

> Het kan een term van zuivere dankbaarheid zijn. 'Dank u wel, God. Dit had ik niet op eigen kracht kunnen bemachtigen.' Maar het kan ook impliceren dat de meevaller verdiend was. 'Ik ben mezelf dankbaar omdat ik iemand ben die het goed doet.' Het is een perfect woord voor een Amerikaanse samenleving die zegt dat ze gelooft dat de Amerikaanse droom is gebaseerd op hard werken, en niet op mazzel.[36]

Hoewel niet meer dan circa één miljoen Amerikanen megakerken bezoeken waarin het welvaartsevangelie wordt verkondigd, sluit het zo goed aan op het Amerikaanse geloof in hard werken en zelfhulp dat de invloed ervan verder reikt. Een opinieonderzoek in het weekblad *Time* wees uit dat bijna een derde van de Amerikaanse christenen instemt met de stelling dat 'als je je geld aan God geeft, God je zal zegenen met meer geld', en dat 61 procent gelooft dat 'God wil dat de mensen welvarend zijn'.[37]

In het begin van de eenentwintigste eeuw was het niet eenvoudig meer om het welvaartsevangelie, met zijn beroep op hard werken, opklimmen en positief denken, te onderscheiden van de Amerikaanse droom zelf. 'Het welvaartsevangelie verschafte de Amerikanen niet simpelweg een evangelie dat goed paste bij een natie van *selfmade men*,' merkt Bowler op, 'maar het bevestigde de fundamentele economische structuren waarop alle individuele ondernemingszin was gegrondvest.' En het bekrachtigde het geloof dat welvaart een teken van deugdzaamheid is. Net zoals eerdere succesevangelies vertrouwde het erop dat de markt 'beloningen en straffen uitdeelt in de vorm van voorspoed of mislukking. De deugdzamen zullen rijkelijk beloond worden, terwijl de zondaars na verloop van tijd ten val zullen komen.'[38]

Een deel van de aantrekkingskracht van het welvaartsevangelie is de nadruk die het legt op de individuele verantwoordelijkheid voor het eigen lot.[39] Dit is een denkbeeld dat een bedwelmend gevoel van macht en kracht opwekt. Theologisch gezien verzekert het ons ervan dat genade een prestatie is, iets wat we kunnen verdienen. In wereldlijke termen geeft het de mensen het vertrouwen dat ze rijkdom en gezondheid kunnen verwerven als ze maar voldoende hun best doen en genoeg geloven. Het is door en door meritocratisch. Zoals met alle meritocratische ethiek schept het een overdreven beeld van individuele verantwoordelijkheid, dat heel bevredigend is als het je voor de wind gaat, maar heel moraliserend, en zelfs bestraffend, als het tegenzit.

Denk eens aan onze gezondheid. Wat is beter geschikt om ons een gevoel van macht en kracht te verschaffen dan het geloof dat we onze gezondheid in eigen handen hebben, dat de zieken door middel van gebed kunnen worden genezen en dat ziekte kan worden afgewend door goed te leven en God lief te hebben? Maar dit beeld van een enorm krachtig handelend vermogen heeft een duistere keerzijde. Als we ziek worden, is dat niet alleen pech, maar ook een veroordeling wegens gebrek aan deugdzaamheid. Zelfs de dood voegt nog een belediging toe. 'Als een gelovige ziek wordt en sterft,' schrijft Bowler, 'wordt het verdriet nog versterkt door schaamte. Als een dierbare sterft, blijkt daaruit dat de overledene de toets des geloofs niet heeft doorstaan.'[40]

Het grimmige gezicht van het welvaartsevangelie en de daaruit voortkomende denkwijzen is te zien in het debat over de gezondheidszorg.[41] Toen Donald Trump en de Republikeinen in het Congres probeerden Obamacare in te trekken en te vervangen, betoogden de meesten van hen dat hun marktvriendelijke alternatief de concurrentie zou bevorderen en tot kostenbesparingen zou leiden, terwijl mensen die al ziek waren, beschermd zouden worden. Maar Mo Brooks, een conservatieve Republikein uit Alabama, pakte het anders aan. Hij erkende dat het Republikeinse plan mensen die meer behoefte hadden aan gezondheidszorg meer geld zou gaan kosten. Maar dit was juist een voordeel, want zo zouden mensen die een goed leven hadden geleid, beloond worden. Verzekeringsmaatschappijen toestaan om klanten die hogere kosten met zich zouden meebrengen, hogere premies in rekening te brengen, was niet alleen kosteneffectief maar ook ethisch gerechtvaardigd. Hogere premies voor zieken zouden de kosten verlagen 'van goed levende mensen, want die zijn gezond, die hebben gedaan wat ze moesten doen om hun lichaam gezond te houden. En nu zijn dit juist de mensen – de mensen die de dingen goed aangepakt hebben – die hun kosten pijlsnel zien stijgen.'[42]

In het betoog van dit Congreslid tegen Obamacare zien we hoe de grimmige meritocratische logica die van de puriteinen tot aan het welvaartsevangelie telkens weer de kop opsteekt, nogmaals verwoord wordt: als voorspoed een teken van verlossing is, dan is lijden een teken van zondigheid. Deze logica hoeft niet per se gekoppeld te zijn aan religieuze uitgangspunten. Ze is een aspect van elke ethiek die menselijke vrijheid beschouwt als het onbelemmerd uitoefenen van de eigen wil, en die mensen in extreme mate verantwoordelijk houdt voor hun eigen lot.

In 2009, toen de eerste debatten over Obamacare werden gehouden, schreef John Mackey, de oprichter van de biologische supermarktketen Whole Foods, een opinieartikel in *The Wall Street Journal* waarin hij zich tegen een recht op ziektekostenverzekering keerde. Zijn betoog was niet religieus geïnspireerd, maar gebaseerd op libertaire uitgangspunten. En toch verkondigde hij, net als de predikers van het welvaartsevangelie, een veeleisende opvatting van individuele verantwoordelijkheid: een goede gezondheid is grotendeels ons eigen werk.

Veel van onze gezondheidsproblemen hebben we aan onszelf te wijten: twee derde van alle Amerikanen heeft overgewicht en een derde is obees. De meest voorkomende dodelijke ziekten – hart- en vaatziekten, kanker, diabetes en obesitas – zijn grotendeels te voorkomen met een fatsoenlijk dieet, lichaamsbeweging, niet roken, matige alcoholconsumptie en andere gezonde keuzes ten aanzien van de wijze waarop we ons leven inrichten.[43]

Veel mensen die kampen met een slechte gezondheid, zo betoogde hij, hebben dat uitsluitend en alleen aan zichzelf te wijten. Dat komt niet door hun gebrekkige godsgeloof, maar door hun gebrekkige aandacht voor alle wetenschappelijke en medische onderzoeksresultaten die hebben uitgewezen dat een plantaardig dieet met weinig vetten 'dodelijke en moeilijk behandelbare degeneratieve ziekten kan voorkomen of zelfs genezen. We zouden een grotendeels ziektevrij leven moeten kunnen leiden tot we ver in de negentig zijn, of misschien wel meer dan honderd jaar oud.' Hoewel Mackey hier niet expliciet beweert dat mensen die ziek worden dat aan zichzelf te wijten hebben, stelde hij wel nadrukkelijk dat dergelijke mensen geen hulp van hun medemensen dienen te verwachten. 'We zijn allemaal verantwoordelijk voor ons eigen leven en onze eigen gezondheid.'[44]

Net als de verkondigers van het welvaartsevangelie beschouwt Mackey een gezond lichaam als een teken van deugdzaamheid. Het maakt wat dat betreft weinig uit of die deugdzaamheid is nagestreefd in de kerkbanken van een megakerk of in de gangpaden van zijn supermarkt vol biologische producten.

Een vooruitstrevend voorzienigheidsgeloof

Rijkdom en gezondheid beschouwen als omstandigheden die lof of veroordeling verdienen, maakt deel uit van een meritocratische levensopvatting, waarbij niets van wat zich voordoet

wordt toegeschreven aan geluk of genade en we volledig verantwoordelijk worden gehouden voor ons lot: alles wat er gebeurt,
is een straf of beloning voor de keuzes die we doen en de wijze
waarop we ons leven inrichten. Deze denkwijze bejubelt een
allesdoordringend zelfredzaamheidsethos en leidt tot meritocratische hoogmoed. De succesvollen worden ertoe aangezet om te
geloven dat zij 'Gods werk verrichten' en om neer te kijken op
mensen die getroffen zijn door tegenslag – orkanen, tsunami's
en gezondheidsproblemen – omdat die hun ellendige toestand
aan zichzelf te wijten zouden hebben.

Een dergelijke hoogmoed waart niet alleen rond onder conservatieve aanhangers van het welvaartsevangelie en libertaire critici
van de welvaartsstaat, maar is ook een prominent aspect van de
liberale en progressieve politiek. Een voorbeeld daarvan is de retorische stijlfiguur die de Amerikaanse macht en rijkdom verklaart
in termen van voorzienigheid, namelijk als resultaat van Amerika's
speciale positie in de wereld, die ofwel door God verordend is
ofwel een gevolg is van Amerika's uitzonderlijke rechtschapenheid. In de toespraak waarin ze haar nominatie als Democratische
presidentskandidaat voor 2016 aanvaardde, verkondigde Hillary
Clinton: 'Uiteindelijk komt het neer op wat Donald Trump niet
begrijpt: Amerika is groot omdat Amerika goed is.'[45] Van dergelijke taal heeft ze zich in de loop van haar campagne vaak bediend
terwijl ze probeerde de kiezers ervan te overtuigen dat Trumps
belofte om 'Amerika weer groot te maken', niet samenging met
zijn boosaardige karakter en corrupte praktijken.

Er is echter geen noodzakelijk verband tussen goed en groot
zijn. Net als voor personen geldt ook voor landen dat rechtvaardigheid één ding is en macht en rijkdom iets anders. Een korte
blik op de geschiedenis volstaat om te zien dat grootmachten
niet noodzakelijkerwijs rechtschapen zijn en ethisch hoogstaande
landen niet noodzakelijkerwijs machtig.

De frase 'Amerika is groot omdat Amerika goed is', is inmiddels zo overbekend dat we het aan het voorzienigheidsgeloof
ontleende denken dat erin vervat is niet meer opmerken. Ze

weerspiegelt de reeds lang bestaande overtuiging dat Amerika een goddelijk geïnspireerde missie heeft in deze wereld, een klaarblijkelijke lotsbestemming (*manifest destiny*) om een heel continent te veroveren of de wereld veilig te maken voor de democratie. Maar hoewel dit gevoel van een goddelijk mandaat aan het verdwijnen is, herhalen politici toch telkens weer opnieuw dat onze grootheid een gevolg is van onze goedheid.

De slogan zelf is van betrekkelijk recente oorsprong. De eerste president die hem gebruikte was Dwight D. Eisenhower, die hem ten onrechte toeschreef aan Alexis de Tocqueville, de auteur van het klassieke werk *De la démocratie en Amérique*. Tijdens zijn in 1953 uitgesproken rede citeerde Eisenhower 'een wijze Fransman' die hier op zoek ging naar de bron van Amerika's succes. Eisenhower citeerde de bezoeker als volgt: 'Pas toen ik de kerken van Amerika binnenging en hoorde hoe de rechtschapenheid hoog opvlamde van hun kansel, doorgrondde ik het geheim van het genie en de macht van dit land. Amerika is groot omdat Amerika goed is – en als Amerika ooit ophoudt goed te zijn, zal Amerika ook ophouden groot te zijn.'[46]

Hoewel deze zinnen niet voorkomen in het werk van De Tocqueville[47], bleken ze populair bij de presidenten die na hem kwamen, en dan met name bij de Republikeinen onder hen. Gerald Ford, Ronald Reagan en George H.W. Bush hebben ze gebruikt bij gelegenheden waarbij ze inspiratie wilden bieden, en dan vooral als ze tegenover een religieus publiek stonden.[48] In een redevoering uit 1984 voor een bijeenkomst van evangelische christenen verwees Ronald Reagan expliciet naar het voorzienigheidsgeloof waarop deze slogan gebaseerd is:

> Al onze materiële welvaart en al onze invloed zijn gebouwd op ons geloof in God en de essentiële waarden die voortkomen uit dat geloof. De grote Franse filosoof Alexis de Tocqueville heeft naar het schijnt opgemerkt dat Amerika zo groot is omdat Amerika goed is. En als Amerika ooit ophoudt goed te zijn, zal het ook ophouden groot te zijn.[49]

In de jaren negentig begonnen Democraten die hun retoriek van een spirituele weerklank wilden voorzien de slogan eveneens te hanteren. Als president heeft Bill Clinton hem negen keer gebruikt, en ook John Kerry en Hillary Clinton hebben er tijdens hun presidentscampagne gebruik van gemaakt.[50]

De goede kant van de geschiedenis

De bewering dat Amerika succesvol is omdat het goed is, is de vrolijke, opwekkende kant van het idee dat orkanen een straf zijn voor onze zonden. Het meritocratische geloof wordt hierbij toegepast op een heel land. Volgens een lange traditie binnen het voorzienigheidsgeloof is wereldlijk succes een teken van verlossing of, in seculiere termen, van goedheid. Deze interpretatie van de Amerikaanse rol in de geschiedenis brengt voor liberals echter problemen met zich mee: als rijke en machtige landen hun macht te danken hebben aan hun deugdzaamheid, kan datzelfde dan niet gezegd worden van rijke en machtige burgers?

Vele liberals en progressieven, vooral degenen die zich inzetten voor meer gelijkheid, verzetten zich tegen de bewering dat de rijken rijk zijn omdat ze deugdzamer hebben geleefd dan de armen. Ze zien dit als een schrieperig en moraliserend argument dat gebruikt wordt door tegenstanders van belastingheffing voor de rijken om mensen in achterstandssituaties te helpen. Tegenover de bewering dat welvaart een teken is van deugdzaamheid, benadrukken egalitaire liberals de willekeurigheid van het lot. Ze wijzen erop dat succes en mislukking in marktsamenlevingen net zoveel te maken hebben met geluk en omstandigheden als met karakter en deugdzaamheid. Vele factoren die winnaars scheiden van verliezers zijn in ethisch opzicht volkomen arbitrair.

Het is echter niet eenvoudig om je enerzijds een enthousiast aanhanger te tonen van het moraliserende, op geloof in de voorzienigheid gebaseerde denkbeeld dat machtige landen hun succes te danken hebben aan hun goedheid, en je tegelijkertijd tegen het moraliserende meritocratische idee te keren dat rijke individuen hun grote voorspoed te danken hebben aan hun deugdzaamheid. Als macht recht is als het om landen gaat, valt datzelfde ook te zeggen van de '1 procent'. Ethisch en theologisch gezien zijn voorzienigheidsgeloof in ons buitenlandbeleid en meritocratische ideeën over de situatie in eigen land zo nauw met elkaar verweven dat het ene niet staande te houden is zonder het andere.

Hoewel politici deze spanning de afgelopen decennia niet expliciet erkend hebben, hebben ze die geleidelijk aan weten op te lossen door in zowel binnen- als buitenland meritocratische denkbeelden te aanvaarden. Het meritocratische wereldbeeld dat impliciet vervat ligt in het voorzienigheidsgeloof van het type 'groot want goed' werd weerspiegeld in binnenlandse debatten over solidariteit, verantwoordelijkheid en de welvaartsstaat. In de jaren tachtig en negentig namen Amerikaanse liberals en Europese sociaaldemocraten geleidelijk aan steeds meer elementen over van de conservatieve kritiek op de welvaartsstaat, waaronder veeleisende ideeën over individuele verantwoordelijkheid. Hoewel ze niet zover gingen om alle welvaart en gezondheid te beschouwen als het gevolg van deugdzaam gedrag, hebben politici zoals Bill Clinton in de Verenigde Staten en Tony Blair in Groot-Brittannië geprobeerd om bij het al dan niet toekennen van bijstand meer rekening te houden met de individuele verantwoordelijkheid van de ontvangers en de mate waarin ze een uitkering 'verdienden'.[51]

Een element van voorzienigheidsgeloof in het hedendaagse liberalisme is ook te bespeuren in een andere retorische stijlfiguur die zowel het beleid in eigen land als het buitenlandbeleid raakt. Dit is de gewoonte om te verklaren dat je beleid of de politieke bondgenootschappen die je sluit 'aan de goede kant van de geschiedenis' staan. Het lijkt voor de hand te liggen dat debatten over 'goed' en 'fout' op hun felst waren tijdens de Koude Oorlog, toen een communistische en een anticommunistische supermacht lijnrecht tegenover elkaar stonden en beide partijen beweerden dat hun systeem de toekomst had, maar merkwaardig genoeg heeft geen enkele Amerikaanse president die termen gebruikt met betrekking tot de Koude Oorlog.[52]

Pas in de jaren negentig en het eerste decennium van de een-entwintigste eeuw werd spreken over de 'goede' en de 'foute' kant van de geschiedenis een vast onderdeel van de politieke retoriek, en dan voornamelijk bij de Democraten. President George W. Bush heeft het slechts één keer gedaan, en wel toen hij een publiek van militairen uit het Amerikaanse leger in 2005 voorhield dat terroristen uit het Midden-Oosten 'de strijd aan het verliezen zijn omdat ze aan de foute kant van de geschiedenis staan'. Hij voegde daaraan toe dat het 'getij van de vrijheid' dankzij de Amerikaanse invasie in Irak nu kwam opzetten in het gehele Midden-Oosten. Een jaar later verdedigde zijn vicepresident, Richard Cheney, de Irakese oorlog tijdens een rede aan boord van een vliegdekschip, en verzekerde hij de Amerikaanse troepen: '[O]nze zaak is noodzakelijk, onze zaak is rechtvaardig, en wij staan aan de goede kant van de geschiedenis.'[53]

Over het algemeen was deze triomfalistische retoriek echter de taal van Democratische presidenten. Bill Clinton heeft er tijdens zijn presidentschap vijfentwintig keer gebruik van gemaakt en Barack Obama tweeëndertig keer.[54] Bij het beschrijven van de strijd tegen het radicale islamitische terrorisme gebruikte Obama deze zinsnede soms net zo als Bush en Cheney: 'Al Qaida en zijn bondgenoten zijn kleine mannetjes aan de verkeerde kant van de geschiedenis,' zei hij tijdens een rede voor de US Military Academy in West Point. En tijdens een rede voor de US Air Force Academy verklaarde hij dat de terroristen van IS nooit 'sterk genoeg zouden zijn om Amerika of onze levenswijze te vernietigen', en dat dat deels kwam, 'omdat wij aan de goede kant van de geschiedenis staan'.[55]

Clinton en Obama hebben deze triomfalistische retoriek echter ook in andere contexten gebruikt, waaruit blijkt hoezeer ze erop vertrouwden dat de geschiedenis na de val van de Berlijnse muur en het uiteenvallen van de Sovjet-Unie onweerstaanbaar de kant van de liberale democratie en de vrije markten opging. In 1994 toonde Clinton zich optimistisch over de vooruitzichten van Boris Jeltsin, Ruslands eerste democratisch gekozen president, met de woorden: 'Hij gelooft in de democratie. Hij staat aan de goede kant van de geschiedenis.' In reactie op stijgende onrust in de islamitische wereld gaf Obama in zijn eerste inaugurele rede een strenge waarschuwing aan tirannen en despoten. 'Tegen diegenen die zich vastklampen aan de macht door middel van corruptie en misleiding en het tot zwijgen brengen van afwijkende meningen, besef wel dat u aan de foute kant van de geschiedenis staat.'[56]

Toen de Iraniërs in 2009 de straat opgingen om te protesteren tegen hun onderdrukkende regime, prees Obama hen, en verklaarde hij dat 'degenen die pal staan voor de rechtvaardigheid altijd aan de goede kant van de geschiedenis staan'. Toen de Arabische Lente van 2011 de hoop wekte dat de autocratische regimes in Noord-Afrika en het Midden-Oosten het veld zouden moeten ruimen voor de democratie, beriep Obama zich ook op het vonnis van de geschiedenis. Hij verklaarde dat de Libische dictator Moammar Kadhafi 'aan de verkeerde kant van de geschiedenis' stond en steunde de beweging die de Libische leider ten val bracht. In reactie op vragen over de lauwe steun van zijn regering aan de prodemocratische demonstranten op het Tahrirplein in Caïro, zei hij: 'Ik denk dat de geschiedenis zal uitwijzen dat wij in elke crisissituatie in Egypte aan de goede kant van de geschiedenis hebben gestaan.'[57]

Je stellingname rechtvaardigen aan de hand van de geschiedenis terwijl die zich nog niet voltrokken heeft, brengt twee problemen met zich mee. Ten eerste is de loop der gebeurtenissen berucht moeilijk te voorspellen. Zo heeft de verdrijving van Saddam Hoessein uit Irak het Midden-Oosten geen vrijheid en democratie gebracht, en zelfs de hoop die was gewekt door de Arabische Lente maakte al snel plaats voor een winter van vernieuwde autocratische en repressieve regimes. Gezien vanuit Vladimir Poetins Rusland lijkt Jeltsins democratische beweging inmiddels niet meer dan een eendagsvlieg geweest te zijn.

Ten tweede, zelfs als de loop der geschiedenis zich zou laten voorspellen, dan biedt die nog geen basis voor een moreel oordeel. Uiteindelijk bleek niet Jeltsin maar Poetin degene die aan de goede kant van de geschiedenis had gestaan, in elk geval in die zin dat zijn autocratische bewind zich in Rusland heeft weten te handhaven. In Syrië heeft de tiran Bashar al-Assad een uiterst gewelddadige burgeroorlog overleefd, dus in die zin heeft hij daar juist aan de goede kant van de geschiedenis gestaan – maar dat wil niet zeggen dat zijn regime moreel te verdedigen is.

De boog van het morele universum

Degenen die hun stellingname verdedigen met het argument dat ze daarmee aan de goede kant van de geschiedenis staan, zouden kunnen antwoorden dat ze daarbij de lange duur van de geschiedenis in gedachten hebben. De vooruitgang verloopt weliswaar met horten en stoten, maar als je maar lang genoeg wacht tendeert de 'echte geschiedenis' toch werkelijk naar steeds grotere rechtvaardigheid. Deze aanname brengt het voorzienigheidsgeloof aan het licht dat impliciet besloten ligt in elk betoog dat zich beroept op de goede kant van de geschiedenis. Dergelijke betogen steunen op het geloof dat de geschiedenis zich ontvouwt op een door God geleide wijze of, als je wat minder religieus bent ingesteld, dat de loop der geschiedenis tendeert naar morele vooruitgang en verbetering.

Barack Obama dacht er zo over en citeerde regelmatig de uitspraak van Martin Luther King junior dat 'de boog van het morele universum lang is, maar zich wel in de richting van rechtvaardigheid buigt'. Obama was zo gesteld op dit citaat dat hij het als president drieëndertig keer gebruikt heeft in redevoeringen en proclamaties, en het in een tapijt in het Oval Office heeft laten weven.[58]

Het voorzienigheidsgeloof levert de morele rechtvaardiging

voor praatjes over de goede kant van de geschiedenis. Het ondersteunt ook de claim dat Amerika, of welk ander land dan ook,
groot (dat wil zeggen succesvol) is omdat het goed is. Want alleen
als een land Gods werk verricht of de mars der geschiedenis in
de richting van vrijheid en rechtvaardigheid bevordert, kan zijn
grootheid (succes) een teken zijn van zijn goedheid.

Geloven dat je projecten en doelstellingen op één lijn staan
met Gods plan of met een visioen van zich in de loop van de
geschiedenis steeds verder ontplooiende vrijheid en rechtvaardigheid, is een krachtige bron van hoop, en dan vooral voor mensen
die strijden tegen onrecht. Dat King zijn aanhangers voorhield
dat de boog van het morele universum zich 'buigt in de richting
van rechtvaardigheid' heeft de deelnemers aan de burgerrech-
tenmarsen van de jaren vijftig en zestig van de vorige eeuw de
moed geschonken om door te gaan, zelfs toen ze geconfronteerd
werden met geweld door voorstanders van de rassenscheiding.
King heeft deze gedenkwaardige zinsnede ontleend aan een preek
van Theodore Parker, een negentiende-eeuwse dominee uit Massachusetts die zich inzette voor de afschaffing van de slavernij.
Parkers versie, die minder beknopt was dan die van King, laat
zien hoe een voorzienigheidstheologie kan fungeren als bron van
hoop voor de onderdrukten.

> Laten we onze aandacht richten op de feiten. We zien dan
> de toenemende triomf van het recht. Ik wil niet pretenderen
> dat ik het morele universum doorgrond, de boog ervan is
> lang en mijn oog reikt niet ver. Op basis van wat ik zie,
> kan ik niet berekenen waar de boog eindigt, maar met mijn
> geweten kan ik dat wel bevroeden. En wat ik zie, overtuigt
> me ervan dat de boog zich in de richting van de rechtvaar-
> digheid buigt. Dingen die verkeerd geregeld zijn, blijven
> niet lang bestaan. Jefferson trilde toen hij aan de slavernij
> dacht en herinnerde zich dat God rechtvaardig is. Het zal
> niet lang duren voordat heel Amerika trilt.[59]

In Kings handen, en in die van Parker, is het geloof dat de boog van het morele universum eindigt in rechtvaardigheid een bezielende, profetische oproep om in actie te komen tegen onrecht. Hetzelfde geloof in de voorzienigheid dat hoop wekt bij de machtelozen, kan echter ook hoogmoed oproepen bij de machtigen. Dat valt te bemerken aan de verandering in de gevoeligheid voor maatschappelijke ontwikkelingen die zich heeft voltrokken onder Amerikaanse liberals sinds de morele urgentie uit de tijd van de binnenlandse strijd voor burgerrechten heeft plaatsgemaakt voor het gemakzuchtige triomfalisme van de afgelopen decennia.

De instorting van de Sovjet-Unie en de val van de Berlijnse muur leidden ertoe dat veel mensen in het Westen aannamen dat de geschiedenis de door hen voorgestane combinatie van liberale democratie en vrijemarktkapitalisme had gerechtvaardigd. Gesterkt door deze opvatting, droegen ze een neoliberale versie van de mondialisering uit die niet alleen vrijhandelsovereenkomsten en deregulering van de financiële sector omvatte, maar ook allerlei maatregelen om zowel goederen als personen en kapitaal met zo min mogelijk belemmeringen over de landsgrenzen te laten stromen. Ze gingen er vol vertrouwen van uit dat de uitbreiding van de wereldmarkten de wereldwijde onderlinge afhankelijkheid zou vergroten, wat het aantal oorlogen zou verminderen, allerlei vormen van nationalisme zou temperen en het respect voor de mensenrechten zou bevorderen. De heilzame effecten van de wereldhandel en de nieuwe informatietechnologieën zouden wellicht zelfs de greep op de macht van autoritaire regimes aantasten en ze met zachte drang in de richting van de liberale democratie kunnen leiden.

Het is anders gelopen. Het mondialiseringsproject zou in 2008 tot een financiële crisis leiden en acht jaar later tot een felle politieke terugslag. Nationalistische en autoritaire stromingen zouden niet langzaam wegkwijnen, maar juist overal ter wereld vaart winnen en een bedreiging gaan vormen voor de liberale instituties en normen van democratische samenlevingen.

In de jaren tachtig en negentig van de vorige eeuw, toen de marktvriendelijke mondialisering aan kracht won, hadden de elites die die ontwikkeling bevorderden echter weinig twijfels over de richting die de geschiedenis opging. Het aantal keren dat de uitdrukking 'de goede kant van de geschiedenis' werd aangetroffen in door Google op inhoud gescande boeken uit de periode van 1980 tot 2008 was acht keer zo groot als voorheen.[60]

Voorstanders van de mondialisering hadden er alle vertrouwen in dat de geschiedenis aan hun kant stond. Toen Bill Clinton er in 1993 bij het Congres op aandrong om in te stemmen met het North American Free Trade Agreement (NAFTA) probeerde hij de angsten te bezweren dat deze overeenkomst een bedreiging zou vormen voor de banen van Amerikaanse werknemers. Maar zijn grootste zorg was dat afwijzing van het NAFTA een klap zou vormen voor de mondialisering: 'Wat me nog de meeste zorgen baart, is dat dit Amerika aan de foute kant van de geschiedenis zal plaatsen (…) terwijl we richting de eenentwintigste eeuw gaan. Dat is nu mijn allergrootste zorg.' In 1998 wuifde Clinton op bezoek in Berlijn Duitsland lof toe, omdat het 'een moeilijke transitie naar een mondiale economie' in gang had gezet. Hoewel vele Duitse burgers 'daar nog niet de voordelen van ervaarden' zei hij, had Duitsland zich met zijn enthousiaste aanvaarding van de mondialisering 'duidelijk aan de goede kant van de geschiedenis geplaatst'.[61]

Voor Amerikaanse liberals hield aan de goede kant van de geschiedenis staan niet in dat ze zich bekeerden tot een vurig geloof in een ongebreidelde vrijemarkteconomie, maar dat ze het mondiale kapitalisme bevorderden in het buitenland terwijl ze in eigen land discriminatie bestreden en gelijke kansen bevorderden. Onder het beleid waarmee Clinton en Obama zich in de loop der jaren 'aan de goede kant van de geschiedenis' meenden te bevinden, vielen onder meer hervormingen van het Amerikaanse stelsel van ziektekostenverzekeringen, wettelijk geregeld betaald verlof wegens ziekteverzuim en familieomstandigheden, fiscaal aftrekbare collegegelden en een presidentieel decreet dat het bedrijven die zaken wilden doen met de Amerikaanse federale overheid verbood om te discrimineren tegen LGBT-werknemers. In een rede voor de Democratische Nationale Conventie van 2008, waarin hij zijn steun aan Obama betuigde, haalde Clinton herinneringen op aan het feit dat hij de verkiezingen had gewonnen ondanks de Republikeinse beweringen dat hij te jong en te onervaren was om opperbevelhebber van de strijdkrachten te worden. 'Het werkte niet in 1992 omdat wij aan de goede kant van de geschiedenis stonden. En het gaat niet werken in 2008 omdat Barack Obama aan de goede kant van de geschiedenis staat.'[62]

Het tegengaan van discriminatie en het bevorderen van gelijke kansen is een verdienstelijk streven, en in 2016 maakte Hillary Clinton deze beide thema's tot kernpunten van haar presidents-campagne. Tegen die tijd had de neoliberale mondialisering echter niet alleen tot enorme verschillen in inkomen en bezit geleid, maar ook tot een economie die volledig werd gedomineerd door de financiële sector, een politiek systeem waarin de stem van het geld veel meer invloed had dan die van de burgers en een sterk opkomend nationalisme. Streven naar gelijke kansen stak daar maar bleekjes bij af en leek niet meer dan een machteloze verzuchting dat het hopelijk allemaal wel goed zou komen.

Toen Obama sprak over de boog van het morele universum die zich in de richting van rechtvaardigheid boog, voegde hij daar een verzekering aan toe die King achterwege had gelaten: 'Na verloop van tijd weet Amerika het altijd goed te krijgen.'[63] Maar daarmee veranderde hij de geest van Kings boodschap.

In de loop der tijd verwerd Obama's geloof in de voorzienigheid van een profetische oproep tot een soort zelfvoldane gemoedsrust, waarmee hij zijn toehoorders voor de zoveelste maal geruststelde dat de Verenigde Staten anders zijn dan andere landen. Vooruitgang 'verloopt niet altijd in een rechte lijn', verklaarde hij in 2012 tijdens een verkiezingsbijeenkomst in het Californische Beverly Hills, 'maar soms ook zigzaggend. Soms neemt de natie als geheel een verkeerde afslag, en soms vallen er mensen uit de boot. Maar wat Amerika uitzonderlijk maakt, is dat wij het na verloop van tijd toch altijd goed weten te krijgen. Wat Dr. King de boog van het morele universum noemde, buigt zich in de richting van rechtvaardigheid. Dat maakt Amerika anders. Dat maakt Amerika speciaal.'[64]

In 1895 publiceerde Katharine Lee Bates, een hoogleraar aan het Wellesley College die zich inzette voor sociale hervorming, een patriottisch gedicht met de titel 'America the Beautiful', dat vijftien jaar later door een kerkorganist op muziek werd gezet. Dit lied, een ode aan de Amerikaanse goedheid, werd een van Amerika's populairste vaderlandslievende liederen, en velen wilden dat het werd uitgeroepen tot het nieuwe volkslied.[65]

Anders dan het officiële Amerikaanse volkslied, 'Star Spangled Banner', was 'America the Beautiful' een vredelievende hymne. In plaats van 'de rode gloed van de raketten, en de bommen die uit elkaar spatten in de lucht' uit het officiële volkslied, ging het in 'America the Beautiful' over de 'majestueuze purperen bergen'. Het refrein was een gebed waarin God om genade werd gesmeekt:

America! America!
God shed His grace on thee.
And crown thy good with brotherhood
From sea to shining sea![66 67]

God shed his grace on thee laat zich echter op twee verschillende wijzen interpreteren. In het Engels valt *shed* te lezen als een werkwoord in de aanvoegende wijs: 'God betone u zijn genade', maar het kan ook gelezen worden als aantonende wijs: 'God heeft u zijn genade betoond.'[68]

Uit de rest van de tekst blijkt duidelijk dat de dichteres de eerste betekenis in gedachten heeft, en dat het refrein een gebed is waarin God om genade wordt gesmeekt. De volgende regel maakt dat duidelijk. Hier staat niet dat God de goedheid van Amerika heeft 'bekroond' (*crowned*) met broederschap; het werkwoord in de aanvoegende wijs (*crown*) geeft uiting aan de hoop dat Hij dat zal doen.

Het evenwicht tussen verdienste en genade is niet makkelijk te bewaren. Door de eeuwen heen, van de puriteinen tot aan de verkondigers van het welvaartsevangelie, is de allure van het ethos van verdienen en presteren altijd vrijwel onweerstaanbaar geweest. Het dreigt voortdurend de overhand te krijgen op het veel ootmoedigere ethos van hopen en bidden, dankbaarheid en genade. Verdienste verdrijft genade of herschept die naar haar eigen evenbeeld, als iets wat ons toekomt omdat we zo goed ons best hebben gedaan.

Op 28 oktober 2001, niet meer dan weken na de aanslagen van 11 september, gaf de legendarische, al sinds zijn kindertijd blinde Afro-Amerikaanse soulzanger en musicus Ray Charles, voorafgaand aan de tweede wedstrijd van de World Series (de nationale honkbalkampioenschappen), een zinderende uitvoering ten beste van 'America the Beautiful'. Charles stond erom bekend dat hij dit lied beter vertolkte dan wie dan ook, en er niet alleen een dof en pijnlijk gevoel van verdriet mee wist op te roepen, maar ook een verlossende vreugde. Die avond voegde Charles er, zoals altijd, nog een riff aan toe waaruit zijn publiek kon opmaken dat Amerika's zegening (genade) geen hoop of gebed was, maar een fait accompli:

America! America!
God done shed His grace on thee. Oh yes he did.
And crowned thy good – I doubt you remember – saving brotherhood,
From sea to shining sea.[69]

Terwijl de laatste akkoorden door het stadion galmden, scheerden er vier F-16's over het stadion, en de klaaglijke ontroering van Charles' lied maakte plaats voor iets harders en minder verzoenends. Dit was het assertieve gezicht van het voorzienigheidgeloof. De boog van het morele universum mag zich dan buigen naar rechtvaardigheid, maar God helpt degenen die zichzelf helpen.

3

De retoriek van het opklimmen

Tegenwoordig is succes voor ons wat verlossing was voor de puriteinen – geen kwestie van geluk of genade, maar iets wat ons toekomt op grond van ons eigen ingespannen streven. Dit is de kern van het meritocratische ethos. Het zingt de lof van de vrijheid – het vermogen om door hard werken mijn lot in eigen hand te nemen – en eigen verdienste. Als ik er verantwoordelijk voor ben dat ik een flinke portie wereldlijke goederen heb weten te vergaren – inkomen en bezit, macht en prestige – dan moet ik die wel verdiend hebben. Succes is een teken van deugdzaamheid. Mijn overvloed is iets wat mij toekomt.

Dit denken verschaft een gevoel van macht en kracht. Het stimuleert mensen om zichzelf te beschouwen als verantwoordelijk voor hun eigen lot en niet als het slachtoffer van krachten waarop ze geen invloed kunnen uitoefenen. Deze manier van denken heeft echter ook een keerzijde. Hoe meer we onszelf beschouwen als mensen die aan zichzelf genoeg hebben en zelf hun eigen bestaan hebben opgebouwd, hoe minder waarschijnlijk het wordt dat we ons zullen bekommeren om het lot van degenen die het minder getroffen hebben dan wijzelf. Als ik mijn succes aan mijzelf te danken heb, dan zullen zij hun mislukking ook wel aan zichzelf te wijten hebben. Deze logica zorgt ervoor dat de meritocratie een ondermijnende uitwerking heeft op de gemeenschapszin. Een te veeleisende opvatting van individuele verantwoordelijkheid voor het eigen lot maakt het lastig om ons in de situatie van andere mensen te verplaatsen.

De afgelopen veertig jaar hebben meritocratische uitgangs-punten steeds meer vat gekregen op het openbare leven in de-mocratische samenlevingen. Hoewel de ongelijkheid in die tijd enorm is toegenomen, heeft het openbare leven het denkbeeld bekrachtigd dat we verantwoordelijk zijn voor ons eigen lot en krijgen wat we verdienen. Het lijkt wel alsof de winnaars van de mondialisering zichzelf, en alle anderen, ervan moesten zien te overtuigen dat degenen die ergens aan de top zijn neergestreken en degenen die ergens aan de onderkant zijn beland, allemaal op de plek zijn terechtgekomen waar ze thuishoren. Of zo niet, dat ze dan alsnog op de juiste plek zouden uitkomen als het maar zou lukken om alle oneerlijke belemmeringen uit de weg te rui-men die verhinderen dat mensen hun kansen grijpen. Politieke debatten tussen partijen rechts en links van het midden zijn de afgelopen decennia voornamelijk gegaan over de vraag hoe we gelijke kansen zodanig dienen te interpreteren en implementeren dat alle mensen in staat zullen zijn om zo hoog op te klimmen als hun aanleg en inspanningen hen maar brengen kunnen.

Streven en verdienen

Dit steeds sterker wordende meritocratische sentiment heb ik voor het eerst opgemerkt terwijl ik naar mijn studenten luisterde. Omdat ik al sinds 1980 politieke filosofie doceer aan Harvard, wordt me soms gevraagd hoe de meningen van studenten in de loop der jaren veranderd zijn. Over het algemeen vind ik die vraag lastig te beantwoorden. Als in werkgroepen discussie ontstaat over de onderwerpen waarover ik doceer – rechtvaardigheid, markten en moraal, de ethische aspecten van nieuwe technologieën – hebben de studenten altijd uiting gegeven aan een breed scala aan ethische en politieke denkbeelden, en een duidelijk overheersende trend daarin heb ik niet kunnen opmerken, op één uitzondering na: in de jaren negentig begonnen steeds meer studenten ervan overtuigd te raken dat ze hun succes aan zichzelf te danken hadden – dat dat voortkwam uit hun eigen inspanningen en hun daarom toekwam – en die trend heeft zich tot op heden voortgezet. Onder mijn studenten is dit meritocratische geloof steeds sterker geworden.

Aanvankelijk nam ik aan dat dit kwam doordat ze waren opgegroeid toen Reagan president was en de individualistische filosofie van die tijd in zich hadden opgenomen. Maar dit waren, over het algemeen, geen conservatieve studenten. Meritocratische intuïties zien we over het gehele politieke spectrum en ze komen bijzonder sterk naar voren in discussies over positieve discriminatie in het universitaire toelatingsbeleid. Of studenten nou voor of tegen zo'n beleid zijn, ze zijn er over het algemeen toch van overtuigd dat ze hard hebben gewerkt om zich te kwalificeren voor toelating tot Harvard en daarom hun plek daar verdiend hebben. Opperen dat hun toelating wellicht ook gebaseerd is geweest op geluk en andere factoren waarop ze zelf geen invloed hebben kunnen uitoefenen, roept sterke weerstand op.

Het is niet moeilijk te begrijpen waar het groeiende meritocratische sentiment onder studenten aan exclusieve universiteiten vandaan komt. De afgelopen vijftig jaar is het steeds moeilijker geworden om toegelaten te worden tot een elite-universiteit. Nog halverwege de jaren zeventig accepteerde Stanford bijna een derde van alle kandidaten die zich aanmeldden, en in het begin van de jaren tachtig lieten Harvard en Stanford nog één op de vijf kandidaten toe, maar in 2019 kwam nog niet één op de twintig kandidaten door de selectieprocedure. Terwijl de wedijver om een plaats binnen de elite steeds feller werd, is de adolescentie van kinderen die een plaats aan een topuniversiteit willen bemachtigen (of die ouders hebben die die ambities namens hen koesteren) verworden tot een soort slagveld dat bestaat uit een verzwaard lesprogramma (de zogenoemde *Advanced Placement*-cursussen), adviseurs die de kinderen helpen bij de toelatingsprocedure, bijlesleraren die hen trainen voor de SAT-toets, en daarnaast dan ook nog allerlei sportieve activiteiten en extracurriculaire bezigheden, plus stages en ontwikkelingswerk in verre landen om indruk te maken op universitaire toelatingscomités. Het is een slagveld vol koortsachtige inspanning – een zwaar overladen programma dat voortdurend onder het bezorgde toezicht staat van hyperactieve ouders die het allerbeste voor hun kinderen willen.

Het is moeilijk om door deze hordeloop vol druk en stress heen te komen zonder te gaan geloven dat je door al die inspanning je succes ook werkelijk verdiend hebt. Dat maakt deze studenten niet egoïstisch. Velen van hen besteden veel tijd aan vrijwilligerswerk, maar hun ervaringen maken hen wel tot overtuigde meritocraten. Net als hun puriteinse voorouders menen ze oprecht dat het succes dat ze met hun harde werken hebben behaald hun ook toekomt.

De meritocratische mentaliteit die ik bij universitaire studenten heb opgemerkt, is niet uitsluitend een Amerikaans verschijnsel. In 2012 heb ik aan de universiteit van het aan de zuidoostkust van China gelegen Xiamen een voordracht gehouden over de morele grenzen van markten. Recente krantenkoppen hadden melding gemaakt van een Chinese tiener die één van zijn nieren had verkocht om zich een iPhone en een iPad te kunnen aanschaffen en ik had de studenten gevraagd hoe ze daarover dachten.[1] In het daaropvolgende debat kozen veel studenten het libertaire standpunt: als de tiener er uit vrije wil, dat wil zeggen zonder druk of dwang, in had toegestemd om zijn nier te verkopen, hoorde hij daartoe het recht te hebben. Anderen waren het daar niet mee eens, en betoogden dat het oneerlijk is dat de rijken hun leven kunnen verlengen door nieren te kopen van de armen. Een student ergens achter in de collegezaal had daar een antwoord op: omdat ze hun rijkdom verdiend hebben, zijn rijke mensen verdienstelijk, en dus verdienen ze het om langer te leven.

Ik werd nogal van mijn stuk gebracht door deze wel heel onbeschaamde toepassing van het meritocratische gedachtegoed. Achteraf gezien realiseer ik me dat deze denkwijze in moreel opzicht verwant is aan het aan het welvaartsevangelie ontleende geloof dat gezondheid en rijkdom aangeven dat je bij God in de gunst staat. Natuurlijk had de Chinese student die deze mening uitte zich waarschijnlijk niet verdiept in de puriteinse traditie of het welvaartsevangelie, maar net als zijn collega's was hij volwassen geworden in de periode waarin China zich omvormde tot een marktsamenleving.

Het denkbeeld dat degenen die het voor de wind gaat, het geld dat ze verdienen ook in moreel opzicht toekomt, is diepgeworteld in de morele intuïties van de studenten die ik de afgelopen tien jaar tijdens verschillende bezoeken aan Chinese universiteiten heb gesproken. Ondanks de cultuurverschillen zijn studenten daar, net als mijn studenten aan Harvard, de winnaars van een hypercompetitief toelatingsproces dat zich voltrekt tegen de achtergrond van een marktsamenleving waarin de concurrentie tot het uiterste is opgevoerd. Het is dan ook niet verwonderlijk dat ze zich verzetten tegen de gedachte dat we voor ons welslagen bij anderen in de schuld staan, en zich aangetrokken voelen tot het idee dat we alles waarmee het systeem onze aanleg en inspanningen beloont, ook in alle opzichten verdiend hebben.

Markten en verdienste

Terwijl Deng Xiaoping eind jaren zeventig en begin jaren tachtig de Chinese markthervormingen in gang zette, streefden Margaret Thatcher in het Verenigd Koninkrijk en Ronald Reagan in de Verenigde Staten ernaar om hun samenlevingen steeds afhankelijker te maken van de markten. Deze periode van marktgeloof schiep de voorwaarden voor de opkomst van meritocratische waarden en praktijken die zich in de daaropvolgende decennia heeft voorgedaan.

Zeker, markten zijn niet per se gegrondvest op meritocratische uitgangspunten. De meest vertrouwde argumenten ten gunste van markten gaan over nut en vrijheid. Het eerste argument houdt in dat markten prikkels scheppen die de groei van het bbp bevorderen en het algemeen welzijn maximaliseren; het tweede houdt in dat markten mensen in staat stellen om zelf te bepalen hoeveel waarde ze toekennen aan de goederen die ze uitwisselen.

Het markttriomfalisme van de jaren tachtig zette echter aan tot het formuleren van een derde rechtvaardiging voor de markt, die gebaseerd was op het meritocratische gedachtegoed: op voorwaarde dat markten functioneren binnen een eerlijk systeem dat iedereen gelijke kansen biedt, zorgen ze ervoor dat iedereen krijgt wat hij of zij verdient. Zolang iedereen op gelijke termen kan concurreren, zal de markt mensen belonen naar hun verdienste.

Dit meritocratische ethos was, zo nu en dan, impliciet in het vrijemarktconservatisme van Thatcher en Reagan, maar werd pas expliciet verwoord in het beleid van hun centrumlinkse opvolgers. Dit kwam voort uit een kenmerkend aspect van het centrumlinkse denken in de jaren negentig en daarna: in plaats van hun pijlen te richten op de uitgangspunten van het marktgeloof van Thatcher en Reagan, namen figuren als Tony Blair en Bill Clinton dat over en streefden ze ernaar om de meest hardvochtige aspecten ervan te verzachten.

Ze aanvaardden het door Reagan en Thatcher uitgedragen idee dat marktmechanismen de belangrijkste instrumenten zijn ter verwezenlijking van het algemeen welzijn, maar wilden wel een eerlijke werking van de markten kunnen garanderen. Alle burgers, ongeacht hun ras, klasse, religie of etniciteit, gender of seksuele oriëntatie, dienden op gelijke termen met anderen te kunnen wedijveren om de beloningen die markten uitdelen. Voor de centrumlinkse liberals hield 'kansengelijkheid' méér in dan het ontbreken van discriminatie. Gelijke kansen vereisten ook gelijke toegang tot onderwijs, gezondheidszorg, kinderopvang en andere vormen van dienstverlening die mensen in staat stelden om effectief met anderen te concurreren op de arbeidsmarkt.

Dit was de politiek van het centrumlinkse, marktvriendelijke liberalisme van de jaren negentig tot 2016: iedereen in staat stellen om op gelijke voorwaarden met anderen te concurreren liet zich niet alleen verenigen met een marktsamenleving, maar was ook een manier om de daaraan ten grondslag liggende principes te handhaven. Twee daarvan waren eerlijkheid en productiviteit. Het elimineren van discriminatie en het vergroten van kansengelijkheid zou markten eerlijker maken, en door het grotere reservoir aan talenten dat als gevolg daarvan beschikbaar kwam, zouden ze ook productiever worden. (Bill Clinton heeft het eerlijkheidsargument vaak gebruikt onder de dekmantel van het productiviteitsargument, zoals toen hij verklaarde: 'We kunnen het ons niet veroorloven om wie dan ook te verspillen.'[2])

Het liberale argument ging echter verder dan eerlijkheid en productiviteit, en verwees ook naar een derde, krachtiger ideaal dat impliciet vervat ligt in het pleidooi voor markten: mensen in staat stellen om uitsluitend met elkaar te concurreren op basis van inspanning en aanleg zou marktuitkomsten in overeenstemming brengen met verdienstelijkheid. In een samenleving die echte kansengelijkheid bood, zouden de markten mensen geven wat hun toekwam.

De afgelopen veertig jaar is de taal van de verdienste, van wat mensen toekomt, centraal komen te staan in het publieke discours. Een aspect van deze koerswending naar de meritocratie dat de harde kant daarvan zichtbaar maakte, kwam tot uiting in de veeleisende denkbeelden over individuele verantwoordelijkheid die samengingen met pogingen om de welvaartsstaat te beteugelen en risico's van overheden en bedrijven te verleggen naar individuen.[3] Een tweede aspect van deze koerswending was meer gericht op de aspiraties van mensen en kwam tot uiting in wat we de 'retoriek van het opklimmen' zouden kunnen noemen – de belofte dat mensen die hard werken en zich aan de regels houden het ook in moreel opzicht verdienen om zover op te klimmen als hun talent en dromen hen maar kunnen brengen. De retoriek van opklimmen en individuele verantwoordelijkheid is de afgelopen decennia doorgedrongen in alle aspecten van het politieke debat, en na verloop van tijd heeft dat bijgedragen aan de populistische reactie op de meritocratie.

De retoriek van de eigen verantwoordelijkheid

In de jaren tachtig en negentig speelde verantwoordelijkheidsretoriek een belangrijke rol in de discussie over de welvaartsstaat. In die discussie was het een groot deel van de twintigste eeuw vooral gegaan over solidariteit, over wat we elkaar als burgers verschuldigd zijn, en sommigen hadden daar wat veeleisender denkbeelden over gehad dan anderen. Sinds de jaren tachtig is het in het debat over de welvaartsstaat echter steeds minder over solidariteit gegaan en steeds meer over de mate waarin mensen in achterstandssituaties verantwoordelijk zijn voor hun onfortuinlijke lot. Sommige mensen willen de individuele verantwoordelijkheid verder uitbreiden en andere willen die juist inperken.

Zeer ver reikende denkbeelden over individuele verantwoordelijkheid geven aan dat er meritocratische aannames in het spel zijn. Hoe meer we verantwoordelijk zijn voor ons eigen lot, hoe meer waardering of veroordeling we verdienen voor de wijze waarop ons leven uitpakt.

De door Reagan en Thatcher geuite kritiek op de welvaartsstaat hield in dat mensen verantwoordelijk gehouden dienden te worden voor hun eigen welzijn, en dat de gemeenschap alleen diegenen hulp verschuldigd was die hun onfortuinlijke lot niet aan zichzelf te wijten hadden. 'We zullen nooit mensen in de steek laten die buiten hun eigen schuld om onze hulp nodig hebben,' verklaarde Reagan in een State of the Union-rede. 'Maar laten we eerst eens goed kijken hoeveel mensen verlost kunnen worden van de afhankelijkheid van een uitkering, zodat ze in hun eigen onderhoud kunnen voorzien.'[4]

'Buiten hun eigen schuld' is hier een onthullende formulering. Ze begint als een stijlfiguur die op gulheid en vrijgevigheid duidt: mensen die 'buiten hun eigen schuld' behoefte hebben aan hulp en bijstand kunnen aanspraak maken op steun van de gemeenschap. Maar zoals altijd het geval is wanneer mensen ergens verantwoordelijk voor worden gehouden, heeft die verantwoordelijkheid ook een grimmige keerzijde. Als slachtoffers van de omstandigheden onze hulp verdienen, dan valt de stelling te verdedigen dat degenen die zelf hebben bijgedragen aan hun onfortuinlijke lot dus geen aanspraak kunnen maken op hulp en bijstand.

De eerste Amerikaanse presidenten die deze uitdrukking gebruikten, waren Calvin Coolidge en Herbert Hoover. 'Buiten hun eigen schuld' impliceert een streng idee van individuele verantwoordelijkheid: degenen die hun armoede of slechte gezondheid te wijten hebben aan verkeerde keuzes verdienen geen hulp van de overheid, en moeten zichzelf maar zien te redden. Franklin D. Roosevelt heeft deze uitdrukking zo nu en dan ook gebruikt, maar dan om te betogen dat mensen die door de depressie van de jaren dertig werkloos waren geraakt, dat toch eigenlijk niet te verwijten viel.[5]

Ronald Reagan, die de rol van de overheid wilde terugdringen, heeft 'buiten hun eigen schuld' vaker gebruikt dan alle presidenten voor hem. Zijn beide Democratische opvolgers, Bill Clinton en Barack Obama, hebben deze uitdrukking echter twee keer zoveel gebruikt als hij, en net als Reagan maakten ze daarbij impliciet onderscheid tussen degenen die buiten hun schuld arm waren en dus recht hadden op steun van de overheid, en mensen die hun lot aan zichzelf te wijten hadden en daar dus wellicht geen aanspraak op konden maken.[6]

In 1992 beloofde Clinton tijdens zijn presidentscampagne om 'een einde te maken aan de bijstand zoals wij die kennen'. Als president verknoopte hij de retoriek van de eigen verantwoordelijkheid met de retoriek van het opklimmen, zodat hij zowel de harde kant van de meritocratie aanriep als het ambitieuze gezicht daarvan. 'We moeten doen wat Amerika het beste doet,' verkondigde hij in zijn eerste inaugurele rede. 'Iedereen meer kansen bieden, en ook van iedereen meer eigen verantwoordelijkheid eisen. Het is tijd om een einde te maken aan de slechte gewoonte om iets te verwachten van onze overheid of van elkaar zonder daar iets voor terug te doen.'[7]

De retoriek van de eigen verantwoordelijkheid en de retoriek van het opklimmen hadden één ding gemeen: ze verwezen allebei naar het ideaal van burgers die zich uitsluitend op zichzelf verlieten en zelf hun eigen bestaan opbouwden. In de jaren tachtig en negentig hield 'eigen verantwoordelijkheid' in dat je uit de bijstand kwam en een baan vond. 'Kansen krijgen' hield in dat je een opleiding kon volgen waarmee je op effectieve wijze kon concurreren op de arbeidsmarkt. Als ze gelijke kansen kregen, zouden de mensen opklimmen op basis van hun eigen inspanning en aanleg, en aan hun succes zou af te meten zijn hoe verdienstelijk ze zich hadden gemaakt. 'Alle Amerikanen hebben niet alleen het recht, maar ook de dure plicht om zover op te klimmen als de hun door God gegeven talenten en vastberadenheid hen maar brengen kunnen,' verklaarde Clinton. 'Kansen en verantwoordelijkheid gaan hand in hand. Het ene kan niet bestaan zonder het andere.'[8]

Clinton herhaalde daarmee Reagans argument dat de bijstand beperkt diende te worden tot degenen die 'buiten hun schuld' behoeftig waren. 'De rol van de overheid,' verklaarde Clinton, is 'het scheppen van economische kansen en het helpen van mensen die, buiten hun schuld, economische lasten moeten dragen.'[9] In 1996 zette hij zijn handtekening onder een bijstandshervormingswet waar veel van zijn partijgenoten zich juist tegen hadden gekeerd. In deze wet werd geregeld dat 'individuele verantwoordelijkheid' bijstandsontvangers verplichtte om te werken en werd de duur van een bijstandsuitkering ingeperkt.[10]

Deze nieuwe nadruk op eigen verantwoordelijkheid, inclusief alle meritocratische implicaties daarvan, werd ook gangbaar aan de andere kant van de Atlantische Oceaan. Terwijl Clinton in naam van 'individuele verantwoordelijkheid' de bijstand hervormde, droeg Tony Blair, die niet lang daarna premier van Groot-Brittannië zou worden, een soortgelijke boodschap uit: 'We hebben een nieuwe opzet nodig voor bijstand in een nieuwe tijd, waarin kansen en verantwoordelijkheden hand in hand gaan.' Over de meritocratische inspiratie van zijn beleid liet Blair geen misverstand bestaan. 'Het nieuwe Labour hecht sterk aan de meritocratie,' schreef hij. 'Wij vinden dat mensen in staat dienen te zijn om op te klimmen op basis van talent en niet op basis van geboorte of privileges.'[11]

Een paar jaar later zou de Duitse bondskanselier Gerhard Schröder zijn bijstandshervormingen in soortgelijke termen verdedigen:

> Met deze maatregelen wapenen we onze welvaartsstaat tegen de stormen van de globalisering. Daarmee zullen we in alle opzichten een zwaardere rol moeten toebedelen aan de eigen verantwoordelijkheid: meer individuele verantwoordelijkheid voor onszelf en meer algemene verantwoordelijkheid voor de kansen van onze kinderen. (...) Voor ons sociaal beleid houdt dit in dat iedereen dezelfde kansen krijgt. Maar dat houdt ook in dat iedereen de plicht heeft om zijn kansen te grijpen.[12]

De retoriek van de eigen verantwoordelijkheid is inmiddels zo vertrouwd dat het gemakkelijk is om voorbij te zien aan de specifieke betekenis die deze term de afgelopen decennia heeft gehad, en aan het verband tussen deze retoriek en meritocratische opvattingen over wat succes inhoudt. Politieke leiders spreken al lange tijd over eigen verantwoordelijkheid, en over het algemeen verwijzen ze daarmee naar de plichten die burgers hebben tegenover hun land en hun medeburgers. Maar zoals Yascha Mounk opmerkt, heeft 'eigen verantwoordelijkheid' tegenwoordig betrekking op 'onze verantwoordelijkheid om voor onszelf te zorgen – en om te lijden onder de gevolgen als we dat niet doen'. De welvaartsstaat is minder 'als buffer voor de eigen verantwoordelijkheid' gaan fungeren en meer gaan 'bijhouden waar de eigen verantwoordelijkheid ligt'. Het recht op bijstand van mensen die het zwaar hebben beperken tot degenen die pech hebben gehad en degenen die zich slecht gedragen hebben daarvan uitsluiten, is een voorbeeld van zo'n poging om mensen te behandelen op basis van wat hun toekomt.[13]

De retoriek van het opklimmen is nieuw op een wijze die gemakkelijk aan onze aandacht ontsnapt. Idealen van gelijke kansen en opwaartse sociale mobiliteit maken al lange tijd deel uit van de Amerikaanse droom, en bieden ook vele andere samenlevingen inspiratie. Het denkbeeld dat mensen in staat dienen te zijn om 'zover op te klimmen als hun aanleg en inspanning hen maar kunnen brengen' is zo vertrouwd dat het bijna een cliché is geworden. Het is nauwelijks controversieel te noemen. Politici van de middenpartijen doen er voortdurend een beroep op en niemand is ertegen.

Het is daarom een verrassende ontdekking dat deze slogan pas de afgelopen veertig jaar zo prominent is geworden in het Amerikaanse politieke discours. Ronald Reagan was de eerste Amerikaanse president die er in zijn politieke retoriek een zwaar beroep op deed. Tijdens een briefing in het Witte Huis voor regeringsmedewerkers van kleur legde hij expliciet een verband tussen verdienste en het recht om op te klimmen. 'Alle Amerikanen hebben het recht om uitsluitend beoordeeld te worden op basis van hun individuele verdienste,' zei hij, 'en ook om net zover op te klimmen als hun dromen en harde werken hun maar toestaan.' Voor Reagan had de retoriek van het opklimmen niet alleen betrekking op het te boven komen van discriminatie, maar was die op allerlei verschillende manieren inzetbaar, zelfs als hij wilde pleiten voor belastingverlagingen. Lagere belastingen zouden 'barrières op de weg naar het succes neerhalen, zodat alle Amerikanen net zover kunnen komen als hun harde werken, vaardigheden, vindingrijkheid en creativiteit hen maar kunnen brengen.'[14]

Bill Clinton nam Reagans slogan over en heeft die regelmatig gebruikt. 'De Amerikaanse droom waarmee wij allemaal zijn grootgebracht is eenvoudig maar krachtig. Als je hard werkt en je aan de regels houdt, hoor je de kans te krijgen om net zover te komen als de jou door God gegeven vermogens je maar kunnen brengen.' In het eerste decennium van de eenentwintigste eeuw was deze slogan bij politici van beide partijen uitgegroeid tot een retorische reflex. Ook Republikeinen als George W. Bush, John McCain en Marco Rubio hebben er veel gebruik van gemaakt, maar geen enkele Amerikaanse president was er zo aan gehecht als Barack Obama, die hem vaker heeft ingezet dan alle presidenten voor hem samen. Sterker nog, deze slogan kan gezien worden als het kernthema van zijn presidentschap.[15]

'Als het om het hoger onderwijs gaat,' verklaarde Obama tijdens een bijeenkomst van onderwijsgevenden in het Witte Huis, gaat het er uiteindelijk om 'dat we er zeker van kunnen zijn dat intelligente, gemotiveerde jonge mensen (…) de kans krijgen om zover te komen als hun talenten, hun arbeidsethos en hun dromen hen maar kunnen brengen'. Hij beschouwde een universitaire opleiding als het belangrijkste middel om hogerop te komen. 'Als land beloven wij geen gelijke resultaten, maar zijn we gegrondvest op het idee [dat] iedereen gelijke kansen dient te krijgen om te slagen. Ongeacht wie je bent, hoe je eruitziet, waar je vandaan komt: jij kunt succes hebben. Dat is de essentiële belofte van Amerika. Waar je begint, dient niet te bepalen waar je uitkomt. En dus ben ik blij dat iedereen wil gaan studeren.'[16]

Bij een andere gelegenheid noemde Obama het voorbeeld van zijn vrouw Michelle, die was opgegroeid in een arbeidersgezin, maar aan Princeton en de Harvard Law School had gestudeerd, en vooruit had kunnen komen in de wereld. 'Michelle en haar broer zijn erin geslaagd om een ongelooflijk goede opleiding te volgen en zover te komen als hun dromen hen maar wilden brengen.' Dit ondersteunde Obama's geloof 'dat wat Amerika zo uitzonderlijk maakt, wat ons zo speciaal maakt, deze funda-mentele afspraak is, dit fundamentele idee dat, hoe je er ook uitziet, waar je ook vandaan komt, wat je achternaam ook is en welke tegenslagen je ook op je weg zult vinden, je in dit land succes kunt hebben als je maar hard werkt en bereid bent om verantwoordelijkheid te nemen. Je kunt hier vooruitkomen.'[17]

In navolging van Reagan en Clinton verwees Obama's retoriek van het opklimmen naar de meritocratie. Er werd sterke nadruk gelegd op het belang van non-discriminatie en de noodzaak van hard werken, en alle burgers werden aangespoord om 'verantwoordelijkheid te nemen' voor zichzelf. Hier lag dus het verband tussen de retoriek van het opklimmen en het meritocratische ethos: als mensen werkelijk gelijke kansen krijgen, zullen ze het zover brengen als hun aanleg en inspanning maar toelaten. Hun succes zullen ze dan aan zichzelf te danken hebben, en de beloningen die hun dat oplevert, zullen ze ook werkelijk verdiend hebben.

Krijgen wat je toekomt

Deze meritocratische logica was niet slechts hypothetisch, maar vond weerklank in de openbaarheid. Terwijl de retoriek van het opklimmen steeds prominenter werd, gebeurde hetzelfde met de taal van merites en verdienste, en dat werd weerspiegeld in kranten en boeken. Volgens Google Ngram, dat bijhoudt hoe vaak bepaalde (combinaties van) woorden in boeken gebruikt worden, is het gebruik van 'je verdient' (*you deserve*) tussen 1970 en 2008 meer dan verdriedubbeld. In *The New York Times* dook 'je verdient' in 2018 meer dan vier keer zo vaak op als in het jaar waarin Ronald Reagan werd ingezworen als president.[18]

Soms werd het 'verdiend hebben' aangewend op een wijze die expliciet verwant was aan het meritocratische denken. Zo berichtte *The New York Times* in 1988 dat er een groeiende markt was ontstaan voor motiverende cassettebandjes met hypnotische, subliminale boodschappen die zachtjes werden uitgesproken onder het geluid van ruisende golven. Een van die teksten luidde: 'Ik verdien het om het beter te doen dan papa. Ik verdien het om te slagen. Ik verdien het om mijn doelen te bereiken. Ik verdien het om rijk te zijn.' Maar naarmate de populaire cultuur steeds meer doortrokken raakte van de 'taal van de verdienste', veranderde die in een sussende voor elk doel geschikte belofte van succes, zoals in de kopregel van een recept dat onlangs in *The New York Times* stond: 'U verdient een malse kip.' (Het geheim achter de malse kip die u verdient? 'Niet te lang garen.')[19]

Naarmate de taal van verdienste steeds prominenter werd in het dagelijks leven, zagen we iets dergelijks ook binnen de academische filosofie. In de jaren zestig en zeventig hadden vooraanstaande Anglo-Amerikaanse filosofen de meritocratie afgewezen, omdat wat mensen verdienen op de markt afhankelijk is van allerlei toevallige omstandigheden die buiten hun macht vallen, zoals of er vraag is naar hun talenten en of die talenten zeldzaam zijn of juist veel voorkomen. In de jaren tachtig en negentig blies een invloedrijke groep filosofen het pleidooi voor verdienste nieuw leven in – misschien wel omdat de 'retoriek van de eigen verantwoordelijkheid' in de politiek destijds zo gangbaar was. Deze filosofen, die bekendstonden als de *luck egalitarians*, betoogden dat we om te bepalen of de samenleving verplichtingen heeft jegens mensen in een achterstandspositie, eerst dienen vast te stellen wie van hen zelf verantwoordelijk zijn voor hun onfortuinlijke omstandigheden en wie het slachtoffer zijn van pech en tegenslag. Alleen die laatste groep, zo stelden ze, verdient hulp van de overheid.[20] Als we onze blik verleggen van de academie naar de reclamewereld, is het moeilijk om niet te denken aan alomtegenwoordige slogan (en jingle) van McDonald's uit die tijd, waarin zwaar gestreste vaders en moeders te horen kregen dat ze vandaag wel een pauze hadden verdiend (*You deserve a break today*). Het kan puur toeval zijn, maar sinds de jaren tachtig proberen zowel politici als hamburgerreclames ons in te palmen door ons voor te houden wat we verdiend hebben. Politici hebben het discours over verdienste gebruikt in samenhang met de retoriek van sociale stijging. In de jaren zestig en zeventig probeerden Amerikaanse presidenten slechts zelden toenadering te zoeken tot hun publiek door de mensen voor te houden wat ze verdiend hadden. John F. Kennedy heeft nooit 'U verdient' gezegd. Dat veranderde met Reagan, die dat vaker deed dan zijn vijf voorgangers samen.[21] Tijdens een toespraak die hij in 1983 hield voor een groep vooraanstaande zakenmensen zei hij dat degenen die op eigen kracht slagen het verdienen om beloond te worden.

> Deze natie is niet gegrondvest op afgunst en ressentiment. De droom waarin ik altijd heb geloofd, is dat als je door hard werken iets weet te bereiken in het leven, ongeacht wie je bent of waar je vandaan komt, dat je dan, verdorie, de hoofdprijs van het leven hebt verdiend. En proberen die prijs te winnen heeft Amerika het grootste land op aarde gemaakt.[22]

Na Reagan werd 'Je hebt het verdiend' een vast onderdeel van het presidentiële discours, ongeacht tot welke partij de betreffende president behoorde. Clinton heeft deze uitdrukking twee keer zo vaak gebruikt als Reagan, en Obama zelfs drie keer zo vaak, in contexten die varieerden van het alledaagse tot het zeer gewichtige. Tijdens een redevoering in een stad die zojuist een administratiecentrum van het ministerie van Defensie toegewezen had gekregen dat veel nieuwe banen zou opleveren, zei Clinton: 'Jullie hebben dit gekregen omdat jullie het verdiend hebben.' Toen Obama een groep magazijnwerkers toesprak, verklaarde hij: 'Als je de hele dag lang hard gewerkt hebt, verdien je daar fatsoenlijk voor betaald te worden.' Tijdens een toespraak in een *community college* in Ohio verdedigde hij belastingverlagingen voor de middenklasse met de woorden: 'Jullie hebben wel een pauze verdiend. Jullie hebben wel wat hulp verdiend.'[23]

In het Verenigd Koninkrijk is het geloof in de meritocratie dat in de jaren negentig was verwoord door Tony Blair, ook na het Brexit-referendum nog steeds overal in de Britse politiek te vinden. In 2016, kort nadat ze tot premier was benoemd, verkondigde Theresa May haar 'visioen voor Groot-Brittannië'. Toen ze over 'gewone mensen uit de arbeidersklasse' sprak, verklaarde ze: 'Die hebben een betere deal verdiend.' De betere deal die ze hun aanbood, bestond uit het voldoen aan de meritocratische beginselen.[24]

> Ik wil dat Groot-Brittannië de grootste meritocratie ter wereld wordt – een land waar iedereen een eerlijke kans krijgt om zover te komen als zijn aanleg en inspanning maar toelaten. (…) Ik wil dat Groot-Brittannië een plek wordt waar je vooruitkomt door je eigen verdienste, en niet door allerlei privileges; waar het om je aanleg en inspanning gaat, en niet om de plek waar je geboren bent, wie je ouders zijn of welk accent je hebt.[25]

Hoewel ze de mond vol hebben van opklimmen en verdienste, verwijzen de meeste Amerikaanse politici niet expliciet naar de meritocratie, maar Obama was een uitzondering op deze regel. Zo merkte hij tijdens een interview met een sportcommentator van ESPN peinzend op dat mensen zo van sport houden omdat dat 'een van de weinige plekken is waar een echte meritocratie bestaat. Het is geen zesjescultuur. Uiteindelijk is het glashelder wie er wint en wie er verliest, wie het goed doet en wie niet.'[26]

In de loop van de presidentscampagne van 2016 heeft Hillary Clinton vaak een beroep gedaan op de retoriek van sociale stijging en eigen verdienste: 'Onze campagne gaat over het fundamentele geloof dat iedereen in Amerika, ongeacht hoe je eruitziet, wie je bent en wie je bemint, de kans dient te krijgen om zover te komen als je harde werken en je dromen je maar kunnen brengen.' Ze beloofde plechtig dat als ze tot president gekozen zou worden, ze hen 'in staat zou stellen om de kansen en mogelijkheden te krijgen' die ze verdienden. Tijdens een campagnebijeenkomst verklaarde ze: 'Ik wil dat dit een echte meritocratie wordt. Ik ben de ongelijkheid zat. Ik wil dat de mensen het gevoel krijgen dat ze vooruit kunnen komen als ze daarvoor werken.'

Populistisch verzet

Helaas voor Hillary Clinton had de retoriek van het opklimmen in 2016 haar inspirerende werking verloren. Donald Trump, de kandidaat die haar versloeg, sprak niet over opklimmen of het geloof dat Amerikanen zover kunnen komen als hun aanleg en inspanning hen maar kunnen brengen. Voor zover ik heb kunnen vaststellen, heeft Trump deze slogan tijdens zijn presidentscampagne nooit gebruikt. In plaats daarvan sprak hij botweg over winnaars en verliezers, en beloofde hij Amerika weer groot te maken. Maar zijn versie van wat Amerika groot maakt, had niets te maken met het voltooien van het meritocratische project dat de afgelopen veertig jaar de bezielende kracht had gevormd van het Amerikaanse publieke discours.

Sterker nog, er is reden om te veronderstellen dat populistische antipathie tegen de meritocratische elites een rol heeft gespeeld bij Trumps verkiezing tot president en de verrassende uitslag van het Britse Brexit-referendum eerder dat jaar. Verkiezingen zijn complex, en het is moeilijk om met zekerheid te zeggen wat kiezers ertoe heeft gebracht om op een bepaalde kandidaat te stemmen. Maar veel Trump-supporters uit de arbeidersklasse, Brexit-stemmers en aanhangers van populistische partijen in andere landen leken minder geboeid te worden door beloften van sociale stijging dan door een hernieuwde bevestiging van nationale soevereiniteit, eigen identiteit en eigen trots. Ze koesterden ressentiment jegens de meritocratische elites, experts en mensen in allerlei hooggeschoolde beroepen, die jarenlang de lof hadden gezongen van de marktgedreven mondialisering en daar volop de vruchten van hadden geplukt, terwijl de arbeidersklasse werd blootgesteld aan rechtstreekse concurrentie met het buitenland.

In hun ogen leken deze elites zich dan ook meer te vereenzelvigen met de mondiale elites dan met hun medeburgers.

De populistische reacties op meritocratische hoogmoed waren soms verweven met xenofobie, racisme en een vijandige houding jegens het multiculturalisme. Maar de populistische reactie kwam op zijn minst gedeeltelijk voort uit het bittere besef dat degenen op de hoogste plaatsen in de hiërarchie van verdienste vol geringschatting neerkeken op degenen die naar hun oordeel minder gepresteerd hadden dan zijzelf. De populistische boosheid daarover is niet geheel ongegrond. Tientallen jaren lang hebben de meritocratische elites telkens weer de mantra herhaald dat iedereen die hard werkt en zich aan de regels houdt het zover kan brengen als zijn talenten maar toelaten. Nooit is het hun opgevallen dat hun retoriek van het opklimmen burgers die klem zaten in de onderklasse of slechts met grote moeite het hoofd boven water wisten te houden, niet in de oren klonk als een belofte, maar eerder als spot en hoon.

Zo kunnen Trump-stemmers Hillary Clintons meritocratische mantra opgevat hebben. Voor hen was de retoriek van het opklimmen eerder een belediging dan een inspiratie. Niet omdat ze de meritocratische geloofsovertuiging van de hand wezen. Integendeel zelfs: ze waren enthousiaste aanhangers van de meritocratie, maar meenden dat die beschreef hoe de zaken ervoor stonden en beschouwden die niet als een onvoltooid project dat nog meer overheidsingrijpen vereiste om obstakels weg te halen die mensen belemmerden om hun potentieel te verwezenlijken. Deels kwam dat omdat ze vreesden dat dergelijke interventies in het voordeel zouden werken van etnische en raciale minderheden, en daarmee dus eerder een inbreuk zouden zijn op de meritocratie zoals zij die zagen dan de vervolmaking daarvan. Maar het kwam ook omdat ze na hard gewerkt te hebben om een klein beetje succes te bereiken het strenge oordeel van de markt over henzelf hadden aanvaard, en zich daar zowel moreel als psychisch aan gecommitteerd hadden.

Bij een na de verkiezingen van 2016 gehouden opiniepeiling

werd Trump-kiezers en tegenstanders van Trump gevraagd of ze het eens of oneens waren met verschillende uitspraken over hoe goed de Verenigde Staten zich hielden aan de meritocratische principes. Het ging onder meer om de volgende stellingen: 'Al met al is de Amerikaanse samenleving eerlijk en billijk.' 'Individuen zijn persoonlijk verantwoordelijk voor hun maatschappelijke positie.' 'Kansen om er in economisch opzicht op vooruit te gaan zijn beschikbaar voor iedereen die de moeite neemt om ernaar te zoeken.' 'De samenleving heeft een punt bereikt waarop witte Amerikanen en Amerikanen van een raciale/etnische minderheid dezelfde kansen hebben om iets te bereiken.'[27]

Het zal niet als een verrassing komen dat respondenten in goeden doen sterker geneigd waren om het met deze uitspraak eens te zijn dan mensen met een minder welvarende achtergrond. Maar los van hun maatschappelijke klasse waren Trump-kiezers sterker geneigd om het met deze stellingen eens te zijn dan mensen die niet op hem gestemd hadden.[28] De liberale retoriek van sociale stijging wekte ressentiment bij Trump-kiezers, niet omdat ze de meritocratie van de hand wezen, maar omdat ze meenden dat die de heersende maatschappelijke orde beschreef. Ze hadden zich onderworpen aan de discipline daarvan en het strenge oordeel dat die uitsprak over hun eigen verdienste aanvaard, en nu vonden ze dat anderen dat ook hoorden te doen.

De tirannie van verdienste komt niet alleen voort uit de retoriek van het opklimmen. Ze bestaat uit een cluster van attitudes en omstandigheden die, in combinatie, de meritocratie tot een giftig brouwsel hebben gemaakt. Ten eerste: als er sprake is van volstrekt uit de hand gelopen ongelijkheid en geblokkeerde sociale mobiliteit, leidt het uitentreuren herhalen van de boodschap dat we verantwoordelijk zijn voor ons eigen lot en krijgen wat ons toekomt niet alleen tot een erosie van de solidariteit, maar is dat ook zeer ontmoedigend voor mensen die de mondialisering niet hebben kunnen bijbenen. Ten tweede: nadrukkelijk verklaren dat een diploma van een instelling voor hoger onderwijs de belangrijkste route is naar een respectabele baan en een fatsoenlijk leven, schept een vorm van 'credentialisme', oftewel diplomadiscriminatie, die de waardigheid van de arbeid ondermijnt en mensen die geen hoger onderwijs hebben genoten omlaaghaalt. Ten derde: nadrukkelijk verklaren dat maatschappelijke en politieke problemen het best overgelaten kunnen worden aan hoogopgeleide experts die op een waardenneutrale manier tegen de zaken aankijken, is een vorm van technocratie die de democratie corrumpeert en gewone burgers de zeggenschap over hun eigen leven ontneemt.

Kun je 'het maken' als je het maar probeert?

Als politici een algemeen aanvaarde waarheid zo vaak herhalen dat het afstompend gaat werken, hebben we reden om te vermoeden dat die niet meer opgaat. Zo ook met de retoriek van het opklimmen. Het is geen toeval dat die retoriek ging tegenstaan in een tijd waarin de ongelijkheid intimiderende proporties aannam. Als de rijkste 1 procent meer geld binnenhaalt dan de helft van de bevolking met de laagste inkomens[29] en het mediane inkomen al veertig jaar stagneert[30], begint de mededeling dat je het met inspanning en hard werken ver kunt brengen hol en leeg te klinken.

Dat leidt tot twee verschillende soorten onvrede. De ene is de frustratie die ontstaat als het systeem zijn meritocratische beloften niet waarmaakt; de andere is de wanhoop die opkomt als mensen geloven dat de meritocratie haar beloften al is nagekomen en dat zij bij de verliezers horen. Deze onvrede is nog veel ontmoedigender, omdat die impliceert dat de achterblijvers hun mislukking aan zichzelf te wijten hebben.

Meer dan de inwoners van de meeste andere landen geloven Amerikanen dat hard werken succes oplevert en dat we ons lot in eigen handen hebben. Volgens wereldwijd gehouden opinieonderzoeken denkt 77 procent van alle Amerikanen dat mensen kunnen slagen in het leven als ze maar hard werken. Slechts de helft van de Duitsers denkt er zo over, en in Frankrijk en Japan verklaart de meerderheid dat hard werken geen garantie biedt voor succes.[31]

Gevraagd welke factoren 'heel belangrijk zijn om vooruit te komen in het leven', plaatst de overgrote meerderheid van alle Amerikanen (73 procent) hard werken op de eerste plaats, wat een weerspiegeling vormt van de blijvende greep die het protestantse arbeidsethos hier heeft op de bevolking. In Duitsland beschouwt net iets meer dan de helft van de bevolking hard werken als heel belangrijk om vooruit te komen, en in Frankrijk geldt dat voor slechts één op de vier.[32]

Zoals met onderzoeken van dit soort altijd het geval is, zijn de attitudes waarvan mensen blijk geven afhankelijk van hoe de vraag geformuleerd wordt. Als het erop aankomt te verklaren waarom sommige mensen rijk zijn en andere arm, zijn Amerikanen minder zeker van de rol van inspanning dan als hun in het algemeen wordt gevraagd naar de relatie tussen werk en welslagen. Gevraagd of de rijken rijk zijn omdat ze harder werken dan anderen of omdat ze in de loop van hun leven allerlei privileges hebben genoten, zegt de helft van de Amerikanen het ene en de andere helft het andere. Als echter wordt gevraagd waarom mensen arm zijn, zegt de meerderheid dat dat komt door omstandigheden buiten hun macht en verklaren slechts drie op de tien Amerikanen dat armoede het gevolg is van gebrek aan inspanning.[33]

Geloof in de effectiviteit van werk als route naar succes weerspiegelt de bredere overtuiging dat we meesters zijn van ons eigen lot, en ons lot dus in onze eigen handen ligt. Amerikanen geven blijk van meer vertrouwen in het vermogen van mensen om hun eigen lot te bepalen dan de burgers van de meeste andere landen. De meerderheid van alle Amerikanen (57 procent) is het oneens met de stelling dat 'succes in het leven grotendeels bepaald wordt door krachten waarop we geen invloed hebben'. De meerderheid in de meeste andere landen, waaronder de meeste Europese, beschouwt succes als iets wat grotendeels bepaald wordt door krachten waarop we geen invloed hebben.[34]

Deze denkbeelden over werk en zelfhulp hebben implicaties voor de solidariteit en de onderlinge verplichtingen van burgers jegens elkaar. Als van iedereen die hard werkt verwacht mag worden dat hij zal slagen in het leven, hebben degenen die niet geslaagd zijn daar uitsluitend zelf schuld aan en is het moeilijk vol te houden dat we hen dienen te helpen. Dit is de strenge en grimmige kant van de meritocratie.

Als degenen die hoog op de maatschappelijke ladder terechtkomen en degenen die op de onderste sporten belanden allemaal volledig verantwoordelijk zijn voor hun eigen lot, vormt hun maatschappelijke positie een weerspiegeling van wat ze verdiend hebben. Dat de rijken rijk zijn, hebben ze dus aan zichzelf te danken. Als de meest fortuinlijke leden van de samenleving echter voor hun welslagen in de schuld staan bij machten buiten henzelf – geluk, de genade Gods of steun van de gemeenschap – maakt dat het morele argument dat we het lot van een ander dienen te delen heel wat overtuigender. De stelling dat we allemaal in hetzelfde schuitje zitten, is dan gemakkelijker te verdedigen.

Dit zou een verklaring kunnen vormen voor het feit dat de Verenigde Staten, met hun robuuste geloof dat ons lot in onze eigen handen ligt, een minder genereuze welvaartsstaat hebben dan de meeste sociaaldemocratieën in Europa, waar de burgers sterker geneigd zijn om hun levensomstandigheden toe te schrijven aan krachten die buiten hun macht vallen. Als iedereen kan slagen door inspanning en hard werken, dan hoeft de overheid er alleen maar voor te zorgen dat banen en kansen werkelijk voor iedereen toegankelijk zijn. Amerikaanse centrumlinkse en centrumrechtse politici mogen het dan met elkaar oneens zijn over welk beleid vereist is om werkelijk gelijke kansen te verwezenlijken, maar ze delen het uitgangspunt dat het doel is dat iedereen, ongeacht zijn of haar vertrekpunt in het leven, de kans krijgt om op te klimmen. Met andere woorden, ze zijn het erover eens dat sociale mobiliteit het antwoord is op ongelijkheid – en dat degenen die opklimmen hun succes verdiend hebben.

Het Amerikaanse geloof in het vermogen van mensen om met inspanning en vasthoudendheid op te klimmen sluit echter niet meer aan op de feiten. In de decennia na de Tweede Wereldoorlog konden Amerikanen verwachten dat hun kinderen het economisch gezien beter zouden doen dan zijzelf. Tegenwoordig is dit niet meer zo. Bijna alle (90 procent) kinderen uit de jaren veertig van de vorige eeuw verdienden als volwassenen meer dan hun ouders. Van de kinderen die zijn geboren in de jaren tachtig is slechts de helft in economisch opzicht boven hun ouders uitgestegen.[35]

Het is dan ook moeilijker om van armoede naar welvaart op te klimmen dan het maatschappelijke geloof in sociale stijging suggereert. Van degenen die in Amerika in armoede geboren zijn, hebben slechts weinigen de top bereikt. Sterker nog, de meesten slagen er niet eens in om de middenklasse te bereiken. Onderzoek naar sociale stijging verdeelt de inkomensladder over het algemeen in vijf sporten. Van degenen die op de onderste sport geboren zijn, slaagt slechts tussen de 4 en 7 procent erin om op te klimmen naar de top, en slechts ongeveer één derde bereikt op zijn minst de middelste sport. Hoewel de exacte getallen van onderzoek tot onderzoek verschillen, zijn er maar heel weinig Amerikanen die het 'van krantenjongen tot miljonair' schoppen.

Sterker nog, de Verenigde Staten kennen minder economische mobiliteit dan vele andere landen. Economische voordelen en belemmeringen worden in de Verenigde Staten vaker van de ene generatie op de volgende overgedragen dan in Duitsland, Spanje, Japan, Australië, Zweden, Canada, Finland, Noorwegen en Denemarken. In de Verenigde Staten en het Verenigd Koninkrijk wordt bijna de helft van de economische voorsprong van ouders met een hoog inkomen doorgegeven aan hun kinderen. Dat is meer dan twee keer de economische voorsprong die kinderen erven in Canada, Finland, Noorwegen en Denemarken (waar de sociale mobiliteit het hoogste is).[36]

Het blijkt dat Deense en Canadese kinderen een veel grotere kans hebben om vanuit armoede op te klimmen naar grote welvaart dan Amerikaanse kinderen.[37] Uit deze metingen blijkt dat de Amerikaanse droom nog leeft – maar dan in Kopenhagen. De Amerikaanse droom floreert ook in Beijing. In een recent artikel in *The New York Times* is het volgende scenario te lezen:

> Stel dat je een weddenschap moet afsluiten. Er zijn twee achttienjarigen, de ene in China en de andere in de Verenigde Staten. Ze zijn allebei arm en hebben maar weinig maatschappelijke vooruitzichten. Kies degene met de beste kansen om op te klimmen in de maatschappij.
>
> Wie zou je kiezen?
>
> Niet lang geleden zou het antwoord eenvoudig hebben geleken. Per slot van rekening belooft de 'Amerikaanse droom' al heel lang dat iedereen die hard werkt het beter kan krijgen.
>
> Tegenwoordig is het antwoord echter hoogst opmerkelijk: China is zo snel opgekomen dat je kansen om je levensomstandigheden te verbeteren daar heel veel groter zijn dan in de Verenigde Staten.

Omdat de economische groei die China sinds 1980 heeft doorgemaakt zonder precedent is, is deze conclusie minder verrassend dan ze lijkt. Arm en rijk hebben in China hun inkomen allebei zien stijgen, terwijl de groei in de Verenigde Staten voornamelijk de top ten goede is gekomen. Hoewel het inkomen per hoofd van de bevolking in de Verenigde Staten nog steeds een stuk hoger is dan in China, is de hedendaagse jonge generatie Chinezen rijker dan de generatie van hun ouders.[38]

Wat echter verrassender is, is dat volgens de Wereldbank het niveau van de inkomensongelijkheid in China ongeveer hetzelfde is als in de Verenigde Staten. Bovendien kent China inmiddels een grotere intergenerationele mobiliteit dan de Verenigde Staten. Dat houdt in dat in de Verenigde Staten, het land van de kansen en mogelijkheden, hoeveel je verdient nu sterker overeenkomt met waar je begonnen bent dan in China het geval is.[39]

Wanneer mijn studenten geconfronteerd worden met deze onderzoeksresultaten zijn ze onthutst. De meesten van hen hebben een instinctief vertrouwen in het Amerikaanse 'exceptionalisme' – het idee dat Amerika, anders dan in andere landen, een land is waar mensen die hard werken vooruit kunnen komen. Dit geloof in sociale stijging is Amerika's traditionele antwoord op ongelijkheid. Ja, Amerika mag dan grotere inkomensongelijkheid kennen dan andere democratieën, zo redeneren ze, maar anders dan in de rigide, door klassenverschillen gehinderde Europese samenlevingen, is ongelijkheid bij ons van minder groot belang omdat niemand blijvend is ingedeeld in de klasse waarin hij of zij geboren is.

Wanneer ze echter te weten komen dat de Verenigde Staten meer ongelijkheid en minder sociale mobiliteit kennen dan vele andere landen, reageren ze verbaasd en gekrenkt. Sommigen verzetten zich tegen deze mobiliteitsgegevens en wijzen op hun eigen ervaring van streven en slagen. Een conservatieve student van mij die afkomstig was uit het westen van Texas antwoordde dat, in zijn ervaring, hard werken het enige is waar het werkelijk om gaat. 'Iedereen op mijn highschool begreep hoe de regels luidden,' zei hij. 'Als je hard werkt op school en goede cijfers haalt, dan ga je studeren aan een goede universiteit en krijg je een goede baan. Doe je dat niet, dan werk je op de olievelden. En zo is het ook gegaan.' Anderen herinneren zich weliswaar hoe hard ze op hun highschool hebben gewerkt, maar erkennen ook dat ze van verschillende zijden steun hebben gekregen en dat die steun hen heeft geholpen om te slagen.

Sommige studenten betogen dat zelfs als de Amerikaanse droom haaks op de feiten staat, het toch belangrijk is om dat niet bekend te maken. Het is beter om de mythe intact te houden, zodat de mensen blijven geloven dat het mogelijk is net zover op te klimmen als hun talenten en inspanningen hen kunnen brengen. Dit zou de Amerikaanse droom veranderen in wat Plato omschreef als een 'nobele leugen', een geloof dat hoewel het niet waar is, toch de burgerlijke harmonie in stand houdt, doordat ze de burgers bepaalde ongelijkheden als legitiem laat aanvaarden. In Plato's geval was dat de mythe dat God de mensen had geschapen met verschillende metalen in hun ziel, omdat dit verhaal goddelijke goedkeuring verleende aan een machtsstructuur waarin de stad werd bestuurd door een klasse van hoeders onder leiding van een filosoof-koning.[40] In ons geval zou het de mythe zijn dat in Amerika, ondanks de forse kloof tussen rijk en arm, zelfs degenen aan de onderkant 'het kunnen maken als ze het maar proberen'.

Mijn studenten zijn niet de enigen die zich vergissen in hun kansen om vooruit te komen in het leven. Toen onderzoekers inwoners van de Verenigde Staten en Europa vroegen hoe groot de kans is om in hun land van armoede op te klimmen naar rijkdom, hadden zowel de Amerikaanse als de Europese respondenten het over het algemeen mis. Het interessante was echter dat ze het op verschillende wijzen mis hadden: de Amerikanen overschatten de kans om op te klimmen en de Europeanen onderschatten die.[41]

Zien en geloven

Deze resultaten onthullen een interessante eigenschap van de wijze waarop we maatschappelijke en politieke arrangementen begrijpen. We nemen de wereld waar in het licht van wat we hopen en vrezen. Op het eerste gezicht lijkt het misschien dat de mensen simpelweg slecht geïnformeerd zijn over de mate van sociale mobiliteit in hun samenleving. Maar het interessante hieraan, en wat dringend interpretatie vereist, is dat die onjuiste waarnemingen een bepaalde vorm hebben. Burgers van Europese samenlevingen, die meer gelijkheid en sociale mobiliteit kennen dan de Verenigde Staten, zijn te pessimistisch over de mogelijkheden om op te klimmen, terwijl Amerikanen juist te optimistisch zijn. Hoe komt dat?

In beide gevallen worden de waarnemingen van de mensen gevormd door hun geloof en overtuigingen. Door hun sterke gehechtheid aan individueel initiatief en hun bereidheid om ongelijkheid te aanvaarden, overschatten Amerikanen de mogelijkheid om op te klimmen door middel van hard werken. Europeanen geloven juist veel minder dat individuele inspanning alle weerstanden kan overwinnen, en omdat ze ook minder geneigd zijn om ongelijkheid te aanvaarden, brengt dat hen ertoe om hun kansen om op te klimmen te onderschatten.

Deze neiging om de wereld te bekijken door de lens van onze idealen en verwachtingen maakt duidelijk dat de meritocratische belofte demoraliserend en zelfs vernederend kan zijn voor kiezers uit de arbeiders- en middenklasse. Op het eerste gezicht is dit verwonderlijk: wie kan er nu bezwaar hebben tegen voorstellen om barrières neer te halen, voor een gelijk speelveld te zorgen en onderwijskansen te verbeteren, zodat alle burgers, en niet alleen rijkeluiskinderen, de kans krijgen om de Amerikaanse droom te verwezenlijken? Zou de retoriek van het opklimmen kiezers uit de arbeiders- en middenklasse niet juist moeten aanspreken, omdat juist zij degenen zijn die voordeel zouden kunnen hebben van ruimere mogelijkheden voor onderwijs, omscholing, kinderopvang, gezinsverlof en andere beleidsmaatregelen die liberals en progressieven hun bieden?

Nee, niet per se. In 2016, toen duidelijk begon te worden hoe funest de gevolgen van de mondialisering waren voor laagopgeleiden, bevatte de door de elites gehanteerde retoriek van het opklimmen een wrange en hardvochtige suggestie. Geconfronteerd met de steeds groter wordende ongelijkheid stelden de liberals toch telkens weer nadrukkelijk dat we verantwoordelijk zijn voor ons eigen lot, en dat we daarom onze voorspoed of tegenslag aan onszelf te danken of te wijten hebben.

Deze manier om tegen ongelijkheid aan te kijken voedde de meritocratische hoogmoed en bekrachtigde het geloof dat degenen die de voordelen van de mondialisering hadden geoogst, die overvloed ook toekwam, en dat de achterblijvers hun schrale lot aan zichzelf te wijten hadden. Larry Summers, een economisch adviseur van president Obama, wond er geen doekjes om: 'Een van de uitdagingen in onze samenleving is dat de waarheid een soort ongelijkmaker is. Een van de redenen waarom de ongelijkheid waarschijnlijk is toegenomen in onze samenleving is dat mensen nu meer worden behandeld zoals het eigenlijk hoort.'[42] Ter verdediging van de retoriek van het opklimmen zou je kunnen aanvoeren dat die de kans om op gelijke voorwaarden met anderen te concurreren beschrijft als een nastrevenswaardig ideaal en niet als een feit van de wereld waarin we leven. Maar het meritocratische ideaal reikt altijd verder dan verstandig is en verwordt al snel tot een uitspraak over hoe de werkelijkheid in elkaar zit.

Hoewel de retoriek van het opklimmen ambities aanduidt, en wijst op een belofte die nog moet worden ingelost, leidt de verwoording daarvan altijd weer tot een soort zelffelicitatie: 'Hier in Amerika kan iedereen die hard werkt opklimmen.' Zoals de meeste krachtige retoriek combineert zo'n uitspraak ambities met zelffelicitatie. Iets waarop wordt gehoopt, wordt hier gepresenteerd alsof het om een vaststaand feit gaat.

Obama's retoriek is een goed voorbeeld. In een radiotoespraak uit 2012 zei hij: 'Dit is een land waar je, hoe je er ook uitziet of waar je ook vandaan komt, net zover kunt komen als je talent je maar kan brengen, als je tenminste bereid bent om ingespannen te studeren en hard te werken. *You can make it if you try.*'[43]

De luisteraars zouden heel goed de indruk kunnen krijgen dat de president hier beschreef hoe het in Amerika werkelijk toegaat in plaats van een schets te geven van de ideale samenleving die hij hoopte te verwezenlijken, een samenleving met meer gelijkheid en sociale mobiliteit. Hij sprak alsof hij Amerika wilde feliciteren, het land wilde prijzen omdat het een samenleving had weten op te bouwen waarin niet de bevoorrechte positie die je aan je ouders te danken hebt, maar hard werken de sleutel tot succes is.

Maar toen hij verderging, schakelde hij van zelffelicitatie weer over op ambitie: 'Ik ben alleen maar president van de Verenigde Staten geworden vanwege de kansen die mijn opleiding me heeft geboden, en ik wil dat ieder kind in Amerika die kansen ook krijgt. Daar strijd ik voor. En zolang ik het voorrecht heb uw president zijn, zal ik daarvoor blijven strijden.'[44]

Deze neiging om van feiten over te springen op hoop en dan weer terug te keren naar de feiten is geen verspreking of filosofische verwarring, maar een kenmerkende eigenschap van politieke retoriek. En in de retoriek van het opklimmen is die voortdurende vermenging van hoop en feiten extra schrijnend, want daarmee wordt het zicht vertroebeld op wat winnen of verliezen werkelijk inhoudt. Als de meritocratie tekortschiet, kunnen degenen die geen succesvol bestaan hebben weten op te bouwen de schuld daarvan altijd zoeken in het systeem, maar in een werkelijk bestaande meritocratie wordt iedereen die tekortgeschoten is ertoe aangezet om de schuld bij zichzelf te zoeken.

De afgelopen jaren zijn mensen die tekortgeschoten zijn er vooral toe aangezet om zichzelf kwalijk te nemen dat ze geen universitaire opleiding hebben afgerond. Deze 'diplomadiscriminatie' is een van de ergerlijkste aspecten van de meritocratische hoogmoed.

4

Credentialisme: het laatste aanvaardbare vooroordeel

Jarenlang was Michael Cohen de persoonlijke advocaat en fixer van Donald Trump geweest, maar in februari 2019 getuigde hij voor het Congres. Hij had zich inmiddels tegen zijn vroegere baas gekeerd onthulde de onfrisse praktijken waarmee hij zich had beziggehouden , waaronder een pornoster geld geven om te voorkomen dat ze een boekje open zou doen over een affaire met Trump. In de loop van zijn getuigenverklaring vertelde Cohen ook over een andere klus voor Trump: hij had de universiteiten waar de president had gestudeerd en de instantie die de SAT-test organiseert bedreigd met rechtsvervolging als ze Trumps studiecijfers of SAT-scores openbaar zouden maken.[1]

Waarschijnlijk geneerde Trump zich voor zijn studiecijfers, en kennelijk vreesde hij dat het zijn presidentscampagne zou schaden als die algemeen bekend zouden worden, of anders in elk geval afbreuk zou doen aan zijn reputatie. Cohen benadrukte de hypocrisie van Trumps poging om zijn studiecijfers verborgen te houden. Enkele jaren eerder had Trump nadrukkelijk open-baarmaking van president Obama's studiecijfers geëist. 'Ik heb gehoord dat hij een vreselijk slechte student was, echt vreselijk,' verklaarde Trump in 2011. 'Hoe kan zo'n slechte student naar Columbia gaan, en daarna naar Harvard? (...) Hij moet zijn studiecijfers laten zien.'[2]

Cohens onthullingen over zijn poging om Trumps studiecijfers en SAT-scores voor het publiek verborgen te houden trokken min-der de aandacht dan zijn veel prikkelender getuigenverklaring over het afkopen van de pornoster. Maar als teken des tijds was het veelzeggender. Het gaf aan hoe belangrijk diplomadiscrimi-natie was geworden. Aan het begin van de eenentwintigste eeuw waren de cijfers die je had gehaald aan de universiteit, en zelfs je scores bij het toelatingsexamen, kennelijk zo belangrijk geworden dat ze voor een presidentskandidaat roem of schande konden betekenen. Donald Trump was daar in elk geval van overtuigd. Eerst had hij een poging gedaan om Obama in diskrediet te bren-gen door te eisen dat hij een kopie van zijn 'geboortebewijs' liet zien en twijfel te zaaien over zijn Amerikaanse staatsburgerschap. Toen dat mislukte, bracht hij de ernstigste belediging in stelling die hij daarna maar kon verzinnen, en probeerde hij twijfel te zaaien over Obama's meritocratische verdiensten.

Studiecijfers als wapen

Dat Trump besloot zijn voorganger op die manier aan te vallen, vormde een weerspiegeling van zijn eigen onzekerheid. Tijdens zijn presidentscampagne en in de loop van zijn presidentschap heeft hij vaak gepocht op zijn intellectuele kwalificaties. Een onderzoek naar de presidentiële woordkeuze wees uit dat hij beschikte over de woordenschat van een kind van negen of tien jaar oud, het laagste van alle presidenten van de afgelopen eeuw. Zijn eigen minister van Buitenlandse Zaken schijnt hem een 'imbeciel' genoemd te hebben, en volgens zijn minister van

Defensie lag zijn begrip van de wereldpolitiek op het niveau van een kind van tien of twaalf. Gestoken door deze en andere denigrerende opmerkingen over zijn intellect, deed Trump grote moeite om nadrukkelijk te verklaren dat hij 'een slim persoon' was, en sterker nog: een 'heel stabiel genie'. Toen hem tijdens de presidentscampagne van 2016 werd gevraagd welke experts op het gebied van de buitenlandse politiek hij als adviseurs in dienst had, antwoordde hij: 'Ik overleg voornamelijk met mijzelf, want ik heb een heel goed stel hersenen en ik heb een heleboel dingen gezegd. (…) Mijn belangrijkste adviseur ben ik zelf.' Hij verzekerde herhaaldelijk dat hij een hoog IQ had en dat het IQ van zijn critici juist heel laag was. Dat laatste zei hij vooral als hij het op Afro-Amerikanen gemunt had.[3]

Trump wordt gefascineerd door de genetische achtergrond van het IQ en heeft vaak opgemerkt dat zijn oom ('een academisch genie') hoogleraar is geweest aan het Massachusetts Institute of Technology (MIT), en dat dat zou bewijzen dat hij, Trump, 'goede genen' had, 'heel goede genen zelfs'. Kort nadat hij zijn eerste kabinet had geformeerd, verklaarde hij: 'Wij hebben veruit het hoogste IQ van alle kabinetten die ooit geformeerd zijn!' In een bizarre toespraak voor medewerkers van de CIA op de dag na zijn inauguratie probeerde Trump, die vermoedde dat de CIA twijfelde aan zijn intellectuele vermogens, die twijfel te bezweren: 'Vertrouw me nou maar, ik ben echt wel een slim iemand.'[4]

Regelmatig heeft hij het nodig geacht om zijn toehoorders eraan te herinneren dat hij twee jaar aan Fordham University heeft gestudeerd voordat hij overstapte naar de University of Pennsylvania, waar hij colleges heeft gevolgd aan de Wharton School of Finance. Hij pochte dat hij naar de school is gegaan 'waar je het moeilijkst binnenkomt, de beste school ter wereld, (…) supergeniaal gedoe'.[5] Tijdens de campagne van 2016 klaagde hij dat zijn behoefte om voortdurend zijn intellectuele prestaties op te sommen en te verdedigen voortkwam uit de bevooroordeelde houding van de media tegen conservatieven.

Als ik me kandidaat gesteld zou hebben als liberale Democraat, zouden ze zeggen dat ik een van de slimste mensen
ter wereld ben. Dat is zo! Maar als je een conservatieve
Republikein bent, proberen ze – o, dan proberen ze je een
kunstje te flikken. Daarom begin ik altijd met: 'Ik heb op
Wharton gezeten, ik was een goede student, ik ben daar
geweest en daar, heb dit gedaan en dat, en ik heb mijn
fortuin gemaakt.' Weet je, ik moet de hele tijd, zeg maar,
mijn diploma's laten zien, omdat we een beetje achtergesteld worden.[6]

Hoewel hij gedreven werd door zijn eigen grieven en onzeker-
heden, bleken Trumps telkens weer herhaalde verzekeringen
dat hij 'een slim iemand' was, hoe klaaglijk en komisch die zijn
critici ook in de oren mochten klinken, politiek gezien toch in
zijn voordeel te werken. Ze vonden weerklank bij de in hun trots
gekrenkte mensen uit de arbeidersklasse die zijn verkiezingsbij-
eenkomsten bijwoonden en die, net als hij, boos waren over de
meritocratische hoogmoed van de elites. Trumps bezweringen
maakten zichtbaar hoe vernederend een meritocratie voor veel
mensen kan zijn. Hij ging als een razende tekeer tegen de elites
en verlangde tegelijkertijd vurig naar hun respect. Tijdens een bijeenkomst in verkiezingsstijl uit 2017 viel hij woedend uit tegen
de elites, en claimde vervolgens daarvan zelf deel uit te maken:

Nou, weten jullie, ik was een goede student. Ik hoor altijd
over de elite. Weten jullie, de elite ... Zijn zij de elite? Ik ben
naar betere scholen gegaan dan zij. Ik was een betere student
dan zij. Ik woon in een groter en mooier appartement. En
ik woon ook in het Witte Huis, dat is echt fantastisch. Zal
ik eens wat zeggen? Volgens mij zijn wij de elite. Zij zijn
de elite niet.[7]

Trump was niet de enige politicus die in een kramp schoot toen
hem naar zijn meritocratische geloofsbrieven werd gevraagd.

Tijdens zijn eerste presidentscampagne reageerde Joe Biden in 1985 als gestoken toen een kiezer er bij hem op aandrong te vertellen welke rechtenopleiding hij had gevolgd en of hij hoog of laag had gescoord in vergelijking met zijn jaargenoten:

> Volgens mij heb ik waarschijnlijk een veel hoger IQ dan u, vermoed ik. Ik heb een rechtenopleiding gevolgd op een volledige studiebeurs – ik was de enige in mijn jaargang met een volledige beurs. (...) En ik ben in de bovenste helft van mijn jaargang geëindigd. Aan het einde van mijn jaar was ik de beste student van de afdeling Politieke Wetenschappen. Ik ben afgestudeerd met drie bachelors en 165 studiepunten – en ik had er 123 nodig – en ik ben met alle genoegen bereid om er eens voor te gaan zitten en mijn IQ te vergelijken met dat van u.[8]

Verificatie wees uit dat Bidens antwoord vol overdrijvingen zat. Hij had een gedeeltelijke beurs toegekend gekregen op basis van financiële behoefte, had een van de laagste scores van zijn jaargang gehaald en maar één bachelor in plaats van drie (al was hij wel afgestudeerd in twee hoofdvakken), enzovoorts.[9] Wat dit zo opvallend maakt, is echter niet dat politici hun universitaire diploma's een beetje oppoetsen, maar dat ze het nodig vinden om dat te doen.

Zelfs mensen wier meritocratische geloofsbrieven niet aan twijfel onderhevig zijn, beroepen zich daar soms met zo veel zelfingenomenheid op dat ze de indruk wekken zich in de verdediging gedrongen te voelen. Neem bijvoorbeeld de hoorzitting van de Senaat in 2018, waarin de door Trump als opperrechter genomineerde (en uiteindelijk ook benoemde) Brett Kavanaugh aan de tand werd gevoeld. De procedure was al een heel eind gevorderd toen er twijfel ontstond over zijn geschiktheid voor het ambt, omdat een vrouw verklaarde dat hij haar toen ze allebei nog op de highschool zaten op een feestje had aangerand. Toen hij door de senatoren werd ondervraagd over de vermeende dronken aanranding, ontkende Kavanaugh niet alleen de aantijgingen, maar kwam hij ook met een wonderlijk misplaatste, meritocratische verdediging, waarin hij beschreef hoe hard hij op de highschool gestudeerd had, en hoe hij erin geslaagd was om toegelaten te worden tot Yale College en later tot de Yale Law School. Toen hem werd gevraagd naar opmerkingen in het jaarboek van zijn highschool, waarin kennelijk werd verwezen naar drankgebruik en seksuele escapades, antwoordde hij: 'Ik haalde de hoogste cijfers van mijn klas en heb me helemaal kapotgewerkt op school. Ik was aanvoerder van het universitaire basketbalteam. Ik ben toegelaten tot Yale College. Toen ik aan Yale College studeerde, ben ik toegelaten tot de Yale Law School. Dat is de beste rechtenopleiding in het hele land. Ik had er geen connecties. Ik ben daar binnengekomen door me op de universiteit helemaal uit de naad te werken.'[10]

Kavanaugh was niet aangevallen op zijn meritocratische geloofsbrieven. Het is lastig te peilen wat die volgens hem te maken hadden met de vraag of hij op zijn achttiende dronken was geweest op een feestje en toen een jonge vrouw had aangerand. Maar in 2018 was het 'credentialisme', het enthousiaste geloof in de waarde van diploma's, zo'n allesdoordringende basis voor de oordeelsvorming geworden dat het gebruikt kon worden als een voor elk doel geschikte geloofwaardigheidsretoriek, die ook ver buiten de poorten van het universiteitsterrein kon worden ingezet.

Dat universitaire diploma's als wapens gebruikt kunnen worden tijdens dergelijke ethische en politieke strijdvragen toont wel aan hoe verdienste een soort van tirannie kan worden. Het is de moeite waard om te reconstrueren hoe het zover gekomen is. Het tijdperk van de mondialisering heeft voor de arbeidersklasse reusachtige ongelijkheid en stagnerende lonen met zich meegebracht. In de Verenigde Staten is de rijkste 10 procent er met het grootste deel van de winst vandoor gegaan, en heeft de onderste helft van de samenleving daar nauwelijks profijt van gehad. In de jaren negentig en het eerste decennium van de eenentwintigste eeuw hebben liberals en progressieven zich niet rechtstreeks met deze ongelijkheid beziggehouden en niet naar structurele economische hervormingen gestreefd. In plaats daarvan hebben ze zich enthousiaste voorstanders van de markt-gedreven mondialisering getoond en geprobeerd de ongelijke verdeling van de voordelen daarvan te bestrijden door grotere kansengelijkheid na te streven.

Dat was het doel van de retoriek van het opklimmen. Door alle prestatiebelemmeringen te ontmantelen zouden alle men-sen, ongeacht hun ras, klasse of gender, gelijke kansen krijgen om te slagen in het leven, en net zover kunnen opklimmen als hun talenten en inspanningen maar toelieten. En als de kan-sen werkelijk gelijk waren, zou van degenen die het hoogste opklommen gezegd kunnen worden dat die hun successen, en de bijbehorende beloningen, ook werkelijk verdiend hadden. Dit was de meritocratische belofte. Burgers werd geen grotere gelijkheid in het vooruitzicht gesteld, maar wel een grotere en eerlijkere sociale mobiliteit, en daarbij werd aanvaard dat de sporten van de maatschappelijke ladder steeds verder uit elkaar kwamen te staan. De enige belofte was hulp om op eerlijkere wijze te kunnen wedijveren om een hoger plaatsje op de ladder.

Het is niet moeilijk te begrijpen dat niet iedereen dit inspire-rend vond, en dat gold vooral voor de achterban van politieke partijen die zich ooit hadden ingezet voor heel wat ingrijpender ideeën van rechtvaardigheid en algemeen welzijn. Maar laten we de vraag of het meritocratische ideaal een adequate grondslag vormt voor een rechtvaardige samenleving voorlopig even terzij-de schuiven, en onze aandacht richten op de attitudes ten opzich-te van succes en mislukking die hierdoor worden opgeroepen.

Onderwijs als antwoord op ongelijkheid

De enthousiaste voorstanders van het meritocratische project beseften dat werkelijke kansengelijkheid niet alleen het uitroeien van discriminatie vereiste, maar ook een gelijk speelveld, zodat

mensen van alle verschillende maatschappelijke en economische achtergronden de kennis en vaardigheden zouden kunnen
opdoen die ze nodig hadden om goed mee te kunnen komen
in een mondiale kenniseconomie. Dit bracht de gevestigde politieke partijen van de jaren negentig en het eerste decennium
van de eenentwintigste eeuw ertoe om onderwijs tot de kern te
maken van hun reactie op ongelijkheid, stagnerende inkomens
en het banenverlies in de maakindustrie. 'Denk aan alle problemen, alle uitdagingen waar we voor staan,' zei George H.W.
Bush in 1991. 'De oplossing daarvan begint in alle gevallen
met onderwijs.' En toen Tony Blair in 1996 zijn centralistische,
hervormingsgezinde agenda voor Labour presenteerde, verklaarde hij nadrukkelijk: 'Als u me vraagt wat volgens mij de drie
belangrijkste overheidsprioriteiten zijn, dan zeg ik: onderwijs,
onderwijs en onderwijs.'[11]

Bill Clinton verwoordde het belang van onderwijs en de connectie daarvan met banen in een rijmend couplet: 'Wat je eet
hangt af van wat je weet.' In het nieuwe tijdperk van mondiale concurrentie, zo betoogde hij, zouden werknemers zonder
universitaire opleiding maar moeilijk een goede baan met een
goed salaris vinden. 'We vinden dat iedereen in staat moet zijn
om te gaan studeren, want *what you can earn depends on what
you can learn.'* Clinton zou dit couplet in de loop van zijn presidentschap in totaal dertig keer herhalen. Het weerspiegelde
het gezonde verstand van die tijd en sprak aanhangers van beide
Amerikaanse politieke partijen aan. De Republikeinse senator
John McCain heeft het vaak gebruikt toen hij meedeed aan de
presidentscampagne van 2008.[12]

Barack Obama beschouwde het hoger onderwijs eveneens
als de oplossing voor de economische problemen van de Amerikaanse werknemers. 'Vroeger,' zei hij tijdens een redevoering
op een technische universiteit in Brooklyn, 'had je niet per se
een geweldige opleiding nodig als je bereid was om de handen
uit de mouwen te steken.'[13]

Als je gewoon op de highschool had gezeten, kon je een baan krijgen in een fabriek of in een naaiatelier. En als je mazzel had, slaagde je er misschien zelfs in om een goedbetaalde baan te vinden, zodat je net zo kon leven als gestudeerde mensen. Maar die tijd is voorbij en komt niet meer terug.

We leven nu in een eenentwintigste-eeuwse mondiale economie. En in een mondiale economie kunnen banen overal naartoe gaan. Bedrijven zoeken naar de best opgeleide mensen, waar die ook wonen. (…) Er zijn tegenwoordig miljarden mensen, van Beijing en Bangalore tot Moskou, die allemaal rechtstreeks met jullie concurreren. (…) Als je geen goede opleiding hebt genoten, wordt het moeilijk om werk te vinden waar je goed van kunt leven.[14]

Nadat hij zijn toehoorders dit onheilspellende nieuws over de mondiale concurrentie had gebracht, verzekerde Obama hun ervan dat meer onderwijs de oplossing was, en hij besloot zijn rede met een opgewekte versie van de retoriek van het opklimmen: hij zou blijven strijden 'om ervoor te zorgen dat wie je ook bent, waar je ook vandaan komt en hoe je er ook uitziet, dit land altijd een plek zal zijn waar je succes kunt hebben als je het maar probeert (*you can make it if you try*)'.[15]

Dit was dus de politiek van de liberale progressieve elites in de decennia die voorafgingen aan Brexit, Trump en de populistische revolte: de wereldeconomie werd gezien als een natuurlijk gegeven, iets wat ons op de een of andere manier was overkomen en nu altijd zo zou blijven. De politieke kernvraag was niet hoe de wereldeconomie anders in te richten, maar hoe ons eraan aan te passen en de verwoestende effecten ervan op de lonen en toekomstperspectieven van werknemers die buiten het kleine kringetje van de eliteberoepen vielen zo beperkt mogelijk te houden.

Het antwoord: zorg dat werknemers betere diploma's hebben, zodat ook zij kunnen 'concurreren en winnen in de mondiale economie'. Als kansengelijkheid het belangrijkste morele en politieke project was, dan moest toegang tot het hoger onderwijs de allerbelangrijkste beleidsdoelstelling zijn.

Aan het eind van het tijdperk Clinton-Obama zetten sommige commentatoren die over het algemeen sympathie koesterden voor Democraten vraagtekens bij het meritocratische liberalisme dat zo kenmerkend voor die partij was geworden: het enthousiaste onthaal van de mondialisering, het zeer grote belang dat werd gehecht aan hoger onderwijs en het geloof dat mensen met talenten en goede diploma's het verdienden om de top te bereiken. De auteur Christopher Hayes, die ook actief was als programmapresentator op het links-liberale tv-kanaal MSNBC, merkte op dat links de afgelopen jaren zijn grootste successen had behaald op kwesties die te maken hadden met 'het meritocratischer maken van de meritocratie', zoals het tegengaan van rassendiscriminatie, het voor vrouwen toegankelijker maken van het hoger onderwijs en het bevorderen van de rechten van homoseksuele mannen en vrouwen. Links had echter gefaald op beleidsterreinen 'die buiten het gezichtsveld van de meritocratie vallen', zoals 'het verzachten van de stijgende inkomensongelijkheid'.[16]

> In een systeem dat streeft naar gelijke kansen in plaats van naar iets wat zelfs maar enige gelijkenis vertoont met gelijke uitkomsten, is het onontkoombaar dat het onderwijsstelsel het zware werk moet doen. (…) En naarmate de ongelijkheid gestaag toeneemt, vragen we meer en meer van het onderwijsstelsel, en verwachten we daarvan dat het de andere zonden van de samenleving weer goed zal maken.[17]

Thomas Frank, een auteur met gevoel voor het populisme, leverde kritiek op de neiging van liberals om onderwijs te zien als remedie tegen de ongelijkheid: 'Voor de liberale klasse is elk groot economisch probleem eigenlijk een onderwijsprobleem, omdat

de verliezers er niet in geslaagd zijn om zich de juiste vaardigheden eigen te maken en de diploma's te bemachtigen waarvan
iedereen weet dat je die in de samenleving van de toekomst nodig
zult hebben.' Frank vond dit een ongeloofwaardige en op het
eigenbelang gerichte reactie op de ongelijkheid:

> [Dat] is eigenlijk helemaal geen antwoord. Het is een mo-
> reel oordeel dat de succesvollen vellen vanuit het gezichts-
> punt van hun eigen welslagen. De gestudeerde klasse wordt
> gedefinieerd door haar onderwijsprestaties, en elke keer
> dat de leden daarvan het land voorhouden dat het meer
> scholing nodig heeft, zeggen ze daarmee: ongelijkheid is
> geen systeemfout, maar jullie eigen schuld.[18]

Frank betoogde dat de Democraten het zichzelf met alle on-
derwijspraat onmogelijk maakten om helder na te denken over
het beleid dat tot de ongelijkheid had geleid. Hij merkte op dat
de productiviteit in de jaren tachtig en negentig was gestegen,
maar de lonen niet, en vroeg zich af of de ongelijkheid werkelijk vooral een gevolg was van gebrekkig onderwijs. 'Het echte
probleem was dat de arbeiders te weinig macht hadden, en niet
dat de arbeiders niet slim genoeg waren. De mensen die dingen
maakten, raakten het vermogen kwijt om een aandeel op te eisen
in wat ze maakten. De mensen die dingen bezaten, eigenden zich
meer en meer toe.' Doordat ze dat niet onderkenden, negeerden
de Democraten 'wat er gebeurde in de echte economie – van het
ontstaan van monopolies tot de financialisering en de veranderende relaties tussen arbeid en management – en richtten ze hun
aandacht op een verheffende fantasie die niet van hen vergde
dat ze met wie dan ook de confrontatie hoefden aan te gaan'.[19]

Met 'een moreel oordeel, dat de succesvollen vellen vanuit
het gezichtspunt van hun eigen welslagen' raakte Frank aan iets
belangrijks. Meer mensen aanmoedigen om te gaan studeren is
op zich goed, en het universitair onderwijs toegankelijker maken
voor mensen met bescheiden middelen zelfs nog beter, maar als

remedie voor de ongelijkheid en de benarde situatie van arbeiders die niet hebben kunnen meeprofiteren van tientallen jaren mondialisering, heeft die sterke onderwijsgerichtheid een schadelijk bijeffect gehad: de gestage uitholling van de maatschappelijke status van mensen die niet gestudeerd hebben.

Dat is op twee wijzen gebeurd, die allebei te maken hadden met attitudes die de waardigheid van de arbeid en van de arbeidersklasse ondermijnen. Ten eerste hebben de meeste Amerikanen geen universitaire graad. Voor degenen die hun dagen doorbrengen in het gezelschap van managers en mensen uit andere academische beroepsgroepen kan dat als een verrassing komen, maar hoewel het percentage academici de afgelopen decennia gestegen is, heeft nog steeds slechts één op de drie Amerikaanse volwassenen een vierjarige academische opleiding afgerond.[20] Als meritocratische elites succes en mislukking zo sterk in verband brengen met het vermogen om een universitaire graad te behalen, geven ze daarmee impliciet aan dat alle mensen zonder academisch diploma zelf schuld hebben aan het strenge en onbarmhartige klimaat van de wereldeconomie. Bovendien spreken de elites zichzelf daarmee vrij van alle verantwoordelijkheid voor het bevorderen van een economisch beleid dat ertoe leidt dat mensen met een universitaire opleiding steeds hogere salarissen kunnen bedingen.

Ten tweede, door mensen uit de arbeidersklasse voor te houden dat gebrek aan opleiding de oorzaak is van hun problemen, voorzien ze meritocratisch succes en meritocratische mislukking van een morele lading, en bevorderen ze daarmee, zonder daar zelf erg in te hebben, het credentialisme – een geniepige vorm van discriminatie gericht tegen mensen die niet gestudeerd hebben.

Credentialisme is een symptoom van meritocratische hoogmoed. Terwijl meritocratische uitgangspunten de afgelopen decennia steeds meer vat kregen op de samenleving, ontwikkelden de elites de gewoonte om neer te kijken op mensen die niet opklommen. De voortdurende oproep aan laagopgeleide werkenden om hun lot te verbeteren door hoger onderwijs te volgen mag dan nog zo goed bedoeld zijn, ze maakt diploma's echter steeds belangrijker en ondergraaft de maatschappelijke erkenning van en achting voor mensen die niet over de door het systeem beloonde diploma's beschikken.

De besten en de slimsten

Obama was een typische vertegenwoordiger van het meritocratische denken dat aan het begin van de eenentwintigste eeuw voor mensen in hoogopgeleide beroepen tot iets vanzelfsprekends was geworden. Zoals Jonathan Alter schrijft: 'Op een bepaald niveau had Obama zich het idee eigen gemaakt dat de professionals uit het hoogste echelon een eerlijk selectieproces hadden doorgemaakt, hetzelfde proces waardoor Michelle en hij op een Amerikaanse topuniversiteit waren terechtgekomen, en dat deze mensen hun hoogverheven status daarom op de een of andere manier ook werkelijk verdiend hadden.'[21]

In een kroniek van het eerste jaar van Obama's presidentschap merkte Alter op dat een kwart van de door hem benoemde functionarissen een connectie had met Harvard (als afgestudeerde of faculteitsmedewerker) en dat meer dan 90 procent van degenen die hij als eersten had benoemd over een master- of doctorstitel beschikte. 'Obama geloofde dat de besten automatisch aan de top kwamen. Omdat hijzelf een voortbrengsel was van de grote naoorlogse Amerikaanse meritocratie, heeft hij zich nooit helemaal weten te ontworstelen aan het wereldbeeld dat je opdoet vanaf de top van de statusladder waarlangs hij zelf was opgeklommen.'[22]

Zijn hele presidentiële ambtsperiode lang is Obama erg gesteld gebleven op zeer hoogopgeleide mensen. Halverwege zijn tweede presidentstermijn bestond twee derde van zijn kabinetsleden uit mensen die een van de Amerikaanse topuniversiteiten hadden bezocht – dertien van de eenentwintig hadden zelfs aan Harvard of Yale gestudeerd. Op drie na beschikten ze allemaal over een master- of doctorstitel.[23]

Over het algemeen is het wenselijk om de overheid te laten leiden door hoogopgeleiden, op voorwaarde dat die over een goed oordeelsvermogen beschikken en zich kunnen verplaatsen in het leven van gewone werkende mensen – kortom dat ze beschikken over wat Aristoteles praktische wijsheid en burgerdeugd noemde. De geschiedenis heeft echter uitgewezen dat er maar weinig verband bestaat tussen prestigieuze academische diploma's en praktische wijsheid of gevoel voor het algemeen welzijn in het hier-en-nu. Een van de meest verwoestende voorbeelden van verkeerd gelopen credentialisme wordt beschreven in David Halberstams klassieke boek *The Best and the Brightest*. Daarin staat te lezen hoe John F. Kennedy een team samenstelde vol mensen die over de meest fantastische diploma's beschikten, maar die ondanks al hun technocratische brille de Verenigde Staten verzeild hebben doen raken in het onzinnige fiasco van de Vietnamese oorlog.[24]

Alter signaleerde een overeenkomst tussen het team van Kennedy en dat van Obama, die 'niet alleen hun Ivy League-achtergrond gemeen hadden, maar ook een bepaalde arrogantie en een grote afstand tot het dagelijks leven van de meeste Amerikanen'.[25] Uiteindelijk zouden Obama's economische adviseurs op hun beurt verwikkeld raken in hun eigen onzinnige fiasco, dat weliswaar minder dodelijk was dan dat in Vietnam, maar toch grote gevolgen zou hebben voor de Amerikaanse politiek. Omdat ze in hun reactie op de financiële crisis veel te veel belang hechtten aan het ontzien van Wall Street, redden ze de banken zonder die ter verantwoording te roepen. Bij veel mensen uit de arbeidersklasse verspeelde de Democratische Partij daarmee al haar geloofwaardigheid, en dat heeft mede de weg gebaand voor Trump.

Het gebrekkige politieke inschattingsvermogen van deze adviseurs was niet los te zien van hun meritocratische hoogmoed. Frank schreef: '[I]n de ogen van veel Democraten beschikt Wall Street over enorm veel meritocratisch prestige, ongeveer op hetzelfde niveau als een chique masteropleiding.'[26]

Obama liet in zo veel opzichten zijn oren naar Wall Street hangen, omdat bankier zijn bij een investeringsbank een van de best mogelijke tekenen is van een hoge professionele status. Voor het soort status- en prestatiebewuste mensen uit wie Obama zijn regering had gevormd, waren bankiers méér dan vrienden – het waren professionals, net als zij. Mensen met een subtiele geest, een intellectualistisch en geacheveerd jargon en een buitengewoon groot innovatief vermogen.[27]

Frank betoogt dat dit instinctieve respect voor bankiers 'de Democraten blind had gemaakt voor de problemen die megabanken veroorzaakten, de behoefte aan structurele verandering en de fraudegolf die over de hele branche heen was geslagen'. Hij citeert Neil Barofsky, een voormalig federaal aanklager die destijds fungeerde als overheidswaakhond voor de reddingsoperatie, en die een buitengewoon scherp en kritisch boek heeft geschreven over wat hij daar heeft gezien. De titel en ondertitel vatten zijn conclusie goed samen: *Bailout: An Inside Account of How Washington Abandoned Main Street While Rescuing Wall Street.*[28]

Hoewel het inderdaad zo is dat topmanagers uit Wall Street grote schenkingen hadden gedaan aan Obama's presidentscampagne, was de buitengewoon vriendelijke wijze waarop zijn regering de financiële industrie behandelde niet alleen maar een politieke wederdienst. Barofsky oppert dat er een diepere, meritocratische verklaring is: het geloof onder beleidsmakers dat subtiele en beschaafde, over diploma's van goede universiteiten beschikkende bankiers de reusachtige bedragen die ze uitbetaald kregen ook werkelijk verdiend hadden.

De psyche van het ministerie van Financiën was doordrongen van de Wall Street-mythe dat bepaalde financiële topmanagers bovennatuurlijk begaafde supermensen waren die elke cent van hun ontzagwekkende salarissen en bonussen ten volle hadden verdiend. Hoewel tijdens de financiële crisis wel was gebleken hoe beroerd het werk was dat deze topmanagers werkelijk geleverd hadden, bleef het ministerie van Financiën nog vele regeringen lang in deze mythe geloven. Als een Wall Street-manager in zijn contract had laten vastleggen dat hij een 'retainer' van 6,4 miljoen zou ontvangen, werd ervan uitgegaan dat hij dat wel waard zou zijn.[29]

Nog afgezien van de rol die het credentialisme bij de formulering van het beleid gespeeld kan hebben, is ook het woordgebruik van de Democraten er geleidelijk aan van doordrongen geraakt, en dat heeft de termen van het publieke discours op subtiele wijze vervormd. Politici en opiniemakers, publicisten en adverteerders zijn voortdurend op zoek naar overtuigende taal om oordelen en evaluaties in te verpakken. Zulke retoriek maakt over het algemeen gebruik van evaluatieve contrasten: rechtvaardig versus onrechtvaardig, vrij versus onvrij, progressief versus reactionair, sterk versus zwak en open versus gesloten. Toen de meritocratische manier van denken de afgelopen decennia steeds verder opkwam, werd het overheersende evaluatieve contrast 'slim versus dom'.

Tot voor kort had het adjectief 'slim' of 'intelligent' (*smart*) voornamelijk betrekking op personen, maar bij het aanbreken van het digitale tijdperk werd 'slim' steeds vaker gebruikt om dingen te beschrijven: hoogtechnologische apparaten en machines zoals 'slimme auto's', 'smartphones', 'smart bombs', 'slimme thermostaten', 'slimme broodroosters' enzovoorts. Het aanbreken van het digitale tijdperk viel samen met de komst van het tijdperk van de meritocratie. Het is dan ook geen verrassing dat 'slim' ook steeds vaker gebruikt werd om een bepaalde stijl van besturen aan te duiden.

De slimme keuze

Vóór de jaren tachtig werd het woord 'slim' slechts zelden door Amerikaanse presidenten gebruikt, en als ze het al gebruikten, was dat over het algemeen in de traditionele betekenis van 'intelligent'. (*The American people are smart.*) George H.W. Bush begon het woord te gebruiken in de nieuwe betekenis die het in het digitale tijdperk had verworven. Hij sprak over 'slimme auto's', 'slimme snelwegen', 'slimme wapens' en 'slimme scholen'. Het gebruik van het woord 'slim' in de presidentiële retoriek steeg echter explosief onder Bill Clinton en George W. Bush, die het allebei meer dan vierhonderdvijftig keer gebruikt hebben. Obama heeft het zelfs meer dan negenhonderd keer gebruikt.[30]

Dezelfde trend valt te ontwaren in het algemene spraakgebruik. In boeken is het gebruik van 'slim' tussen 1975 en 2008 bijna verdriedubbeld, en het gebruik van 'dom' of 'stom' (*stupid*) verdubbelde. In *The New York Times* is het gebruik van 'slim' tussen 1980 en 2000 verviervoudigd, en in 2018 was het al bijna weer verdubbeld.[31]

Als indicatie van de greep van de meritocratie op de openbaarheid is de sterk gestegen frequentie van het gebruik van 'slim' minder veelzeggend dan de betekenisverandering die dit woord in de loop der tijd heeft ondergaan. Het gebruik van 'slim' beperkte zich niet meer tot verwijzingen naar digitale systemen en apparatuur, maar werd ook steeds meer een algemene lofprijzing, en een manier om aan te geven dat het ene beleid beter was dan het andere. Als evaluatief contrast begon 'slim versus dom' ethische en ideologische contrasten als 'rechtvaardig versus onrechtvaardig' of 'goed versus fout' te verdringen. Clinton en Obama hebben allebei regelmatig betoogd dat hun favoriete beleid 'niet alleen de juiste, maar ook de slimme keuze' was. Deze retorische tic suggereerde dat het in een meritocratische tijd veel overtuigender is om 'slim' te zijn dan om gelijk te hebben.

'Over de hele wereld aids bestrijden is niet alleen de juiste keuze, maar ook slim,' verzekerde Clinton het Amerikaanse publiek. 'In onze onderling sterk verbonden wereld zijn infectieziekten waar ze zich ook voordoen een bedreiging voor de wereldwijde volksgezondheid.' Een geneesmiddel toevoegen aan het verzekeringspakket van Medicare, de Amerikaanse nationale zorgverzekering voor bejaarden en gehandicapten, was niet alleen 'de juiste keuze, maar in medisch opzicht (...) ook de slimme keuze'. Het minimumloon verhogen was 'niet alleen de juiste keuze om arbeidersgezinnen te helpen, maar ook de slimme keuze voor onze economie'.[32]

Met behulp van hetzelfde idioom verklaarde Obama dat 'vrouwen meer macht en mogelijkheden geven niet alleen de juiste, maar ook de slimme keuze is. Als vrouwen slagen in het leven is er meer zekerheid, meer veiligheid en meer welvaart.' In een rede voor de Algemene Vergadering van de Verenigde Naties zei hij hetzelfde over ontwikkelingshulp: 'Het is niet alleen de juiste, maar ook de slimme keuze.' Obama gebruikte deze dubbele aanbeveling, waarbij enerzijds een beroep werd gedaan op ethiek en anderzijds op intelligentie bij kwesties die variëren van immigratiehervormingen tot het uitbreiden van de werkloosheidsverzekering.[33]

De 'slimme keuze' had altijd betrekking op een prudente of op eigenbelang gebaseerde reden die losstond van morele overwegingen. Clinton en Obama waren natuurlijk niet de eerste politieke leiders die morele argumenten kracht bijzetten met prudentiële overwegingen, maar wat hun retoriek zo opvallend maakte, was dat die prudentiële overwegingen nu werden omschreven als een kwestie van 'slim' zijn.

Je beleid verdedigen als slim in plaats van dom is nauw verwant aan allerlei credentialistische manieren om over mensen te spreken. Toen Hillary Clinton kort na haar aantreden als minister van Buitenlandse Zaken de benoeming van enkele adjunct-ministers aankondigde, maakte ze dat verband expliciet: 'In mijn getuigenis tegenover het Senaatscomité voor Buitenlandse Betrekkingen heb ik gesproken over het intelligente gebruik van macht. Aan de kern daarvan liggen intelligente mensen, en deze getalenteerde individuen behoren tot de intelligentste mensen die ik ken.'[34]

In een tijd van felle politieke verdeeldheid is de aantrekkelijkheid van spreken in termen van slim en dom goed te begrijpen, want dat lijkt een mogelijkheid om ideologische oorlogvoering te vermijden – een vorm van politieke discussie die afstand neemt van morele strijdvragen en streeft naar consensus op basis van wat slim, verstandig en zorgvuldig is. Obama voelde zich aangetrokken tot deze schijnbaar onpartijdige, meritocratische manier van denken en spreken. In kwesties die te maken hadden met raciale, etnische en gendergelijkheid hield Obama welsprekende en krachtig verwoorde morele betogen, maar als het over de buitenlandse politiek of het economisch beleid ging, zocht hij instinctief zijn toevlucht tot de non-ideologische taal van slim (of intelligent) versus dom.

De belangrijkste speech van zijn vroege politieke carrière hield Obama in 2002, toen hij zich als staatssenator in Illinois uitsprak tegen de Irakese oorlog. Het was deze stellingname die hem zes jaar later zou onderscheiden van Hillary Clinton, en dat heeft hem geholpen in de strijd om de benoeming tot Democratische presidentskandidaat. Nog voordat hij op het podium van de nationale politiek verscheen, zag Obama politieke keuzes al in termen van slim versus dom. 'Ik ben niet tegen alle oorlogen,' verklaarde de jonge staatssenator toen hij een bijeenkomst van tegenstanders van de oorlog toesprak in Chicago. 'Ik ben tegen een domme oorlog.'[35]

Toen hem tijdens zijn tweede presidentiële ambtstermijn werd gevraagd om zijn buitenlandbeleid te verwoorden, vatte hij dat samen in een enkele kernachtige zin: 'Geen domme dingen doen.' (*Don't do stupid shit.*)[36]

Toen Obama in 2013 verzeild raakte in een ernstig conflict met de Republikeinen over de wijze waarop het begrotingstekort kon worden teruggedrongen zonder terug te vallen op bezuinigen volgens de kaasschaafmethode, deed hij opnieuw een beroep op de taal van slim versus dom. 'Er is een verstandige manier om dingen te doen en een domme manier,' hield hij scheepsbouwers in Virginia voor. Een paar dagen later zei hij op een persconferentie: 'We dienen geen hele reeks domme, volstrekt willekeurige bezuinigingsmaatregelen te treffen.' In plaats daarvan toonde hij zich een voorstander van 'slimme bezuinigingen' en 'slimme hervormingen van de sociale zekerheid'.[37]

Obama verklaarde dat de maatregelen die hij voorstond – slimme bezuinigingen en slimme maatregelen om de belastinginkomsten te verhogen – verstandige, onpartijdige interventies waren die niet onderworpen hoorden te worden aan allerlei ideologisch gekibbel. 'Volgens mij is dat niet partijdig. Het is een soort benadering die ik nu al twee jaar lang voorstel. Het is waar ik me vorig jaar verkiesbaar mee heb gesteld.'[38] Hij legde niet uit hoe een beleid dat hij, zoals hij net zelf had gezegd, tot inzet had gemaakt van zijn herverkiezingscampagne als onpartijdig kon worden beschouwd.

Minachtende elites

De elites leken zich niet alleen totaal niet bewust van het partijdige karakter van hun 'slimme' beleid, maar waren kennelijk ook blind voor de hoogmoed die tot uiting kwam in hun voortdurende gepraat over 'slim' en 'dom'. In 2016 hadden veel mensen uit de arbeidersklasse het geërgerde gevoel dat de hoogopgeleide elites op hen neerkeken. Deze klacht, die plotseling massaal geuit werd tijdens de populistische revolte, was niet ongegrond. Opinieonderzoek bevestigt wat veel kiezers uit de arbeidersklasse intuïtief aanvoelden: in een tijd waarin racisme en seksisme in diskrediet zijn geraakt (al wil dat niet zeggen dat ze niet meer voorkomen), is credentialisme de laatste maatschappelijk aanvaardbare vorm van discriminatie. In de Verenigde Staten en Europa worden laagopgeleiden sterker geminacht dan andere impopulaire groepen, of in elk geval wordt die minachting veel openlijker geuit.

In een reeks opiniepeilingen in het Verenigd Koninkrijk, Nederland en België constateerde een team sociaalpsychologen dat hoogopgeleide respondenten meer vooroordelen hebben over laagopgeleide mensen dan over andere impopulaire groepen. De onderzoekers peilden de attitudes van hoogopgeleide Europeanen tegenover een hele reeks mensen die over het algemeen slachtoffer zijn van discriminatie: moslims, mensen van Turkse afkomst die in West-Europa wonen, en mensen die arm, obees, blind en laagopgeleid zijn, en constateerde dat deze laatste groep het minst geliefd was.[39]

In een soortgelijk onderzoek in de Verenigde Staten legden de onderzoekers deelnemers een herziene lijst met impopulaire groepen voor, waaronder Afro-Amerikanen, mensen uit de arbeidersklasse en mensen die arm, obees en laagopgeleid waren. Amerikaanse respondenten bleken de laagopgeleiden het minst te waarderen.[40]

De auteurs lieten het niet bij de constatering dat hoogopgeleide elites neerkijken op laagopgeleiden, maar trokken ook verschillende intrigerende conclusies uit hun onderzoek. Ten eerste zetten ze vraagtekens bij het vertrouwde denkbeeld dat hoogopgeleide elites in moreel opzicht verlichter – en dus toleranter – zijn dan laagopgeleide mensen. Ze concludeerden dat hoogopgeleide elites net zo sterk discrimineren als laagopgeleide mensen: 'Het is meer dat ze hun vooroordelen op andere doelwitten richten.' Bovendien generen de elites zich totaal niet voor hun vooroordelen. Ze mogen dan heel sterk gekant zijn tegen racisme en seksisme, maar vinden niet dat ze zich dienen te verontschuldigen voor hun negatieve houding ten opzichte van laagopgeleiden.[41]

Ten tweede is de reden voor dit gebrek aan gêne verwant aan de meritocratische nadruk op individuele verantwoordelijkheid. Elites hebben een veel grotere hekel aan laagopgeleiden dan aan arme mensen of mensen uit de arbeidersklasse, omdat ze armoede en een lage klassenstatus zien als factoren die op hun minst gedeeltelijk buiten de macht van de betrokkenen vallen. Lage onderwijsprestaties daarentegen beschouwen ze als tekenen van een gebrek aan individuele inspanning en dus als de eigen schuld van degenen die er niet in slagen toegang te verkrijgen tot een universiteit. 'Vergeleken met de arbeidersklasse werden de laagopgeleiden veel meer gezien als mensen die in hoge mate

verantwoordelijk waren voor hun eigen lot, en dat ook grotendeels aan zichzelf te wijten hadden. Daarom riepen ze meer
woede op, en waren ze minder geliefd.'[42]

Ten derde blijft dit negatieve oordeel over laagopgeleiden niet
beperkt tot de elites. Het wordt gedeeld door de laagopgeleide
respondenten zelf. Dit geeft aan hoe diep de meritocratische kijk
op prestaties is doorgedrongen in het maatschappelijk leven en hoe
ontmoedigend dat kan zijn voor degenen die geen hoger onderwijs
hebben gevolgd. 'Er zijn geen aanwijzingen dat laagopgeleide
mensen zich verzetten tegen de negatieve oordelen over hen.' Integendeel, ze 'lijken deze negatieve oordelen zelfs te internaliseren'.
De 'laagopgeleiden worden gezien als mensen die hun situatie
aan zichzelf te wijten hebben, ook door de laagopgeleiden zelf'.[43]

Ten slotte opperen de auteurs dat de nadruk die in een meritocratische samenleving onophoudelijk wordt gelegd op het belang
van hoger onderwijs, het maatschappelijke stigma tegen mensen
zonder hogere opleiding versterkt. 'De suggestie dat onderwijs
een universele maatschappelijke probleemoplosser is, vergroot
mogelijk het risico dat groepen met een lage sociaaleconomische
status bijzonder negatief geëvalueerd worden, en bekrachtigt de
ideologie van de meritocratie.' Dit leidt ertoe dat mensen zich
sneller bereid tonen om ongelijkheid te aanvaarden en dat de kans
groter is dat ze geloven dat succes een weerspiegeling vormt van
verdienste. 'Als onderwijs wordt gezien als de eigen verantwoordelijkheid van het individu, zullen mensen vermoedelijk minder
snel een kritische houding aannemen tegenover maatschappelijke
ongelijkheid die voortkomt uit verschillen in opleidingsniveau.
(…) Als onderwijsresultaten als grotendeels verdiend worden
beschouwd, geldt dat ook voor de gevolgen daarvan.'[44]

Niet per decreet, maar per academische graad

In het eerste decennium van de eenentwintigste eeuw werd op
burgers die geen hogere opleiding hadden afgerond niet alleen

neergekeken, maar in de Verenigde Staten en West-Europa waren ze ook vrijwel niet vertegenwoordigd in gekozen ambten. In het Amerikaanse Congres beschikt 95 procent van de leden van het Huis van Afgevaardigden en 100 procent van alle senatoren over een universitaire graad. Dat wil zeggen dat een klein aantal gediplomeerden regeert over een groot aantal ongediplomeerden. Hoewel ongeveer twee derde van alle Amerikaanse volwassenen geen hogere opleiding heeft afgerond, is slechts een handjevol van hen lid van het Congres.

Zo is het niet altijd geweest. Hoewel hoogopgeleiden altijd disproportioneel vertegenwoordigd zijn geweest in het Congres, beschikte zelfs aan het begin van de jaren zestig nog ongeveer een kwart van alle senatoren en leden van het Huis van Afgevaardigden niet over een universitaire graad. De afgelopen vijf jaar is de samenstelling van het Congres diverser geworden ten aanzien van ras, etnische afkomst en gender, maar juist minder divers als het om diploma's en klasse gaat.[45]

Een gevolg van de diplomakloof is dat slechts heel weinig leden van de arbeidersklasse een gekozen ambt bekleden. In de Verenigde Staten is ongeveer de helft van de werkende bevolking werkzaam in 'banen voor de arbeidersklasse', wat gedefinieerd wordt als handarbeid, dienstverlening en administratief werk. Maar nog geen 2 procent van alle Congresleden heeft zo'n baan gehad voordat ze gekozen werden. Ook in de parlementen van de afzonderlijke Amerikaanse staten is niet meer dan 3 procent afkomstig uit de arbeidersklasse.[46]

Credentialisme is ook in Groot-Brittannië en Europa het aangezicht van de representatieve democratie aan het veranderen. Net als in de Verenigde Staten worden de ongediplomeerden in Groot-Brittannië geregeerd door gediplomeerden. In het Verenigd Koninkrijk als geheel beschikt ongeveer 70 procent van de bevolking niet over een universitaire graad, maar onder parlementsleden is dat slechts 12 procent. Bijna negen op de tien parlementsleden beschikt over een universitaire graad, en een kwart van hen heeft zelfs aan Oxford of Cambridge gestudeerd.[47]

De afgelopen veertig jaar heeft de Britse Labourpartij een bijzonder opvallende verschuiving gezien in het opleidingsniveau van haar parlementsleden en de klasse waaruit ze afkomstig zijn. In 1979 beschikte 41 procent van de Labourparlementsleden niet over een universitair diploma. In 2017 was slechts 16 procent erin geslaagd om gekozen te worden zonder over een universitair diploma te beschikken.

Deze vloed van credentialisme ging vergezeld van een sterke afname van het aantal parlementsleden uit de arbeidersklasse, die inmiddels niet meer dan 4 procent van het Lagerhuis uitmaken. De Labourpartij die traditioneel de arbeidersklasse vertegenwoordigde, heeft de meest spectaculaire veranderingen doorgemaakt. In 1979 had 37 procent van alle leden van de Labourfractie vóór hun verkiezing handarbeid gedaan. In 2015 gold dat voor slechts 7 procent. Zoals de Britse politicoloog Oliver Heath opmerkt: 'Dergelijke veranderingen in het arbeidsverleden van parlementariërs hebben ertoe geleid dat het parlement veel minder een afspiegeling is van de Britse samenleving, en de Labourpartij veel minder een afspiegeling van de arbeidersklasse die ze volgens de traditie geacht werd te vertegenwoordigen.'[48]

De minder hoogopgeleide leden van de samenleving verdwijnen ook uit parlementen in geheel West-Europa, waar dit patroon sterke overeenkomsten vertoont met de Amerikaanse en Britse ervaringen. In Duitsland, Frankrijk, Nederland en België is het landsbestuur vrijwel uitsluitend in handen van hoogopgeleiden. Zelfs in zulke rijke landen als deze heeft ongeveer 70 procent van de volwassen bevolking echter geen hoger onderwijs gevolgd. Toch wordt slechts een heel klein deel van deze meerderheid tot parlementslid gekozen.[49]

In de Duitse Bondsdag bestaat 83 procent van alle parlementsleden uit mensen met een universitair diploma, en heeft nog geen 2 procent een beroepsopleiding (*Hauptschule*) als hoogste afgeronde opleiding. In Frankrijk, Nederland en België heeft 82-94 procent van de parlementsleden een hbo- of universitair diploma.[50] Onder de kabinetsleden in deze landen zijn de onderwijskwalificaties zelfs nog hoger. Zo waren in Angela Merkels kabinet uit 2013 negen van de vijftien ministers gepromoveerd, en op één na beschikten alle andere over een master. Het cachet van een doctorstitel is zo groot in de Duitse politiek dat er schandalen woeden over plagiaat in proefschriften, waardoor ministers zich gedwongen zien om af te treden.[51]

Dat in regering en parlement vrijwel niemand te vinden is zonder afgeronde hogere opleiding is een ontwikkeling die zich heeft voorgedaan in het meritocratische tijdperk. Dat wil niet zeggen dat een dergelijke situatie zich nooit eerder heeft voorgedaan. Het is bijzonder verontrustend dat dit een terugkeer is naar de stand van zaken voordat de meeste arbeiders stemrecht kregen. Het hoogopgeleide profiel van de hedendaagse Europese parlementen lijkt sterk op het beeld aan het eind van de negentiende eeuw, toen het aantal kiesgerechtigden sterk werd ingeperkt door het op bezit en eigendom gebaseerde censuskiesrecht. In Duitsland, Frankrijk, Nederland en België hadden de meeste parlementsleden in de tweede helft van de negentiende eeuw een universitaire studie afgerond.[52]

Dit veranderde in de twintigste eeuw, toen het algemeen kiesrecht en de opkomst van socialistische en sociaaldemocratische partijen de samenstelling van de parlementen democratiseerden. Van de jaren twintig tot de jaren vijftig van de vorige eeuw bestond een derde tot de helft van de parlementsleden uit mensen zonder universitaire opleiding. In de jaren zestig begon het aantal afgestudeerden echter te stijgen en in het eerste decennium van de eenentwintigste eeuw waren parlementsleden zonder hogere opleiding in de nationale wetgevende vergaderingen al net zo zeldzaam als in de tijd van de aristocratie en de grootgrondbezitters.[53]

Je zou kunnen stellen dat een regering die is samengesteld uit academici iets is om blij mee te zijn, en niet iets om te betreuren. We willen onze bruggen laten bouwen door hooggekwalificeerde ingenieurs en onze blindedarmoperaties laten uitvoeren door goed opgeleide artsen. Dus waarom zouden we dan geen gekozen volksvertegenwoordigers willen hebben die zijn opgeleid aan de beste universiteiten? Is het niet zo dat hoogopgeleide leiders zullen zorgen voor een goed beredeneerde politieke discussie en een degelijk overheidsbeleid?

Nee, niet per se. Zelfs een snelle blik op het bijzonder moeizame politieke discours in het Amerikaanse Congres en de Europese parlementen dient daar al twijfel aan te wekken. Goed bestuur vereist praktische wijsheid en burgerdeugd – het vermogen om serieus te beraadslagen over het algemeen belang en dat op effectieve wijze na te streven – maar aan de meeste hedendaagse universiteiten, zelfs die met de beste reputaties, wordt geen van deze beide vermogens bijzonder goed ontwikkeld. Recente historische ervaringen lijken er bovendien op te wijzen dat er nauwelijks enige samenhang bestaat tussen politiek oordeelsvermogen – dat niet alleen te maken heeft met inzicht in de materie, maar ook met morele kwaliteiten – en het vermogen om door goed te scoren op gestandaardiseerde toetsen te worden toegelaten tot een elite-universiteit. Het denkbeeld dat 'de besten en de slimsten' beter kunnen regeren dan hun met minder prestigieuze diploma's toegeruste medeburgers is een mythe die is voortgekomen uit meritocratische hoogmoed.

Twee van de vier iconische Amerikaanse presidenten op Mount Rushmore (George Washington en Abraham Lincoln) hadden geen universitaire graad. De laatste Amerikaanse president zonder universitair diploma, Harry S. Truman, wordt over het algemeen als een van de beste presidenten gezien die Amerika ooit heeft gehad.

Franklin D. Roosevelt, die zelf aan Harvard was afgestudeerd, heeft de New Deal bedacht en uitgevoerd met een eclectisch samengesteld team van adviseurs die veel capabeler waren, maar over veel minder diploma's beschikten dan de adviseurs die onder recente Democratische presidenten hebben gediend.[54] Dit is op zijn minst voor een deel een gevolg van het feit dat in de jaren dertig van de vorige eeuw economen nog niet zo'n greep hadden op het Washingtonse beleid als ze zich de afgelopen jaren verworven hebben.[55] Thomas Frank beschrijft de gevarieerde achtergrond van de mensen die de New Deal in gang hebben gezet.

> Harry Hopkins, Roosevelts grootste vertrouweling, was een sociaal werker uit Iowa. Robert Jackson, de minister van Justitie die door Roosevelt tot rechter van het Hooggerechtshof werd benoemd, was een advocaat die als stagiair in een advocatenkantoor was opgeleid, maar geen rechtenstudie had afgerond. Jesse Jones, die de leiding had over de organisatie die met behulp van overheidssubsidies de depressie van de jaren dertig bestreed, was een Texaanse zakenman die er niet voor terugschrok om de meest prominente financiële instellingen van het land onder curatele te stellen. Marriner Eccles, de visionair aan wie Roosevelt de leiding over de Federal Reserve Board toevertrouwde, was een kleine bankier uit Utah, die slechts over een bachelordiploma beschikte. Henri Jolles, waarschijnlijk de beste minister van Landbouw die het land ooit gehad heeft, had aan de staatsuniversiteit van Iowa gestudeerd.[56]

In het Verenigd Koninkrijk is het de afgelopen decennia steeds verder opgerukte credentialisme er al evenmin in geslaagd om de kwaliteit van het bestuur te verbeteren. Tegenwoordig bezoekt slechts 7 procent van de Britse bevolking een privéschool en minder dan 1 procent heeft aan Oxford of Cambridge gestudeerd, maar de regerende elites zijn in overgrote mate wel gerekruteerd onder mensen die deze scholen en universiteiten hebben bezocht. Bijna twee derde van het in 2019 door Boris Johnson geformeerde kabinet heeft een privéschool bezocht en bijna de helft is afgestudeerd aan Oxford of Cambridge. Sinds de Tweede Wereldoorlog hebben de meeste Conservatieve ministers en ongeveer een derde van alle ministers van Labour een privéschool bezocht[57], maar een van de meest succesvolle Britse kabinetten sinds de oorlog was het kabinet met de minste diploma's, dat de samenstelling van de bevolking in klassentermen het best weerspiegelde.

In 1945 versloeg de Labourpartij van Clement Attlee Winston Churchills Conservatieve Partij. Attlee was afgestudeerd aan de University of Oxford, maar niet meer dan één op de vier van zijn ministers had een privéschool bezocht – en dat was minder dan in alle daaropvolgende kabinetten. Zeven van zijn ministers waren ooit mijnwerker geweest.[58]

Attlees hooggewaardeerde minister van Buitenlandse Zaken, Ernest Bevin, die een van de grondleggers van de naoorlogse wereld zou worden, had op elfjarige leeftijd de school verlaten en was opgeklommen binnen de vakbond. Herbert Morrison, de fractieleider in het Lagerhuis en vicepremier, was op zijn veertiende van school gegaan en was opgeklommen via het lokale bestuur, waar hij een bijdrage had geleverd aan de vorming van het Londense openbaarvervoersysteem. De minister van Volksgezondheid, Aneurin Bevan, die op zijn dertiende de school had verlaten en als mijnwerker in Wales had gewerkt, leidde de oprichting van de Britse National Health Service. Attlees regering, die wordt beschouwd als 'de twintigste-eeuwse Britse regering die de meest significante hervormingen heeft doorgevoerd', gaf de arbeidersklasse veel meer zeggenschap en heeft volgens zijn biograaf 'de ethische termen geformuleerd waarop het nieuwe Britse sociaal contract werd gegrondvest'.[59]

Dat het Congres en allerlei parlementen zijn veranderd in het exclusieve domein van de gediplomeerde klassen heeft het landsbestuur niet effectiever, maar wel minder representatief gemaakt. Bovendien heeft deze ontwikkeling ertoe geleid dat de laagopgeleiden vervreemd zijn geraakt van de gevestigde politiek, en dan met name van de centrumlinkse partijen, en er een politieke polarisatie is ontstaan tussen laag- en hoogopgeleiden.

De diplomakloof

In 2016 stemde twee derde van alle witten zonder universitaire graad op Donald Trump en meer dan 70 procent van alle kiezers met een master of hoger op Hillary Clinton. Kiezersonderzoek wees uit dat niet inkomen maar opleiding de factor was die het best voorspelde wie Trump wel of niet zou steunen. Van de kiezers met vergelijkbare inkomens, stemden de hoger opgeleiden op Hillary Clinton en de lager opgeleiden op Trump.[60] De diplomakloof was de oorzaak van de meest significante veranderingen in de uitslagen vergeleken met die van de vorige presidentsverkiezingen. In achtendertig van de vijftig kiesdistricten met het hoogste percentage afgestudeerde kiezers deed Hillary Clinton het zelfs nog beter dan Barack Obama in 2012, maar in zevenenveertig van de vijftig kiesdistricten met het laagste percentage afgestudeerde kiezers deed ze het juist veel slechter. Het is dan ook geen wonder dat Trump toen hij tijdens de voorverkiezingen een van zijn eerste overwinningen vierde, uitriep: 'Ik ben dol op de slecht opgeleiden!'[61]

Gedurende een groot deel van de twintigste eeuw hebben linkse partijen mensen met minder opleiding aangetrokken en rechtse partijen kiezers met meer opleiding. In het tijdperk van de meritocratie zien we echter het tegenovergestelde. Tegenwoordig stemmen hoogopgeleide mensen op centrumlinkse partijen en mensen met minder opleiding op rechtse. De Franse econoom Thomas Piketty heeft aangetoond dat deze omkering zich tegelijkertijd heeft voorgedaan in de Verenigde Staten, het Verenigd Koninkrijk en Frankrijk – een zeer opvallende parallelle ontwikkeling.[62]

Van de jaren veertig tot de jaren zeventig stemden mensen zonder universitaire opleiding in de Verenigde Staten steevast op de Democratische Partij, in Groot-Brittannië op Labour en in Frankrijk op verschillende centrumlinkse partijen. In de loop van de jaren tachtig en negentig werd de diplomakloof tussen de achterban van de linkse en rechtse partijen aanzienlijk smaller, en in de eerste twintig jaar van de eenentwintigste eeuw zijn de linkse partijen de steun van kiezers zonder universitaire opleiding kwijtgeraakt.[63]

Deze omkering wordt gecompliceerd door het feit dat rijke

kiezers over het algemeen nog steeds op rechtse partijen stemmen, ook al stemt de meerderheid van de hoogopgeleiden tegenwoordig centrumlinks. In de Verenigde Staten stemmen
kiezers met een Afrikaans-Amerikaanse, Latijns-Amerikaanse en
Aziatisch-Amerikaanse achtergrond ongeacht hun opleiding nog
steeds op de Democraten. Toch is opleiding de afgelopen tien
jaar de belangrijkste politieke scheidslijn geworden, en partijen
die ooit de arbeiders hadden vertegenwoordigd, ontwikkelden
zich nu steeds meer tot vertegenwoordigers van de meritocratische elites.[64]

In de Verenigde Staten werd de Democratische Partij steeds
meer gezien als de partij van de hoogopgeleiden en keerden
kiezers zonder universitaire opleiding zich van haar af. Deze
trend heeft zich voortgezet na de verkiezing van Trump. Tijdens de Congresverkiezingen van 2018 stemde 61 procent van
de witte kiezers zonder universitaire opleiding op de Republikeinen, en slechts 37 procent op de Democraten. Deze steeds
dieper wordende diplomakloof tekent zich ook af bij de dertig
Congresdistricten met het hoogste aandeel universitair opgeleide
kiezers. In 1992, toen Bill Clinton tot president werd gekozen,
waren deze kiesdistricten gelijk verdeeld: de ene helft koos een
Democraat en de andere helft een Republikein. In 2018 wonnen
de Democraten hier in op drie na alle districten.[65]

In het Verenigd Koninkrijk heeft zich binnen de aanhang van
de Labourpartij een soortgelijke verschuiving voorgedaan. Nog
in het begin van de jaren tachtig was ongeveer een derde van alle
Labourparlementsleden afkomstig uit de arbeidersklasse, maar in
2010 was dat er nog niet één op de tien. Volgens Oliver Heath
had de afname van het aantal uit de arbeidersklasse afkomstige
parlementsleden in de Labourfractie een 'substantiële uitwerking op de relatieve populariteit van de partij bij kiezers uit de
arbeidersklasse', die steeds meer van mening waren dat de partij
'werd bestuurd door een stedelijke elite die het contact met haar
achterban kwijt was'.[66]

Deze onvrede werd voor het eerst zichtbaar in een afnemende

opkomst onder de laagopgeleide kiezers, maar in 2016 kwam ze tot uiting in steun voor *leave* tijdens het Brexit-referendum. Kiezers met een laag inkomen stemden veel vaker vóór de Brexit dan kiezers met een hoog inkomen, maar als het om opleiding ging waren de verschillen nog veel uitgesprokener. Meer dan 70 procent van alle kiezers zonder universitaire opleiding stemde vóór de Brexit, terwijl meer dan 70 procent van de kiezers met een mastergraad of hoger ervoor stemde om binnen de Europese Unie te blijven.[67]

Dit patroon tekent zich ook af in regionale verschillen. Van de twintig kiesdistricten met het laagste percentage afgestudeerden kozen er vijftien voor *leave*. De twintig kiesdistricten met de meeste hoogopgeleiden kozen zonder uitzondering voor *remain*.[68]

Hoewel Frankrijk een ander partijenstelsel kent, is daar de afgelopen decennia dezelfde kloof tussen hoog- en laagopgeleiden ontstaan. Sinds de jaren tachtig hebben mensen zonder universitaire opleiding zich afgekeerd van de Parti socialiste en andere linkse partijen, die nu het domein vormen van de hoogopgeleide elites. In de jaren vijftig en zestig van de vorige eeuw waren de linkse partijen arbeiderspartijen. Onder de niet-afgestudeerden lag het percentage dat links stemde ongeveer twintig procentpunten hoger dan onder de afgestudeerden. In de jaren tachtig was die kloof gedicht en in de jaren tien was de situatie juist omgekeerd: onder de afgestudeerden ligt het percentage dat links stemt nu tien procentpunten hoger dan onder de niet-afgestudeerden. Dat is dus een verschuiving van dertig procentpunten.[69]

Piketty oppert dat de transformatie van de linkse partijen van arbeiderspartijen tot partijen voor de intellectuele en professionele elites een verklaring kan vormen voor het feit dat deze partijen niet hebben gereageerd op de stijgende ongelijkheid van de afgelopen decennia. Degenen die het aan waardevolle diploma's ontbreekt, zijn inmiddels boos over de door de elites bevorderde mondialisering, en wenden zich tot populistische, 'eigen volk eerst'-kandidaten, zoals Trump in de Verenigde Staten en Marine Le Pen in Frankrijk.[70]

In 2017 werd Marine Le Pen tijdens de Franse presidentsverkiezingen verslagen door de liberale centrumpoliticus Emmanuel
Macron. Macrons overwinning werd door sommige commentatoren verwelkomd als een teken dat de populistische revolte zich
liet bedwingen door een jonge, aantrekkelijke kandidaat met een
marktvriendelijk mondialiseringsprogramma dat doet denken
aan de verkiezingsprogramma's van Clinton, Blair en Obama.
Net als zijn meritocratische tegenhangers in de Verenigde Staten
en het Verenigd Koninkrijk werd Macron vooral gesteund door
kiezers met een universitaire opleiding.[71]

Macron werd echter al snel minder geliefd, en zijn regering zag
zich geconfronteerd met een reeks demonstraties door burgers in
gele hesjes. De demonstranten, voornamelijk bewoners van de
Parijse voorsteden uit de midden- en arbeidersklasse, waren niet
alleen boos over een verhoging van de belasting op dieselolie,
maar ook over Macrons afstandelijke houding en het door hem
gevoerde economische beleid, dat weinig deed voor mensen
die niet konden meekomen met de mondialisering. Toen een
hoge vertegenwoordiger van Macrons partij tijdens deze crisis
werd gevraagd welke overheidsfouten tot de protesten hadden
geleid, antwoordde hij: 'Waarschijnlijk zijn we te intelligent en
te subtiel geweest.'[72]

Het onophoudelijke hedendaagse credentialisme heeft de kiezers
uit de arbeidersklasse in de armen gedreven van populistische
en nationalistische partijen, en de kloof tussen kiezers met en
zonder universitaire opleiding verdiept. Het heeft ook geleid tot
een steeds sterker door politieke meningsverschillen bepaalde
houding tegenover het hoger onderwijs – de maatschappelijke
organisatie die het meest opvallende symbool is van het meritocratische project. Nog in 2015 verklaarden Republikeinen en
Democraten eensgezind dat hogescholen en universiteiten een
positieve uitwerking hebben op het land. Dit is inmiddels niet
meer het geval. Tegenwoordig gelooft 59 procent van de Repu-

blikeinen dat instellingen voor hoger onderwijs een negatieve uitwerking hebben op de manier waarop de dingen gaan in het land, en slechts 33 procent van hen beschouwt hoger onderwijs als positief. De Democraten daarentegen zijn in overgrote meerderheid van mening (67 versus 18 procent) dat hogescholen en universiteiten een positief effect hebben.[73]

Een van de slachtoffers van de triomf van de meritocratie zou weleens het verlies van brede publieke steun voor het hoger onderwijs kunnen zijn. Hoewel de universiteit ooit in brede kring werd gezien als een instelling die mensen kansen bood, is ze inmiddels, in elk geval voor sommigen, symbool gaan staan voor credentialistische privileges en meritocratische hoogmoed.

De retoriek van het opklimmen, met haar obsessie voor onderwijs als het antwoord op de ongelijkheid, heeft daar deels schuld aan. Een compleet politiek beleid optrekken rondom het idee dat een universitair diploma een basisvoorwaarde is voor waardige arbeid en maatschappelijke achting heeft een ondermijnende uitwerking op het democratische leven. Het berooft de bijdragen van mensen zonder universitair diploma van hun waarde, voedt de vooroordelen tegenover de laagopgeleide leden van de samenleving, sluit de meeste arbeiders uit van een gekozen ambt en leidt tot het ontstaan van een politieke tegenstroom.

Technocratische taal

Nauw verwant aan deze credentialistische kwaden is het steeds technocratischer worden van het publieke discours. Hoe vaker beleidsvorming wordt omschreven als een keuze tussen 'slim' en 'dom', hoe sterker het argument dat we de besluitvorming dienen over te laten aan 'slimme' mensen (deskundigen en elites) in plaats van burgers de kans te geven om zelf in debat te gaan en uit te maken welk beleid er gevoerd zal worden. In de ogen van meritocratische elites lijkt de retoriek van 'slim' en 'dom' een onpartijdig alternatief voor morele en ideologische meningsverschillen, maar dergelijke meningsverschillen liggen aan de kern van de democratische politiek, en al te vastberaden pogingen om uit te stijgen boven het partijpolitiek geharrewar kunnen leiden tot een technocratisch publiek discours dat de politiek afhoudt van vragen over rechtvaardigheid en het algemeen belang.

Obama is wat dat betreft een goed voorbeeld. Wanneer hij sprak over het vernieuwen van de belofte van gelijke rechten voor alle Amerikanen, kon zijn retoriek opklimmen naar hoogten van welsprekendheid waar geen enkele andere politicus uit zijn tijd aan kon tippen. De 'Amazing Grace'-rede, die hij in Charleston, South Carolina hield ter nagedachtenis van een aantal door een door haat gedreven schutter vermoorde kerkgangers, was een van de meest ontroerende speeches die een Amerikaanse president in de moderne tijd ooit gehouden heeft.

Maar toch, wat zijn denkbeelden over democratisch bestuur betrof, was Obama een overtuigd technocraat. Dit lijkt wellicht een wel erg streng oordeel over een populaire president, maar laat het me uitleggen. Het bestuur van een democratische samenleving vereist dat je kunt omgaan met meningsverschillen. Als je daar als bestuurder mee geconfronteerd wordt, dien je van tevoren al nagedacht te hebben over hoe meningsverschillen ontstaan en hoe je die om bepaalde publieke doelstellingen te verwezenlijken zo nu en dan wellicht kunt overwinnen. Obama meende dat de belangrijkste bron van democratische meningsverschillen eruit bestaat dat het gewone burgers aan voldoende informatie ontbreekt.

Als gebrek aan informatie het probleem is, is de oplossing dat degenen die over grotere feitenkennis beschikken beslissen namens hun medeburgers, of hun medeburgers anders in elk geval voorhouden wat ze moeten weten om op eigen houtje verstandige beslissingen te kunnen nemen. Presidentieel leider-schap heeft dan niet zozeer te maken met moreel gezag als wel met het verzamelen en verspreiden van informatie.

In 2007 heeft Obama aan het begin van zijn presidentscampagne deze visie op het bestuur opmerkelijk helder verwoord in een redevoering voor Google-medewerkers. Een van de dingen die hij te weten was gekomen terwijl hij door het land reisde, vertelde hij zijn publiek, was dat 'Amerikaanse mensen in de kern sympathiek zijn. Er is grootmoedigheid hier, en gezond verstand, maar die blijven onbenut.' De reden:

> Over het algemeen zijn de mensen gewoon niet goed op de hoogte, of ze hebben het te druk. Ze proberen hun kinderen naar school te brengen, ze werken, ze hebben gewoon niet genoeg informatie of ze zijn geen professionals als het erom gaat om alle beschikbare informatie ordelijk te verwerken, en dat leidt ertoe dat ons politieke proces verwrongen raakt. Maar als je ze goede informatie geeft, beschikken ze over een goede intuïtie, en zullen ze goede beslissingen nemen. En de president heeft een fantastisch platform, een *bully pulpit*, om ze goede informatie te geven.[74]

Sinds Theodore Roosevelt een eeuw geleden de term *bully pulpit* bedacht, heeft die verwezen naar het presidentschap als een bron van morele inspiratie en aansporingen tot ethisch gedrag. Nu zou de *bully pulpit* echter een podium worden voor feiten en gegevens, voor goede informatie. Dit is de essentie van een technocratisch beeld van de politiek, en het bevat meer dan een vleugje meritocratische hoogmoed. De gewone mensen die het land bevolken, hoe 'sympathiek' ze dan ook mogen zijn, zijn 'geen professionals' als het om het ordelijk verwerken van informatie gaat, en dus hebben ze echte professionals nodig die dat voor hen doen, en hun voorzien van de feiten die ze nodig hebben.

Obama beschouwde dit als de manier om Amerika's 'verwrongen' politieke proces te herstellen. De uitdaging was niet om de grote concentraties van economische macht, met hun sterke greep op de politiek, te ontmantelen, of om meer publieke interesse voor het algemeen belang te wekken. Nee, er moest betere, nauwkeurigere informatie geboden worden. 'Ik zie daar echt verlangend naar uit, omdat ik sterk geloof in feiten, in de rede, in bewijs en wetenschap en feedback,' hield hij de Google-medewerkers voor. 'Ik wil het gevoel herstellen dat het Witte Huis beslissingen neemt op basis van de feiten.'[75]

Je zou kunnen denken dat deze technocratische geloofsbelijdenis voornamelijk bedoeld was om aanhangers te winnen in de technische industrie, maar gedurende zijn hele presidentschap en ook daarna is Obama deze visie op de politiek trouw gebleven. Andere voorbeelden van deze denkwijze belichten de affiniteit tussen technocratische politiek en neoliberalisme. Obama bediende zich veel vaker van het jargon van universitaire economen en managers uit het bedrijfsleven dan vorige presidenten. Zo sprak hij in zijn pleidooi voor hervorming van de gezondheidszorg niet zozeer over de morele argumenten voor een verzekering voor alle burgers, maar vooral over de behoefte om 'de kostencurve terug te buigen', waarmee hij bedoelde dat hij de kostenstijgingen in de gezondheidszorg wilde terugdringen. Hoewel het 'terugbuigen van de kostencurve' tijdens de verkiezingscampagne niet veel enthousiasme opriep, heeft hij wanneer hij zijn plan voor de gezondheidszorg verdedigde meer dan zestig keer een of andere variant van deze uitdrukking gebruikt.[76]

De afgelopen jaren hebben economen gepleit voor het gebruik van marktprikkels (*incentives*) om gewenst gedrag uit te lokken. Deze nadruk op *incentives* is zo wijdverbreid geraakt dat het in het Engels al heeft geleid tot het ontstaan van een nieuw werkwoord: *incentivize*, dat zich het best laat vertalen als 'incentiveren'.

Net als vele sociale wetenschappers, managementconsultants en managers uit het bedrijfsleven uit het begin van de eenentwintigste eeuw maakte Obama enthousiast gebruik van het woord 'incentiveren', om te beschrijven hoe marktmechanismen zouden kunnen worden ingezet om wenselijke resultaten te bereiken. Zo kwam hij met beleid om *incentives* in te zetten ter bevordering van de technologische ontwikkeling, het personeelsbeleid van kleine bedrijven, de ontwikkeling van schone energie, beter

watermanagement, goede cybersecuritypraktijken, programma's
voor het energiezuinig maken van gebouwen, gezondere voeding,
een efficiëntere gezondheidszorg, een positief schoolklimaat,
verantwoordelijk gedrag in het bedrijfsleven en een hele reeks
andere doelstellingen.

'Incentiveren' was een technocratisch concept dat goed paste
bij Obama's instinct om partijpolitiek of ideologisch gekibbel te
vermijden. Het hield in dat je een financiële prikkel gebruikte om
het algemeen belang te bevorderen en leek daarom een gemakke-
lijke manier om het midden te houden tussen overheidsdwang
en ongebreidelde marktwerking. Hoewel die uitdrukking door
voorgaande presidenten nauwelijks gebruikt was, had Obama
het bij meer dan honderd verschillende gelegenheden over het
sturen van bepaald gedrag door dat te 'incentiveren'.[77]

Meer dan welk ander aspect van zijn politieke retoriek dan
ook, benadrukten Obama's voortdurende verwijzingen naar
'slim' beleid de connectie tussen technocratie en meritocratie.
Voor Obama was 'slim' (*smart*) de ultieme loftuiging: slimme
diplomatie, slimme investeringen in onderwijs, slim immigratiebeleid, slimme infrastructuurprojecten, slimme wetshand-
having, slim bestuur, slim handelsbeleid, slim energiebeleid,
slim klimaatbeleid, slimme uitkeringshervormingen, slimme
markthervormingen, slimme milieuvoorschriften, slim contrater-
rorismebeleid, klimaatslimme landbouw, slimme ontwikkeling,
slimme marktgeoriënteerde innovatie, en vooral ook slimme
elektriciteitsnetwerken. In de loop van zijn presidentschap heeft
Obama bij meer dan honderd gelegenheden over 'slimme elektriciteitsnetwerken' en 'slimme gridtechnologieën' gesproken.
Al met al heeft hij het bijvoeglijk naamwoord 'slim' in verband
met beleid en overheidsprogramma's meer dan negenhonderd
keer gebruikt.[78]

Een van de tekortkomingen van een technocratische benadering van de politiek is dat die het besluitvormingsproces in
handen van elites legt, en gewone burgers daardoor van macht en
invloed berooft. Een ander nadeel is dat die benadering afziet van

politieke overrreding. Mensen er door middel van marktprikkels toe brengen om zich op verantwoordelijke wijze te gedragen – om energiezuinig te handelen, op hun gewicht te letten of in het zakenleven ethische gedragsregels te hanteren – is niet alleen een alternatief voor dwang, maar ook voor overreding.

Technocratie versus democratie

De in ideologisch opzicht ontwijkende economische taal van de meritocratische elites komt op in een tijd waarin het publieke discours steeds scherper en grover wordt, en sterk partijdige lieden voortdurend langs elkaar heen schreeuwen en tweeten. Wat het technocratische discours en al dat geschreeuw met elkaar gemeen hebben, is dat ze de deelnemers niet de mogelijkheid bieden om zich op serieuze, inhoudelijke wijze bezig te houden met de morele overtuigingen die democratische burgers motiveren. Noch de technocraten, noch de schreeuwers maken er een gewoonte van om met elkaar op redelijke wijze van gedachten te wisselen over concurrerende opvattingen over rechtvaardigheid en het algemeen belang.

De populistische opschudding van 2016 – de uitslag van het Brexit-referendum in Groot-Brittannië en de Amerikaanse presidentsverkiezingen – vormde een harde afwijzing van de meritocratische elites en de neoliberale, technocratische benadering van de politiek. In reactie op voorspellingen van economen dat het Verenigd Koninkrijk zich door de Europese Unie te verlaten grote economische problemen op de hals zou halen, verklaarde een vooraanstaande voorstander van de Brexit: 'Het volk van dit land heeft schoon genoeg van experts.'[79]

Obama zelf deed verwoed zijn best om de politieke aardverschuiving te doorgronden die zich aan het eind van zijn presidentschap had voorgedaan. In 2018, twee jaar nadat Trump als zijn opvolger was gekozen, gaf Obama toe dat de voorstanders van de mondialisering 'zich niet snel genoeg hebben aangepast aan het feit dat er mensen niet konden meekomen'. De Washington-consensus 'werd wat al te comfortabel. Vooral na de Koude Oorlog was er een periode van grote zelfvoldaanheid in Amerika, en de Amerikaanse elites dachten dat we het nu allemaal wel doorhadden.'[80]

Obama's belangrijkste diagnose van de gepolariseerde politiek in het Trump-tijdperk had echter te maken met het onvermogen van het publiek om overeenstemming te bereiken over elementaire feiten. De reden dat we 'zo veel impasse en venijn en polarisatie in onze politiek zien', zei hij, is deels dat er 'geen basis van algemeen aanvaarde feiten en informatie is'. Fox News-kijkers en lezers van *The New York Times* leefden in 'volkomen verschillende werkelijkheden', met 'niet alleen verschillende meningen, maar ook verschillende feiten. (…) Het is, zeg maar, epistemologisch.'[81]

Hij schetste een levendig voorbeeld van wat hij als botsende werkelijkheden beschouwde:

De grootste uitdaging van de komende tien, vijftien, twintig jaar is dat we moeten zien terug te keren naar een maatschappelijk debat waarin als ik zeg dat dit een stoel is, we het er allemaal over eens zijn dat het een stoel is. Dan kunnen we van mening verschillen over de vraag of het een mooie stoel is, en of we hem beter kunnen vervangen of niet, en of we die ergens anders willen neerzetten. Maar je kunt niet zeggen dat het een olifant is.[82]

Natuurlijk zijn de feitelijke meningsverschillen die zich voordoen in het politieke debat niet zo simpel als het omschrijven van een meubelstuk. Maar 'de olifant in de kamer' was klimaatverandering. Wat Obama bedoelde, is dat het moeilijk is om een redelijk debat te voeren over klimaatverandering met mensen die het bestaan daarvan ontkennen, of niet geloven dat de mensheid een rol speelt bij het ontstaan daarvan.

Obama dacht daarbij ongetwijfeld aan het feit dat zijn opvolger, met steun van klimaatontkenners, de Verenigde Staten had teruggetrokken uit het door hem, Obama, ondertekende Akkoord van Parijs. Hij schreef dit niet alleen toe aan ideologische meningsverschillen, maar ook aan een verwerping van de wetenschap door Trump en zijn Republikeinse aanhangers.

Sterker nog, de slogan 'Ik geloof in de wetenschap' is voor de Democraten een strijdkreet geworden waarachter ze zich verenigen. Hillary Clinton heeft die slogan uitgesproken tijdens de rede waarin ze in 2016 haar nominatie tot presidentskandidaat aanvaardde, Obama had hem als president al voor haar gebruikt, en een aantal kandidaten voor de nominatie voor de presidentsverkiezingen van 2020 heeft hem tijdens de campagne tot refrein gemaakt. Dat de slogan impliciet de wetenschap naar het domein van het geloof verwijst, heeft de populariteit ervan kennelijk niet ondermijnd.[83] Om steun te zoeken voor zijn levenslange geloof in het primaat van de feiten, citeerde Obama graag senator Daniel Patrick Moynihan, die ooit tegen een koppige tegenstander heeft gezegd: 'U hebt recht op uw eigen mening, maar niet op uw eigen feiten.' (Wanneer hij dit verhaal vertelde, voegde Obama er soms aan toe dat Moynihan 'heel slim' was en zijn tegenstander 'minder slim'.[84])

Politieke meningsverschillen toeschrijven aan een simpele weigering om de feiten onder ogen te zien of het oordeel van de wetenschap te aanvaarden miskent de wijze waarop feiten en meningen in het proces van politieke overreding op elkaar inwerken. Het idee dat we het allemaal met elkaar eens moeten zijn over de feiten en dat die als prepolitieke grondslag voor het debat dienen te fungeren, is een technocratisch verzinsel. Politiek debat heeft vaak juist betrekking op hoe we de feiten die relevant zijn voor het betreffende meningsverschil dienen te onderkennen en te kenschetsen. Degene die erin slaagt om de feiten op bepaalde wijze te framen, is al een heel eind op weg om het debat te winnen. Anders dan Moynihan meende, zijn het onze meningen die onze waarnemingen bepalen. Onze meningen verschijnen niet pas ten tonele nadat de feiten keurig vastgesteld en geordend zijn.

Het debat over de klimaatverandering

Als de primaire bronnen van het verzet tegen actie tegen klimaatverandering gelegen zijn in een gebrek aan informatie of een weigering om de wetenschap te aanvaarden, valt te verwachten dat mensen met minder opleiding en wetenschappelijke kennis sterker dan anderen gekant zullen zijn tegen ingrijpen tegen de klimaatverandering. Dit blijkt echter niet het geval te zijn. Opinie-onderzoek heeft uitgewezen dat hoe meer de mensen over de natuurwetenschappen weten, hoe sterker hun meningen over klimaatverandering uiteenlopen.

Republikeinen zijn sceptischer over klimaatverandering dan Democraten, en de kloof tussen de verschillende partijen wordt breder naarmate het onderwijsniveau stijgt. Van de Republikeinen met hooguit een middelbareschooldiploma gelooft 57 procent dat berichten over klimaatverandering over het algemeen overdreven zijn, en van de Republikeinen met een universitaire opleiding denkt 74 procent er zo over. Onder Democraten leidt meer onderwijs juist tot grotere bezorgdheid over klimaatverandering. Van de Democraten met hooguit een middelbareschooldiploma beschouwt 27 procent berichten over klimaatverandering als overdreven, maar van de Democraten met een universitaire opleiding denkt slechts 15 procent er zo over.[85]

De partijpolitieke kloof in het denken over klimaatverandering is dus bijna twee keer zo groot (59 procent) onder mensen met een universitaire opleiding als onder mensen met hooguit een middelbare opleiding (30 procent). Hetzelfde patroon tekent zich af als wordt gevraagd hoe de respondenten denken over de betrokkenheid van de mens bij klimaatverandering. Wanneer wordt gevraagd of 'de opwarming van de aarde het gevolg is van natuurlijke veranderingen in het milieu', antwoorden de meeste Republikeinen 'ja', en de meeste Democraten 'nee'. De partijpolitieke kloof onder mensen met een universitaire opleiding (53 procent) is echter veel groter dan die tussen mensen die minder onderwijs hebben genoten (19 procent).[86]

Gedetailleerder onderzoek heeft uitgewezen dat politieke polarisatie over klimaatverandering niet alleen toeneemt naarmate het algemene opleidingsniveau stijgt, maar ook naarmate respondenten meer wetenschappelijke kennis bezitten. Mensen met meer natuurwetenschappelijke kennis, zoals gemeten aan gevolgde bètavakken en met behulp van toetsen, zullen zich vaker conformeren aan de partijlijn ten aanzien van klimaatverandering dan mensen met minder kennis van de natuurwetenschappen.[87]

Deze onderzoeksresultaten ondermijnen het idee dat mensen die niet bereid zijn om maatregelen te steunen die de klimaatverandering zouden kunnen afremmen gewoon over weinig wetenschappelijke kennis beschikken. De kloof tussen de meningen van beide politieke partijen over klimaatverandering is niet voornamelijk een kwestie van feiten en informatie, maar van politiek. Het is een vergissing om ervan uit te gaan dat hoe meer verstand mensen hebben van de natuurwetenschappen, hoe groter de kans is dat ze het met elkaar eens zullen zijn over maatregelen tegen klimaatverandering. Het technocratische geloof dat we een redelijk debat zouden kunnen voeren over het beleid als we het eens zouden kunnen worden over de feiten, is een miskenning van de werking van het proces van politieke overreding.

In een rede voor het Massachusetts Institute of Technology (MIT) in 2018 schetste Obama een beeld van het rationele debat dat het land zou kunnen voeren over klimaatverandering als iedereen het wél eens zou zijn over de elementaire feiten:

U en ik kunnen een debat voeren over klimaatverandering waarin u concludeert: 'De Chinezen en de Indiërs zullen we er niet van kunnen weerhouden om een enorme hoop steenkool te verbranden, want dat doen ze al heel lang. We zullen ons gewoon moeten aanpassen, en misschien vinden we op het nippertje wel een nieuwe energiebron, en daarom ben ik tegen het Klimaatakkoord.'

En dan reageer ik daarop met de woorden: 'Nou nee, het blijkt dat we dit probleem eigenlijk nu al kunnen oplossen, en dat we daarvoor alleen maar hoeven te investeren in wat slimme technologie en wat slimme regelgeving moeten opstellen die de juiste prikkels levert voor het investeren in schone energie. En als we dat niet doen, draait het uit op een catastrofe.'[88]

Obama wenste een prettig en constructief debat, en hij klaagde erover dat de klimaatontkenners dat onmogelijk hadden gemaakt.[89]

Maar zelfs al zou het mogelijk zijn om zo'n debat te voeren, dan zou dat alsnog een sterk verschraalde vorm van politieke discussie zijn. Voorstanders van zo'n debat gaan ervan uit dat we alleen kunnen kiezen tussen op riskante wijze de feiten op hun beloop laten en een waardenneutrale technocratische oplossing. Die veronderstelling gaat echter voorbij aan de diepere ethische en politieke afwegingen die ten grondslag liggen aan de controverse over klimaatverandering.

Wat de technocratische opstelling zo aantrekkelijk maakt, maar ook haar zwakte vormt, is haar schijnbaar frictieloze waardenneutraliteit. Praten over 'slimme technologie' en 'slimme regelgeving' gaat voorbij aan de ethische en politieke kwesties die klimaatverandering zo'n intimiderend moeilijke kwestie maken: Wat zou ervoor nodig zijn om de overmatige invloed van de fossielebrandstofindustrie op de democratische politiek tegen te gaan? Dienen we de consumentistische attitudes aan te passen die ons ertoe brengen om een instrumentele houding aan te nemen tegenover de natuur en haar te behandelen als een stortplaats voor wat paus Franciscus onze 'wegwerpcultuur' heeft genoemd?[90] En hoe zit het met mensen die geen bezwaar maken tegen overheidsingrijpen om de koolstofemissies te reduceren omdat ze de natuurwetenschappelijke rechtvaardiging daarvoor niet accepteren, maar omdat ze hoe dan ook niet gediend zijn van overheidsingrijpen, laat staan wanneer het gaat om zo'n

grootschalige herconfiguratie van de economie, en die geen vertrouwen hebben in de technocratische elites die een dergelijke
herconfiguratie zouden moeten ontwerpen en uitvoeren?

Dit zijn geen wetenschappelijke vragen die beantwoord kunnen worden door deskundigen. Het zijn vragen over macht en
gezag, ethiek en vertrouwen, en dat houdt in dat het vragen zijn
die voorgelegd dienen te worden aan democratische burgers.

Een van de tekortkomingen van de over goede diploma's beschikkende, meritocratische elites die de afgelopen veertig jaar
het land hebben bestuurd, is dat ze er niet goed in geslaagd
zijn om dergelijke vragen aan de kern van het politieke debat
te plaatsen. Op dit moment in de geschiedenis, terwijl we ons
ongerust afvragen of de democratische normen wel zullen blijven voortbestaan, lijken klachten over de hoogmoed van de
meritocratische elites en hun beperkte technocratische blikveld
wellicht onbenullig, maar het is hun politiek geweest waardoor
we in deze situatie verzeild zijn geraakt, en die de onvrede heeft
gewekt waarop autoritaire populisten nu inspelen. Alleen door
eerst de tekortkomingen van meritocratie en technocratie onder
ogen te zien kunnen we iets ondernemen tegen die onvrede en
zullen we in staat zijn om ons een nieuw beeld te vormen van
een politiek die zich inzet voor het algemeen belang.

5

Succesethiek

Laten we eens twee samenlevingen nemen met eenzelfde ongelijkmatige verdeling van inkomen en vermogen. Van elke 100 dollar nationaal inkomen ontvangt de rijkste 20 procent 62 dollar, terwijl de armste 20 procent niet meer dan 1,70 dollar krijgt. Wanneer we het totale inkomen van de onderste helft van de samenleving bij elkaar zouden nemen, zou dat slechts 12,50 dollar bedragen, veel minder dan het deel dat alleen de rijkste 1 procent opstrijkt (20,20 dollar). De vermogensongelijkheid is zelfs nog groter.[1]

Wie bezwaar maakt tegen de schrijnende ongelijkheid in inkomen en vermogen, zou deze samenlevingen onrechtvaardig kunnen vinden. Maar voor we tot een oordeel komen, is het misschien goed om nog wat meer informatie te verzamelen. Zo kan het bijvoorbeeld nuttig zijn om te weten hoe deze ongelijke inkomensverdeling tot stand is gekomen.

Meritocratie versus aristocratie

Laten we er eens van uitgaan dat de eerste samenleving een aristocratie is waarin inkomen en vermogen worden bepaald door het geboorterecht en worden doorgegeven van generatie op generatie. Wie in een adellijke familie wordt geboren is rijk, en wie in een gezin van keuterboeren wordt geboren is arm. Datzelfde geldt voor hun kinderen en kleinkinderen. Laten we er nu eens van uitgaan dat de tweede samenleving een meritocratie is. De inkomens- en vermogensongelijkheid is hier niet het resultaat van erfelijk privilege, maar van wat mensen hebben verdiend dankzij inspanning en talent.

Wie dit hoort, zal waarschijnlijk de voorkeur geven aan de tweede samenleving boven de eerste. Een aristocratie is onrechtvaardig omdat die mensen in klassen indeelt op grond van hun geboorte. Ze staat hun niet toe om op te klimmen. Een meritocratie stelt mensen daarentegen in staat om hun toestand te verbeteren door hun talent en hun vindingrijkheid te gebruiken. Dat is een krachtig argument voor een meritocratie. Natuurlijk maakt een meritocratie geen einde aan de ongelijkheid. Juist omdat mensen verschillende talenten en ambities hebben, zullen sommigen het verder brengen dan anderen, maar we kunnen in elk geval stellen dat deze ongelijkheid een afspiegeling is van de verdienste van mensen in plaats van de omstandigheden waaronder ze werden geboren.

Wie zich zorgen maakt over ongelijkheid, zal misschien nog meer willen weten. Diegene zal vermoeden dat zelfs in een meritocratische samenleving toch in elk geval een deel van de mensen aan de top heeft kunnen profiteren van een gunstige start in het leven – liefdevolle, ondersteunende en mogelijk welvarende ouders, goede scholing door toegewijde docenten, enzovoorts. Voordat ze de meritocratische samenleving uitroepen tot de rechtvaardigste, zullen deze sceptici toch eerst zeker willen weten dat er een beleid is dat garandeert dat alle kinderen, ongeacht hun familieachtergrond, de educatieve en culturele kansen krijgen waarmee ze hun volledige potentieel kunnen verwerkelijken.

Een manier om na te denken over wat een samenleving recht-vaardig maakt, is door je af te vragen welke samenleving je zou kiezen indien je vooraf niet zou weten of je in een rijke of een arme familie zult opgroeien. Vanuit dat perspectief zouden de meeste mensen het erover eens zijn dat een meritocratie met meer werkelijk gelijkwaardige kansen rechtvaardiger is dan een aristocratie. Laat de vraag van de gerechtigheid voor nu echter even buiten beschouwing en richt de aandacht eens op een an-der kenmerk van de twee ongelijke samenlevingen die we ons hebben voorgesteld. Stel dat je wél bij voorbaat zou weten of je uiteindelijk aan de top of juist onderop zou belanden. In welke van deze twee samenlevingen zou je dan willen leven als rijke? En in welke als arme?

Bedenk dat beide samenlevingen uiterst ongelijk zijn. Wie in de hoogste 1 procent belandt, heeft een gemiddeld inkomen van, laten we zeggen, 1,3 miljoen dollar per jaar. Wie in de on-derste 20 procent belandt, krijgt slechts 5400 dollar per jaar.[2] Dat is nogal een verschil. We zouden kunnen concluderen dat, aangezien de kloof tussen rijk en arm even groot is in beide samenlevingen, het hier niet helpt om een keuze te maken als vooraf bekend is op welke positie je uitkomt.

Inkomen en vermogen zouden echter niet de enige overweging vormen. Als je rijk bent, zul je misschien de voorkeur geven aan een samenleving die je in staat stelt om je rijkdom en je privileges door te geven aan je kinderen. Dat pleit voor een aristocratische samenleving. Als je arm bent, geef je misschien eerder de voor-keur aan een samenleving die het mogelijk maakt dat jijzelf of je kinderen een kans hebben om op te klimmen. Dat pleit voor een meritocratische samenleving.

Verdere overweging levert echter in beide gevallen nog een ex-tra tegenargument op. Mensen geven niet alleen om hoeveel geld ze hebben, maar ook om wat hun rijkdom of armoede betekent voor hun sociale aanzien en zelfachting. Als je geboren wordt in de hoogste regionen van de aristocratie, zul je je ervan bewust zijn dat het privilege een kwestie van geluk is, en niet van verdienste. Maar als je dankzij inspanning en talent naar de top van een meritocratie weet te klimmen, zul je trots zijn op het feit dat je dit succes hebt verdiend in plaats van geërfd. In tegenstelling tot het aristocratische privilege brengt het meritocratische succes het gevoel met zich mee geslaagd te zijn en de verworven positie verdiend te hebben. Vanuit dat perspectief is het beter om rijk te zijn in een meritocratie dan in een aristocratie.

En om vergelijkbare redenen werkt arm zijn in een meritocratie demoraliserend. Wie in een feodale samenleving als lijfeigene werd geboren, had een zwaar leven, maar werd in elk geval niet bezwaard door het idee dat hij zelf verantwoordelijk was voor zijn ondergeschikte positie. Bovendien geloofde hij dan niet dat de heer voor wie hij moest werken zijn positie had verkregen omdat hij vaardiger en vindingrijker was dan hij. Hij zou weten dat de heer het niet meer verdiend had dan hij, maar eenvoudigweg meer geluk had gehad.

Wie zich echter onderaan bevindt in een meritocratische samenleving, zou toch al gauw op het idee komen dat die tegenslag in elk geval deels zijn eigen schuld was, een gevolg van onvoldoende talent en ambitie om verder te komen. Een samenleving die mensen de gelegenheid biedt om op te klimmen en die dat viert, velt een hard oordeel over iedereen die daar niet in slaagt.

De duistere zijde van de meritocratie

Toen de term 'meritocratie' werd bedacht, was men zich al bewust van die zorg. Michael Young was een Britse socioloog die banden had met de Labourpartij. In 1958 schreef hij een boek getiteld *The Rise of the Meritocracy*.[3] Wat Young betreft was meritocratie de naam van een dystopie, en niet van een ideaal. Hij schreef in een tijd waarin het Britse klassenstelsel uiteen begon te vallen en plaats moest maken voor een systeem van sociale mobiliteit in het onderwijs en op het werk op basis van verdienste. Dat was een verworvenheid, omdat het getalenteerde kinderen uit de arbeidersklasse in staat stelde om hun talenten te ontwikkelen en te ontsnappen aan een leven van handarbeid.

Young zag echter ook wel iets van de duistere kant van de meritocratie. Hij nam het perspectief in van een historicus die in het jaar 2033 terugkeek en beschreef met een griezelig vooruitziende blik de morele logica van de meritocratische samenleving die bezig was te ontstaan in het naoorlogse Groot-Brittannië van zijn tijd. Zonder de klassenmaatschappij die op dat moment bezig was te verdwijnen te willen verdedigen, stelde Young dat de morele willekeur en de onmiskenbare oneerlijkheid toch in elk geval het volgende gewenste effect hadden gehad: ze temperden de zelfachting van de hogere klassen en voorkwamen dat de arbeidersklasse haar ondergeschikte status beschouwde als een persoonlijk falen.

Wie naar de top werd 'gekatapulteerd' door de rijkdommen en de invloed van zijn ouders, 'kon niet vol overtuiging tegen zichzelf zeggen: "Ik ben de beste man voor deze taak," omdat zo iemand wist dat hij zijn positie niet door eerlijke concurrentie had verkregen, en als hij oprecht was moest erkennen dat zeker tien van zijn ondergeschikten de functie waarschijnlijk net zo goed, zo niet beter, hadden kunnen vervullen'.[4]

Een man uit de hogere klassen moest wel volledig ongevoelig zijn om niet op een bepaald moment in zijn leven die soldaat in zijn regiment, een butler of een 'poetsvrouw' in zijn huis, een taxi- of buschauffeur, of de bescheiden arbeider met zijn getekende gezicht en zijn levendige ogen in de treinwagon of de plattelandspub te hebben opgemerkt – om niet in te zien dat er ook onder die mensen intelligentie, scherpzinnigheid en wijsheid te vinden was die zich met de zijne kon meten.[5]

En al waren er mannen uit de hogere klassen die zichzelf voorhielden dat ze hun plaats bovenaan de maatschappelijke ladder verdienden, hun ondergeschikten wisten wel beter. Die wisten 'dat veel bazen niet beter waren door wat ze wisten, maar eerder door wie ze kenden en wie hun ouders waren'. Het besef dat het systeem oneerlijk was, gaf de arbeidersklasse de kracht om het in politiek opzicht ter discussie te stellen. (Daarom was er een Labourpartij.) Even belangrijk was echter dat de willekeur van het klassenstelsel de arbeiders vrijwaarde van een gevoel van inferioriteit vanwege de positie die de maatschappij hun had toebedeeld.[6]

> De arbeider zei tegen zichzelf: 'Dit ben ik, een arbeider. Waarom ben ik een arbeider? Kan ik dan niets anders? Welnee. Als ik een eerlijke kans had gekregen, had ik de wereld eens wat laten zien. Dokter? Brouwer? Dominee? Ik had alles kunnen worden wat ik maar wilde. Maar ik heb nooit de kans gekregen. En dus ben ik arbeider. Maar denk nou niet dat ik in de grond minder ben dan wie dan ook.'[7]

Volgens Young brengt het heldere besef van de morele willekeur van de maatschappelijke positie een zeker voordeel met zich mee. Noch de winnaars, noch de verliezers zullen zo ooit geloven dat ze hun lot hebben verdiend. Dat vormt geen rechtvaardiging van het klassenstelsel, maar het werpt wel licht op een paradoxaal aspect van de meritocratie. De toewijzing van banen en kansen op grond van verdienste leidt niet tot geringere ongelijkheid, maar herschikt de ongelijkheid hooguit op een wijze die aansluit bij vaardigheden van mensen. Die herschikking leidt echter tot de aanname dat mensen krijgen wat ze verdienen. En die aanname zorgt voor een diepere kloof tussen rijk en arm.

> Nu mensen in klassen zijn ingedeeld aan de hand van hun vaardigheden, is de kloof tussen die klassen onvermijdelijk breder geworden. De hogere klassen worden (…) niet langer geplaagd door een gebrek aan zelfvertrouwen of door zelfkritiek. Tegenwoordig weten de verhevenen dat succes

niet meer is dan een beloning voor hun eigen vaardigheden, hun eigen inspanningen en voor wat ze ontegenzeglijk persoonlijk hebben bereikt. Zij verdienen het om tot een hogere klasse te behoren. Ze weten bovendien dat ze niet alleen van het begin af aan al van een hoger kaliber waren, maar dat er een eersteklas onderwijs is gebouwd op hun aangeboren vaardigheden.[8]

Daarmee voorzag Young niet alleen de meritocratische hoogmoed van elites, maar bovendien ook het belang dat ze hechten aan technocratische expertise, de neiging die ze hebben om neer te kijken op iedereen die het aan hun geweldige referenties ontbreekt, en het schadelijke effect van die houding op het publieke debat. De opkomende elites 'ontwikkelen sterker dan wie dan ook een begrip van de volledige en steeds toenemende complexiteit van onze technische beschaving. Ze worden geschoold in wetenschap, en het zijn de wetenschappers die het aardrijk beërven.' Hun grotere intellect en betere scholing geven hun weinig reden of gelegenheid om serieus in gesprek te gaan met iedereen die niet is afgestudeerd.

> Hoe kunnen ze nu een tweezijdig gesprek voeren met de lagere klassen als zij [de elites] een andere, rijkere en preciezere taal spreken? Vandaag de dag weet de elite dat (...) haar maatschappelijk ondergeschikten ook op andere manieren inferieur zijn – dat wil zeggen op twee belangrijke gebieden, die van de intelligentie en de scholing, die sterk worden gewaardeerd in het meer consistente waardenstelsel van de eenentwintigste eeuw.[9]

'Een van onze kenmerkende moderne problemen,' merkte Young op (en bedenk dat hij 'observeerde' alsof hij in 2033 leefde), is dat 'sommige leden van de meritocratie (...) zo onder de indruk zijn geraakt van hun eigen gewichtigheid dat ze de sympathie hebben verloren voor de mensen die ze besturen.' Hij voegde er spottend aan toe dat sommige meritocraten 'zo tactloos waren dat ze zelfs mensen van gering kaliber volkomen onnodig hebben beledigd'.[10] (En wie herinnert zich niet Hillary Clintons uitspraak tijdens de verkiezingscampagne van 2016 dat de helft van Donald Trumps aanhang bestond uit een *basket of deplorables*, een verzameling treurige figuren.)

De afkeer jegens de elites werd nog eens versterkt door de zelftwijfel die een meritocratie nu eenmaal oplegt aan iedereen die er niet in slaagt om op te klimmen.

> Vandaag de dag weet iedereen, hoe bescheiden zijn of haar afkomst ook is, dat hij of zij alle kansen heeft gehad. (...) Zijn ze dan onherroepelijk gedoemd te erkennen dat ze een inferieure status hebben – niet zoals in het verleden omdat hun de kansen werden ontzegd, maar omdat ze inferieur *zijn*? Voor het eerst in de geschiedenis heeft de inferieure mens niets om zijn zelfachting op te baseren.[11]

Young voorzag dat dit giftige brouwsel van hoogmoed en wrok tot een politieke reactie zou leiden. Hij sloot zijn dystopische vertelling af met de conclusie dat er in 2034 een populistische opstand tegen de meritocratische elites zou uitbreken onder de lager geschoolde klassen. In 2016, toen Groot-Brittannië voor de Brexit stemde en Amerika voor Trump, was de revolte, achttien jaar eerder dan hij had voorspeld, een feit.

Meritocratie heroverwogen

De twee samenlevingen die ik heb beschreven zijn niet zuiver hypothetisch. De inkomensongelijkheid waarmee ze kampen, is die welke momenteel heerst in de Verenigde Staten.[12] Als iemand al de moeite neemt om die ongelijkheid te rechtvaardigen, is dat meestal op grond van een meritocratische redenering. Niemand zal stellen dat de rijken rijk moeten zijn omdat ze rijke ouders hadden. De critici van de ongelijkheid mogen dan misschien klagen dat wie de erfbelasting wil afschaffen feitelijk het erfelijk privilege bevordert, maar niemand zal dat privilege openlijk verdedigen of betwisten dat wie talent heeft carrière moet kunnen maken.

De meeste discussies over de toegankelijkheid van banen, onderwijs en overheidsfuncties gaan uit van gelijke kansen. Onze meningsverschillen gaan niet zozeer over het principe op zich, als wel over wat ervoor nodig is. Zo stellen critici van positieve discriminatie in het aanstellings- en universitair toelatingsbeleid dat een dergelijk beleid in strijd is met het idee van gelijke kansen, omdat het kandidaten beoordeelt op grond van andere factoren dan verdienste. Voorstanders van positieve discriminatie antwoorden daarop dat dergelijk beleid noodzakelijk is om te garanderen dat leden van groepen die worden gediscrimineerd of achtergesteld ook werkelijk gelijke kansen krijgen.

De meritocratie heeft in elk geval gewonnen op het niveau van het principe en de politieke retoriek. In democratieën wereldwijd beweren politici van linkse en rechtse middenpartijen dat juist hun beleid alle burgers in staat zal stellen om ongeacht hun ras, etniciteit, gender of klasse op gelijke voorwaarden te concurreren en zover op te klimmen als hun inspanningen en talenten hen maar kunnen brengen. Wanneer mensen klagen over de meritocratie, richt die klacht zich meestal niet tegen het ideaal, maar tegen het feit dat er niet aan wordt voldaan: de rijken en machtigen hebben het systeem zo naar hun hand gezet dat hun privileges in stand worden gehouden, de professionele klassen hebben geleerd hoe ze hun voorrechten kunnen doorgeven aan hun kinderen en zo de meritocratie kunnen omzetten in een erfelijke aristocratie. Universiteiten die beweren dat ze studenten selecteren op grond van hun talenten, trekken de zonen en dochters van de rijken en de ouders met de juiste connecties voor. Volgens die klacht is de meritocratie een mythe, een vage belofte die nog moet worden ingelost.[13]

Die klacht is zeker terecht. Maar wat als het probleem nu

eens veel fundamenteler van aard is? Wat nu als het werkelijke probleem van de meritocratie niet is dat we haar niet hebben weten te verwerkelijken, maar dat het hele ideaal op zich niet deugt? Wat nu als de retoriek van het opklimmen mensen niet langer inspireert, niet simpelweg omdat de sociale mobiliteit is vastgelopen, maar veel fundamenteler, omdat mensen helpen om die ladder van het succes in een competitieve meritocratie te beklimmen een betekenisloos politiek project is dat getuigt van een armoedige opvatting van burgerschap en vrijheid?

Om die meer algemene vraag te kunnen beantwoorden, moeten we twee bezwaren tegen de meritocratie als moreel en politiek project onder de loep nemen. Het ene heeft te maken met gerechtigheid, het andere met de houding ten opzichte van succes en falen. Het eerste bezwaar betwijfelt of zelfs een volledig gerealiseerde meritocratie, waarin banen en salarissen een zuivere neerslag vormen van de inspanningen en de talenten van mensen, eigenlijk wel een rechtvaardige samenleving zou opleveren. Het tweede bezwaar stelt dat zelfs als een meritocratie eerlijk zou zijn, dat nog altijd geen goede samenleving zou opleveren. Ze zou gekenmerkt worden door hoogmoed en angsten onder de winnaars en vernedering en afgunst onder de verliezers – houdingen die zich niet laten verenigen met menselijk geluk en die het algemeen welzijn aantasten.

De filosofische kritiek van de meritocratie richt zich voornamelijk op het eerste bezwaar. Om redenen die we nog nader zullen bespreken, verwerpen de meeste hedendaagse filosofen het idee dat de samenleving banen en salarissen zou moeten toewijzen op grond van wat mensen verdienen. Daarmee staat wat filosofen denken dwars op de morele intuïties achter de publieke opinie, en het is goed om eens te bepalen wie er nu eigenlijk gelijk heeft – de filosofen of het publiek.

Hoewel het eerste bezwaar, dat van de gerechtigheid, het bekendste is in filosofische kringen, is het tweede bezwaar, over hoogmoed en vernedering, belangrijker voor een goed begrip van onze huidige politieke situatie. Het populistische protest tegen de meritocratische elites gaat niet alleen over eerlijkheid, maar ook over maatschappelijk aanzien. Om dit protest te kunnen begrijpen moeten we de grieven en de wrevel die er de drijvende kracht van vormen, leren zien en inschatten. Zijn ze terecht of misplaatst? En voor zover ze terecht zijn, is daar dan wat aan te doen? In moeilijke tijden probeert de filosofie de wereld te interpreteren én te veranderen.

Zou een perfecte meritocratie rechtvaardig zijn?

Laten we ons eens voorstellen dat we alle oneerlijke obstakels voor het succes op een dag zouden kunnen wegnemen, zodat iedereen, ook van een bescheiden afkomst, kan concurreren met de kinderen van de geprivilegieerden en daarbij eerlijke kansen heeft. Stel dat we er in de praktijk in zijn geslaagd te bereiken waar we ons principieel aan vasthouden, namelijk dat alle burgers dezelfde kans moeten hebben om zover op te klimmen als hun talenten en hun inspanningen hun toestaan.

Een dergelijke samenleving zou uiteraard moeilijk te verwezenlijken zijn. Een einde maken aan discriminatie zou nog niet voldoende zijn. Het instituut van de familie compliceert het project om iedereen een gelijke kans te bieden. Het is niet zo eenvoudig om te compenseren voor de voordelen die de kinderen van welvarende ouders genieten. Daarbij denk ik niet in de eerste plaats aan het geërfde vermogen. Dat is met een robuust successierecht nog wel te regelen. Ik denk eerder aan de alledaagse manieren waarop gewetensvolle, welvarende ouders hun kinderen helpen. Zelfs het beste, meest inclusieve onderwijssysteem zal het zwaar hebben om leerlingen met een armere achtergrond in staat te stellen om op gelijke voorwaarden te concurreren met kinderen van families die overvloedig veel aandacht, middelen en connecties in de strijd kunnen werpen.

Laten we echter eens doen alsof het wel mogelijk is. Stel dat we werkelijk de belofte waar zouden kunnen maken dat elk kind dezelfde kansen krijgt om mee te dingen naar succes op school, in het werk en in het leven in het algemeen. Levert dat dan een rechtvaardige samenleving op?

De verleiding bestaat om te antwoorden: 'Ja, natuurlijk. Is dat immers niet waar de Amerikaanse droom over gaat – de vorming van een open, mobiele samenleving waarin het kind van een landarbeider of een totaal berooide immigrant kan opklimmen tot CEO?' En terwijl die droom een speciale aantrekkingskracht uitoefent op Amerikanen, voelen ook mensen in andere democratische samenlevingen wereldwijd zich erdoor aangesproken.

Een volmaakt mobiele samenleving is om twee redenen een inspirerend ideaal. Ten eerste is het de uitdrukking van een bepaald idee van vrijheid. Ons lot mag niet worden bepaald door de omstandigheden waaronder we geboren worden, we moeten het zelf kunnen bepalen. Ten tweede getuigt het van de hoop dat wat we bereiken ook overeenkomt met wat we verdienen. Als we vrij zijn om op te klimmen op grond van onze keuzes en talenten, lijkt het toch gerechtvaardigd om te zeggen dat wie succesvol is, dat heeft verdiend.

Ondanks de aantrekkingskracht die daarvan uitgaat, is er echter reden om te betwijfelen dat zelfs een perfect gerealiseerde meritocratie een rechtvaardige samenleving zou zijn. Om te beginnen is het van belang om op te merken dat het meritocratische ideaal over mobiliteit gaat, niet over gelijkheid. Het vooronderstelt niet dat er iets mis is met een gapende kloof tussen rijk en arm, maar houdt hooguit vol dat de kinderen van de rijken en de kinderen van de armen in staat moeten zijn om, in de loop van de tijd, van plaats te wisselen op grond van hun verdienste – om op te klimmen of onderuit te gaan als gevolg van hun inspanningen en talent. Niemand zou onderaan de ladder vast moeten zitten of zich bovenaan die ladder moeten kunnen verschansen als gevolg van vooroordelen of privileges.

Voor een meritocratie is het van belang dat iedereen dezelfde kans heeft om de ladder van het succes te beklimmen. Ze zegt echter niets over hoe ver de sporten van die ladder uit elkaar moeten liggen. Het meritocratische ideaal is geen oplossing voor het probleem van de ongelijkheid, het is een rechtvaardiging van die ongelijkheid.

Op zich is dat nog geen argument tegen de meritocratie. Het roept echter wel een vraag op: is de ongelijkheid die het gevolg is van de meritocratische concurrentie gerechtvaardigd? De voorstanders van een meritocratie zeggen van wel. Als iedereen maar gelijke kansen heeft, is de uitkomst rechtvaardig. Zelfs in een eerlijke wedstrijd zijn er winnaars en verliezers. Wat van belang is, is dat iedereen de race op hetzelfde punt start, nadat we in dezelfde mate toegang hebben gehad tot training, coaches, voeding enzovoorts. Als dat het geval is, heeft de winnaar van de race verdiend gewonnen. Het is niet onrechtvaardig dat sommigen harder kunnen rennen dan anderen.

Verdienen wij onze talenten?

Of dit een overtuigend argument is, is afhankelijk van de morele status van talent. Denk nog eens terug aan de retoriek van het opklimmen die tegenwoordig luid klinkt in het publieke debat. Hoe bescheiden onze afkomst ook is, volgens politici zouden we allen in staat moeten zijn zover op te klimmen als onze talenten en hard werken ons kunnen brengen. Maar waarom precies zover? Waarom zouden we vooronderstellen dat onze talenten ons lot moeten bepalen en dat we de beloning die dat oplevert hebben verdiend?

Er zijn twee redenen om daar vraagtekens bij te plaatsen. Om te beginnen heb ik een bepaald talent niet aan mezelf te danken, maar is het feit dat ik erover beschik een kwestie van geluk – en ik heb geen bijzonder recht op de voordelen (of nadelen) die ontstaan omdat ik geluk heb gehad. Meritocraten erkennen dat ik de voordelen die ik heb wanneer ik in een rijke familie geboren word niet verdiend heb. Dus waarom zou het met andere vormen van geluk – zoals het hebben van een overvloedige hoeveelheid talent – dan anders liggen? Als ik een miljoen zou winnen in de loterij zou ik heel blij zijn met het geluk dat ik heb gehad, maar het zou dwaas zijn om te beweren dat ik die meevaller verdiend had, of dat het feit dat ik won ook maar op enigerlei wijze mijn verdienste was. En zo zou ik als ik een lot had gekocht en er niets mee had gewonnen teleurgesteld kunnen zijn, maar toch moeilijk kunnen klagen dat ik iets niet had gekregen waar ik wel recht op had.

Bovendien is het feit dat ik ben opgegroeid in een samenleving die waarde hecht aan talent al evenmin mijn verdienste. Ook dat is een kwestie van geluk hebben. LeBron James verdient tientallen miljoenen dollars per jaar met basketbal, een ongelooflijk populaire sport. Afgezien van het feit dat hij gezegend is met bijzondere atletische gaven, heeft LeBron het geluk dat hij in een samenleving is opgegroeid die deze gaven waardeert en beloont. Het is echter niet zijn eigen verdienste dat hij in deze tijd leeft waarin mensen wild zijn van de sport die hij speelt, in plaats van in het Florence van de Renaissance, toen er veel vraag was naar frescoschilders en niet naar basketbalspelers.

Datzelfde kan ook worden gezegd van mensen die goed zijn in activiteiten die minder hoog worden aangeslagen in onze maatschappij. De wereldkampioen armworstelen is misschien wel even goed in armworstelen als LeBron in basketbal. Het is niet zijn schuld dat, afgezien van een enkele kroegbaas, niemand bereid is om te betalen voor het voorrecht om te zien hoe hij de arm van een tegenstander tegen de tafel drukt.[14]

Een groot deel van de aantrekkingskracht van het meritocratiegeloof is gelegen in het idee dat we zelf verantwoordelijk zijn voor ons succes, althans onder de juiste omstandigheden. Voor zover de economie iedereen eerlijke kansen biedt, niet verstoord door privileges of vooroordelen, zijn we verantwoordelijk voor ons eigen lot. Of we slagen of mislukken is afhankelijk van onze verdienste. We krijgen wat we verdienen.

Dat is een bevrijdend beeld, want de suggestie die ervan uitgaat is dat we zelf kunnen bepalen wie we zijn, wat ons lot zal zijn, hoe onze toekomst eruit zal zien. Daarnaast is het in moreel opzicht geruststellend, omdat het suggereert dat de economie gehoor geeft aan de eeuwenoude opvatting van gerechtigheid, door mensen te geven wat hun toekomt.

Maar de erkenning dat onze talenten niet onze eigen verdienste zijn, compliceert dit beeld van de mens die zichzelf maakt tot wat hij is wel enigszins. Ze trekt het meritocratische geloof dat het voor een rechtvaardige samenleving voldoende zou zijn om vooroordelen en privileges te overwinnen in twijfel. Als onze talenten ons gegeven zijn en we ervoor in het krijt staan – of dat nu bij de genetische loterij of bij God is – is het een vergissing en zelfs hoogmoedig om te denken dat we de voordelen verdienen die eruit voortvloeien.

Maakt inspanning ons waardig?

Verdedigers van de meritocratie beantwoorden die vraag met een beroep op inspanning en hard werken. Zij stellen dat wie opklimt door hard te werken verantwoordelijk is voor het succes dat die inspanning oplevert, en de lof voor zijn ijver waardig. Dat is waar, tot op zekere hoogte. Inspanning doet er inderdaad toe en niemand, hoe getalenteerd ook, behaalt successen zonder zijn of haar talenten te cultiveren. Zelfs de meest getalenteerde musicus moet vele uren oefenen om goed genoeg te worden om in de Carnegie Hall te mogen optreden. Zelfs de meest getalenteerde sporter moet maanden van zware trainingen doorstaan om in het olympisch team te worden opgenomen.

Ondanks het belang van inspanning is succes echter zelden het resultaat van alleen hard werken. Wat olympische medaille-winnaars en NBA-sterren onderscheidt van minder goede sporters is meer dan hun strenge trainingsregime. Veel basketbalspelers trainen net zo hard als LeBron, maar slechts een enkeling is zo goed als hij tijdens een wedstrijd. Ik zou dag en nacht kunnen trainen en dan nog zwem ik niet sneller dan Michael Phelps.

Usain Bolt, de sprinter en goudenmedaillewinnaar die wordt beschouwd als de snelste man op aarde, gaf toe dat zijn trainingspartner Yohan Blake, ook een getalenteerd sprinter, harder werkt dan hij. Inspanning is niet alles.[15]

De verdedigers van de meritocratie weten dit natuurlijk. Ze beweren dan ook niet dat de sporter die het hardst werkt de gouden medaille verdient, dat de ijverigste wetenschapper de Nobelprijs zou moeten krijgen of dat de arbeider die het hardst werkt het hoogste loon zou moeten ontvangen, ongeacht de resultaten.

Ze weten dat succes een complex gevolg is van talent en inspanning dat zich niet zo makkelijk laat ontwarren. Succes leidt tot meer succes, en wie niet beschikt over een talent dat door de samenleving wordt beloond, zou weleens moeite kunnen hebben om de motivatie te vinden om zich extra in te spannen. Het meritocratische argument is echter meer dan een sociologische bewering over de werkzaamheid van inspanning. Het is in de eerste plaats een morele bewering over menselijke werkzaamheid en vrijheid.

De meritocratische nadruk op inspanning en hard werken wil het idee rechtvaardigen dat we, gegeven de juiste omstandigheden, zelf verantwoordelijk zijn voor ons succes en daarmee in staat zijn tot vrijheid. Daarnaast lijkt ze het geloof te willen rechtvaardigen dat als de concurrentie werkelijk eerlijk is, succes hetzelfde zal zijn als deugdzaamheid: wie hard werkt en zich aan de regels houdt, zal krijgen wat hem toekomt.

We willen geloven dat succes, in de sport en in het leven, iets is wat we verdienen en niet iets wat we erven. Natuurlijke gaven en de voordelen die ze veroorzaken, brengen het meritocratische geloof in verlegenheid. Ze stellen het idee dat lof en beloning enkel het gevolg zijn van inspanning ter discussie. Geconfronteerd met dat beschamende besef, blazen we het morele belang van de inspanning en het streven enorm op. Dat is bijvoorbeeld te zien in de manier waarop op televisie verslag wordt gedaan van de Olympische Spelen. Daarbij wordt vaak minder aandacht besteed aan de kunsten van de sporters dan aan de tegenslagen die ze hebben overwonnen, de obstakels die ze hebben genomen en de strijd die ze hebben moeten voeren om een blessure, een moeilijke jeugd of de politieke onrust in hun geboorteland te boven te komen.[16]

We zien het terug bij de overgrote meerderheid (77 procent) van de Amerikanen die, ondanks de problemen die ze ondervinden wanneer ze proberen op te klimmen, denken dat 'de meeste mensen succesvol kunnen zijn als ze maar hard willen werken'.[17] Ik zie een vergelijkbare overdreven nadruk op ijver bij mijn studenten aan Harvard, die ondanks hun indrukwekkende talenten en vaak gunstige levensomstandigheden altijd zullen beweren dat ze zijn toegelaten omdat ze zo hard hebben gewerkt.

Als het meritocratische ideaal tekortschiet omdat het geen oog heeft voor de morele willekeur van talent en het morele belang van de inspanning te groot maakt, rest ons de vraag welke alternatieve opvattingen van gerechtigheid er zijn – en welke noties van vrijheid en verdienste die hanteren.

Twee alternatieven voor meritocratie

Gedurende de afgelopen halve eeuw hebben twee concurrerende opvattingen van wat een rechtvaardige samenleving is het politieke debat in de meeste democratische samenlevingen bepaald. De ene zouden we het vrijemarktliberalisme (in Europa spreekt men van neoliberalisme) kunnen noemen, de andere het liberalisme van de welvaartsstaat (egalitair liberalisme). Deze twee publieke filosofieën hebben een complexe verhouding met de meritocratie. Beide bieden ze overtuigende argumenten tegen het meritocratische idee dat een rechtvaardige samenleving het inkomen en het vermogen verdeelt op basis van wat mensen verdienen.

In de praktijk leiden ze echter beide tot een opvatting van succes die maar moeilijk te onderscheiden is van de meritocratische. Geen van beide komt met een beschrijving van het algemeen welzijn die sterk genoeg is om het op te nemen tegen de hoogmoed en de vernedering die meritocratieën zo vaak teweegbrengen. Ondanks het feit dat ze het idee verwerpen dat de winnaars in een competitieve marktsamenleving hun succes in moreel opzicht verdiend hebben, bieden deze publieke filosofieën geen alternatief voor de tirannie van de verdienste. Het is desalniettemin verhelderend om eens te bekijken waarom ze, ondanks het feit dat ze het onderling niet eens zijn, beide de verdienste als basis van de rechtvaardigheid afwijzen.

Vrijemarktliberalisme

De meest invloedrijke verdediging van het vrijemarktliberalisme van de twintigste eeuw was misschien wel die van Friedrich A. Hayek, een Oostenrijkse econoom-filosoof. Hayek, die een bron van inspiratie vormde voor Margaret Thatcher en andere voorstanders van het laisser-fairekapitalisme, was tegen overheidsinspanningen om de economische ongelijkheid te beperken, pleitte tegen progressieve belastingstelsels en zag de welvaartsstaat als een bedreiging voor de vrijheid.

In zijn boek *The Constitution of Liberty* (1960) stelt Hayek dat de enige gelijkheid die verenigbaar is met de vrijheid, de puur formele gelijkheid van alle burgers voor de wet is. Carrières moeten openstaan voor iedereen, maar de staat moet niet iedereen dezelfde uitgangspositie geven door gelijke of compenserende opleidingsmogelijkheden te bieden, want dat zou onrealistisch of uiteindelijk een vorm van dwang zijn. Tenzij we de familie zouden afschaffen, groeien kinderen onherroepelijk op in gezinnen die uiteenlopende voordelen kunnen bieden, en elke poging om alle kinderen dezelfde kans te bieden op succes zou gepaard moeten gaan met onacceptabele overheidsbemoeienis. Hayek verwerpt het idee 'dat iedereen verzekerd moet zijn van een gelijke uitgangspositie en dezelfde vooruitzichten' op succes. Voor een dergelijk principe zou het nodig zijn dat de staat de controle behoudt over 'alle omstandigheden die relevant zijn voor de vooruitzichten van een individu', een zeer ingrijpend project dat volgens Hayek 'het tegenovergestelde van vrijheid' zou zijn.[18]

Gezien zijn verzet tegen de herverdeling van het inkomen zouden we kunnen denken dat Hayek dan ook gelooft dat de vrije markt mensen de economische beloning geeft die ze verdienen. Maar dat is niet het geval. Hij stelt juist dat de resultaten van de markt niets te maken hebben met het belonen van verdienste. Ze vormen slechts een afspiegeling van de waarde die de consument hecht aan de goederen en de diensten die worden aangeboden. Hayek maakt onderscheid tussen verdienste en waarde. Verdienste impliceert een moreel oordeel over wat mensen verdienen, terwijl waarde simpelweg een maat is van wat consumenten bereid zijn te betalen voor een bepaald goed.[19]

Het is volgens Hayek een vergissing om de economische beloning al te zeer moreel te waarderen door ervan uit te gaan dat ze een afspiegeling zou zijn van de verdienste van wie haar ontvangt. Een van de redenen waarom Hayek deze moraliserende opvatting relativeert, is omdat hij een veelgehoord bezwaar tegen de inkomens- en vermogensongelijkheid die het gevolg zijn van een totaal vrije markt, de wind uit de zeilen wil nemen. Het meest overtuigende bezwaar tegen ongelijkheid, zo stelt hij, ontstaat uit de zorg dat 'de verschillen in beloning niet overeenkomen met duidelijk aanwijsbare verschillen tussen de verdienste van de mensen die ze ontvangen'.[20]

Hayeks antwoord op dat bezwaar is veelzeggend. In plaats van dat hij probeert aan te tonen dat wie op de markt goed beloond wordt dat ook in moreel opzicht verdiend heeft, verwerpt hij het idee dat economische beloning een weerspiegeling zou zijn van de verdiensten van mensen of van wat hun moreel gezien toekomt. Dat is de werkelijke betekenis van zijn onderscheid tussen verdienste en waarde. In een vrije samenleving zullen mijn inkomen en mijn vermogen een afspiegeling zijn van de waarde van de goederen en de diensten die ik aanbied, maar die waarde wordt bepaald door de toevalligheden van vraag en aanbod. Dat heeft niets te maken met mijn verdienste of deugd, of met het morele belang van mijn bijdrage.

Het volgende voorbeeld laat zien wat Hayek bedoelde. Volgens sommige mensen verdienen de managers van hedgefondsen het niet om zo veel beter betaald te worden dan onderwijzers. Het beheer van geld is veel minder bewonderenswaardig en belangrijk dan het onderwijzen en inspireren van jonge mensen. Iemand die de vrije markt verdedigt, zou daarop wellicht antwoorden dat de managers van hedgefondsen verantwoordelijk zijn voor het investeren van de met hard werken verdiende pensioenen van onderwijzers en brandweermannen, en voor de financiering van studiebeurzen, en dat het morele belang van hun werk maakt dat ze de enorme sommen die ze verdienen waardig zijn. Hayek komt echter niet met een dergelijk antwoord. Zijn redenering is veel radicaler. Hij verwerpt het idee dat het geld dat mensen ontvangen voor het werk dat ze doen in overeenstemming zou moeten zijn met wat ze verdienen.

Ter ondersteuning van zijn verwerping voert hij aan dat het feit dat ik een bepaald talent heb dat maatschappelijk gewaardeerd wordt niet mijn verdienste is, maar moreel gezien toeval, een kwestie van geluk:

> De aangeboren en de verworven gaven van een persoon hebben duidelijk een waarde voor zijn medemens die niet afhankelijk is van enig krediet dat hem toekomt omdat hij ze bezit. De mens kan maar weinig veranderen aan het feit dat zijn specifieke talent door velen wordt gedeeld of juist uiterst zeldzaam is. Een scherpe geest of een goede stem, een mooi gezicht of een vaardige hand, een rappe tong of een aantrekkelijke persoonlijkheid zijn in belangrijke mate onafhankelijk van de inspanningen die iemand doet of de kansen die hij heeft gehad. In al die gevallen houdt de waarde die de vaardigheden of diensten van die persoon voor ons hebben en waarvoor hij wordt betaald, nauwelijks verband met iets wat we morele verdienste zouden noemen.[21]

Voor Hayek is de ontkenning dat economische beloning ook maar iets te maken zou hebben met verdienste een manier om iedereen op afstand te houden die van mening is dat hedgefonds-managers het niet verdienen om een beter salaris te krijgen dan onderwijzers. Hayek kan op die eis antwoorden dat zelfs als we het erover eens zouden zijn dat onderwijzen nobeler is dan het beheren van geld, lonen en salarissen geen beloning vormen voor een goed karakter of een waardig streven, maar gewoon een betaling zijn die een afspiegeling is van de economische waarde van de goederen en diensten die marktpartijen aanbieden.

In tegenstelling tot Hayek zullen aanhangers van het liberalisme van de welvaartsstaat er voorstander van zijn om de rijken te belasten zodat de armen kunnen worden geholpen. Verbazingwekkend genoeg zijn ze het echter met Hayek eens dat de verdeling van inkomen en vermogen niet gebaseerd zou moeten zijn op de verdienste van mensen.

Het liberalisme van de welvaartsstaat

Het liberalisme van de welvaartsstaat (of het egalitair liberalisme, zoals we het ook zouden kunnen noemen) komt het sterkst tot uitdrukking in het werk van John Rawls, de bekende twintig-ste-eeuwse Amerikaanse politiek filosoof. In zijn klassieker *Een theorie van rechtvaardigheid* (1971) stelt John Rawls dat zelfs een systeem van eerlijke, gelijke kansen, een systeem dat volledig compenseert voor de effecten van klassenverschillen, nog niet tot een rechtvaardige samenleving zal leiden. De reden hiervoor: als mensen werkelijk gelijke kansen zouden krijgen, zouden degenen met het grootste talent winnen, maar verschillen in talent zijn in moreel opzicht even willekeurig als klassenverschillen.[22]

'Ten eerste laat een eerlijke meritocratie, ook al zou ze de invloed van sociale contingenties volkomen weten op te hef-fen, nog altijd toe dat de verdeling van vermogen en inkomen wordt bepaald door de natuurlijke verdeling van vermogens en talenten.'[23] Inkomensongelijkheid als gevolg van natuurlijke talenten is niet rechtvaardiger dan ongelijkheid die het gevolg is van klassenverschillen. 'Vanuit een moreel standpunt lijken ze allebei even arbitrair.'[24] Zelfs een samenleving die werkelijk gelijke kansen voor iedereen weet te garanderen hoeft dus niet per se een rechtvaardige samenleving te zijn. Ze zou ook iets moeten doen aan de ongelijkheid die ontstaat als gevolg van de verschillen tussen de aangeboren vaardigheden van mensen.

Maar hoe dan? Sommige voorstanders van een meritocratie maken zich zorgen dat het enige alternatief voor gelijke kansen bestaat uit gelijke resultaten, een soort nivellerende gelijkheid die de getalenteerden zou handicappen om te voorkomen dat ze een concurrentievoordeel genieten. In het korte verhaal 'Harrison Bergeron' stelt schrijver Kurt Vonnegut junior een dystopische toekomst voor waarin iedereen met een superieure intelligentie, uitzonderlijke lichaamskracht en een goed uiterlijk verplicht allerlei lasten en vermommingen moet dragen om te compenseren voor zijn natuurlijke voordelen.[25]

Rawls laat echter zien dat dit niet de enige manier is om te compenseren voor ongelijk verdeeld talent. 'Niemand verdient zijn grotere natuurlijke vermogens en niemand komt een gunstiger startplaats in de samenleving toe. Maar dit is uiteraard geen reden om deze verschillen te negeren, laat staan uit te vlakken.' Er is een andere manier om daarmee om te gaan.[26] In plaats van het talent dwars te zitten, zag Rawls liever dat winnaars hun winst delen met diegenen die minder geluk hebben gehad dan zijzelf. Trek de snelste atleten geen loden schoenen aan, sta ze toe op volle snelheid te rennen, maar erken wel op voorhand dat wat ze winnen niet alleen hun toekomt. Moedig wie een talent heeft aan om dat ook ten volle te ontwikkelen en te gebruiken, maar wel met dien verstande dat de opbrengsten van dat talent op de markt moeten worden gedeeld met de gemeenschap als geheel.

Rawls noemt deze manier om te compenseren voor ongelijk verdeelde talenten 'het verschilbeginsel'. Het neemt afstand van de meritocratie, niet door de getalenteerden het gebruik van hun talent te ontzeggen, maar door te ontkennen dat ze recht hebben op de opbrengsten die hun talent genereert in een marktsamenleving.

'Het verschilbeginsel staat in feite,' aldus Rawls, 'voor een akkoord om de verdeling van natuurlijke talenten te zien als een in bepaalde opzichten gemeenschappelijk bezit, en om iedereen te laten delen in de sociale en economische voordelen die ze met zich meebrengt. Degenen die door de natuur zijn begunstigd, wie dat ook zijn, mogen alleen van hun gunstige lot profiteren op voorwaarden die de situatie van degenen die het minder hebben getroffen verbeteren.' De samenleving moet zo worden ingericht 'dat die contingenties de minst fortuinlijken ten goede komen'.[27]

De meritocraat zou daarop kunnen antwoorden dat zelfs als onze natuurlijke talenten een kwestie van geluk zijn, de inspanning wel door ons moet worden geleverd en dat we verdienen wat we ontvangen, omdat we er immers hard voor hebben gewerkt. Rawls is het daar niet mee eens. 'Zelfs de bereidheid om zich in te spannen, het te proberen en daarmee in de gangbare betekenis iets te verdienen, is afhankelijk van een gunstige familiesituatie en van voordelige sociale omstandigheden.' Zelfs inspanning kan het idee niet redden dat de beloning op de markt een weerslag zou moeten vormen van wat men in moreel opzicht verdient.

De aanname dat een mens het superieure karakter zou verdienen dat hem in staat stelt om zich meer dan anderen in te spannen om zijn talenten te cultiveren, is al even problematisch. Zijn karakter is namelijk in belangrijke mate afhankelijk van gunstige familie- en maatschappelijke omstandigheden die niet zijn persoonlijke verdienste zijn. Het idee van de verdienste lijkt in deze gevallen niet van toepassing te zijn.[28]

Evenals Hayek benadrukt Rawls de morele willekeur van talent en verwerpt hij het idee dat het resultaat op de markt een afspiegeling zou zijn van de verdienste. Wat Rawls betreft pleit dit echter vóór een nivellerend belastingstelsel, niet ertegen. Rawls' antwoord op iedereen die de staat het recht zou willen ontzeggen om belasting te heffen op een deel van zijn moeizaam verdiende inkomen vanuit het idee dat hij het immers heeft verdiend, is dat de hoeveelheid geld die we verdienen afhankelijk is van factoren die vanuit een moreel perspectief gezien willekeurig zijn. Het is niet door mijn toedoen dat de markt grote waarde hecht aan mijn talenten, of dat ik die talenten überhaupt heb. Dan kan ik dus ook niet klagen als de belastingwet van me verlangt dat ik een deel van mijn inkomen afdraag om mee te betalen aan scholen, wegen of ondersteuning van de armen.

Zelfs al heb je in moreel opzicht geen recht op de voordelen die de markt je geeft vanwege je talenten, dan nog is een andere vraag hoe die voordelen moeten worden verdeeld, zo zouden we kunnen redeneren. Moet de samenleving die verdelen over de gemeenschap als geheel, onder de minst fortuinlijke leden van die gemeenschap of (zoals Hayek denkt) moeten we ze gewoon laten waar ze terecht zijn gekomen? Rawls' claim dat het marktinkomen een afspiegeling is van factoren die vanuit moreel perspectief willekeurig zijn, is een krachtig negatief argument: het ondermijnt de meritocratische bewering dat rijken het geld zouden verdienen dat ze weten te genereren. Het is echter nog geen argument voor het idee dat de gemeenschap een legitieme morele aanspraak heeft op dit geld of op een deel ervan.

Daarvoor is het nodig dat we laten zien dat we op verschillende manieren iets verschuldigd zijn aan de gemeenschap die ons succes mogelijk heeft gemaakt en dat we daarom wel verplicht zijn om bij te dragen aan het algemeen welzijn van die gemeenschap.[29]

Zowel politiek als filosofisch zijn de *liberals* van de welvaartsstaat er beter in het negatieve argument te formuleren – tegen de exclusieve aanspraken van het individu op zijn of haar succes – dan het positieve argument – dat een individu iets verschuldigd zou zijn aan de gemeenschap. Denk maar eens terug aan Barack Obama's beroep op het idee van de wederzijdse afhankelijkheid en onderlinge verplichting van burgers tijdens zijn herverkiezingscampagne van 2012:

[A]ls je succesvol bent geweest, heb je dat niet helemaal alleen bereikt. Dat heb je niet in je eentje bewerkstelligd. Ik verbaas me altijd weer over mensen die denken dat ze iets bereikt hebben omdat ze zo slim zijn. Er zijn zo veel slimme mensen. Het zal wel komen doordat ik harder heb gewerkt dan alle anderen. Laat me je uit de droom helpen – er zijn nog veel meer hardwerkende mensen.

Als je succes hebt gehad, ben je ergens op weg naar dat succes geholpen door iemand anders. Er was vast een geweldige leraar op een bepaald moment in je leven. Iemand heeft bijgedragen aan dit ongelooflijke Amerikaanse systeem waarover we beschikken en dat jou in staat heeft gesteld om het zo goed te doen. Iemand heeft geïnvesteerd in wegen en bruggen. Als je een bedrijf hebt – heb jij dat niet in je eentje opgebouwd. Iemand anders heeft dat mogelijk gemaakt.

Republikeinen zouden die laatste twee zinnen aangrijpen om Obama af te schilderen als een voorstander van een sterke overheid die tegen ondernemers is. Natuurlijk bedoelde hij niet letterlijk dat mijn bedrijf of dat van jou door 'iemand anders' was opgebouwd. Wat hij probeerde te zeggen was dat wie succesvol is daar niet alleen voor verantwoordelijk is, maar iets verschuldigd is aan de gemeenschap die dat mogelijk heeft gemaakt, niet alleen door wegen en bruggen aan te leggen, maar ook door onze talenten te cultiveren en onze bijdragen te waarderen. 'Jij staat niet alleen, we doen dit samen,' voegde hij er een paar zinnen later aan toe.[30]

Obama's zwakke poging om de morele schuld die de succesvollen hebben aan hun medeburgers te benoemen, was niet zozeer zwak omdat hij zich ongelukkig uitdrukte, maar veeleer omdat de filosofie van het liberalisme van de welvaartsstaat zwak is. Die slaagt er namelijk niet in om een voldoende sterk besef van gemeenschap op te roepen om de benodigde solidariteit te ondersteunen. Dat verklaart wellicht de legitimiteitscrisis van de welvaartsstaat in de afgelopen decennia, niet alleen in de

Verenigde Staten, maar ook in Europa, waar de overheidsvoor-
zieningen en de vangnetten traditioneel altijd veel uitgebreider
zijn geweest. Het zou een verklaring kunnen vormen voor het
onvermogen van liberale democratieën om iets te doen aan de
steeds extremere ongelijkheid die in de afgelopen decennia is ontstaan en het groeiende meritocratische sentiment dat dit probeert
te rationaliseren, zowel in de politiek als in het publieke debat.

De verdienste verworpen

Hayek en Rawls verwerpen beiden de verdienste als uitgangspunt van de gerechtigheid. Voor Hayek is de ontkenning dat
economische beloning ook maar iets te maken zou hebben met
verdienste een manier om iedereen op afstand te houden die
beweert dat hedgefondsmanagers het niet verdienen om een
beter salaris te krijgen dan onderwijzers. Hayek kan op die eis
antwoorden dat zelfs als we het erover eens zouden zijn dat de
roeping om onderwijzer te worden nobeler is dan het beheren
van geld, lonen en salarissen geen beloning vormen voor een goed
karakter of een waardig streven, maar gewoon een betaling zijn
die een afspiegeling vormt van de economische waarde van de
goederen en diensten die marktpartijen aanbieden.

Voor Rawls en andere *liberals* van de welvaartsstaat dient ontkenning van de claim dat economische beloning een kwestie van
verdienste is de tegenovergestelde politieke positie. Het is een
weerlegging van de bezwaren tegen een herverdeling die worden
aangevoerd door rijken die beweren dat ze het geld dat ze hebben
weten te vergaren ook echt hebben verdiend, en dat het daarom
verkeerd is om een deel daarvan te belasten om het te herverdelen. Rawls' antwoord daarop kan zijn dat veel geld verdienen
geen maat van de verdienste of deugd van een persoon is, maar
enkel het gevolg van het gelukkige samenvallen van de vaardigheden die iemand te bieden heeft en die waar de markt om
vraagt. Wanneer er eenmaal rechtvaardige belastingwetten van

kracht zijn, mogen mensen het deel van hun inkomen houden dat in die wetgeving is gespecificeerd. Ze kunnen echter niet met recht beweren dat de belastingwet van het begin af aan rekening zou moeten houden met hun verdiensten en verworvenheden.[31]

Hoewel Rawls en Hayek in politiek opzicht van mening verschillen, getuigt hun gedeelde verwerping van de verdienste als basis voor gerechtigheid van twee filosofische uitgangspunten die ze beide hanteren. Het ene heeft betrekking op de moeilijkheid om in een pluralistische samenleving tot overeenstemming te komen over welke deugden en karaktertrekken een beloning waardig zijn. Het andere gaat over vrijheid. 'Beloning op grond van verdienste moet in de praktijk neerkomen op beloning aan de hand van meetbare verdienste,' schrijft Hayek, 'een verdienste die andere mensen kunnen herkennen en waar ze het over eens zijn, en niet enkel verdienste tegenover een of andere hogere macht.' De ingewikkelde taak om de verdienste te identificeren leidt tot een ernstiger probleem. Gegeven de onvermijdelijke meningsverschillen over welke activiteiten verdienstelijk of prijzenswaardig zijn, zal elke poging om tot een rechtvaardige verdeling te komen op basis van morele verdienste in plaats van economische waarde leiden tot dwang. 'Een samenleving waarin de positie van het individu gedwongen is overeen te stemmen met menselijke ideeën over morele verdienstelijkheid zou daarom precies het tegenovergestelde zijn van een vrije samenleving.'[32]

Rawls wijst ook op de algemene meningsverschillen over verdienste en wat een mens toekomt, en maakt zich zorgen dat een gerechtigheid gebaseerd op verdienste in strijd is met de vrijheid. Anders dan Hayek ziet Rawls de vrijheid echter niet in termen van de markt. Wat Rawls betreft is vrijheid het nastreven van een eigen idee van het goede leven, met respect voor het recht van anderen om dat ook te doen. Dat betekent dat men zich aan rechtvaardigheidsprincipes moet houden waar al onze medeburgers zich ook in kunnen vinden als we allen onze persoonlijke belangen en voordelen even opzijzetten. Wanneer we vanuit dit standpunt nadenken over gerechtigheid – dus zonder te weten of we rijk of arm, sterk of zwak, gezond of ongezond zouden zijn – zouden we de inkomensverdeling zoals die tot stand komt door de markt niet aanvaarden. Integendeel, stelt Rawls: het zou ons ertoe brengen om alleen die ongelijkheid te accepteren die de meest achtergestelde leden van onze samenleving vooruithelpt.

Hoewel Rawls de inkomensverdeling die het gevolg is van een vrije markt verwerpt, heeft hij wel één ding gemeen met Hayek: Rawls' rechtvaardigheidsprincipes vragen niet om de beloning van verdienste of deugd. In pluralistische samenlevingen zijn mensen het niet eens over wat verdienstelijk of deugdzaam is, aangezien dat oordeel afhankelijk is van omstreden opvattingen over wat het goede leven is. Vanuit Rawls' standpunt zou het baseren van rechtsprincipes op één van die opvattingen de vrijheid ondermijnen. Daarmee zouden de waarden van sommigen worden opgelegd aan anderen, wat hun recht op een eigen opvatting van het goede leven en een zelfgekozen pad ter verwerkelijking daarvan zou ondermijnen.

Ondanks de verschillen verwerpen Hayek en Rawls dus beiden het idee dat economische beloning een afspiegeling zou moeten zijn van wat mensen verdienen. Daarmee geven ze toe dat ze tegen de algemene opvatting ingaan. Het idee dat gerechtigheid betekent dat we mensen geven wat hun toekomt, lijkt stevig te zijn gevestigd in de niet-filosofisch geschoolde publieke opinie. Rawls merkte 'de neiging [op] van het gezond verstand om te veronderstellen' dat inkomen en vermogen dienen te worden verdeeld aan de hand van morele verdienste, en Hayek geeft toe dat zijn verwerping van de verdienste 'in eerste instantie misschien zo vreemd en zelfs schokkend lijkt' dat hij 'de lezer moet vragen zijn oordeel uit te stellen' tot hij het heeft uitgelegd.[33]

Maar ook al hebben het vrijemarktliberalisme en het liberalisme van de welvaartsstaat in de afgelopen halve eeuw het publieke debat bepaald, ze zijn er niet in geslaagd het wijdverbreide idee te ontkrachten dat wat mensen aan geld binnenhalen in overeenstemming zou moeten zijn met hun verdienste.[34] Integendeel zelfs: tijdens die decennia heeft de meritocratische opvatting van succes haar greep zelfs verstevigd, terwijl de mobiliteit verdween en de ongelijkheid groter werd.

Markten en verdienste

Een merkwaardig verschijnsel in de hedendaagse politiek: hoe komt het toch dat, ondanks het feit dat de toonaangevende publieke filosofieën van het moment de meritocratische aannames verwerpen, de politieke retoriek en de publieke opinie blijven vasthouden aan het idee dat de economische beloning in overeenstemming is of zou moeten zijn met de verdienste? Komt dat simpelweg doordat de filosofie te ver van de wereld af staat om werkelijk van invloed te zijn op de manier waarop burgers denken en handelen? Of zijn er bepaalde kenmerken van het vrijemarktliberalisme en het liberalisme van de welvaartsstaat die aanleiding geven tot een meritocratisch begrip van succes dat ze officieel verwerpen?

Naar mijn mening is dat tweede het geval. Een nauwkeuriger onderzoek van deze twee versies van het liberalisme laat zien dat hun verwerping van de verdienste niet zo hartgrondig is als ze aanvankelijk misschien lijkt. Beide verwerpen ze het meritocratische idee dat rijken in een eerlijke concurrentiestrijd kennelijk meer recht hebben dan armen. Toch kunnen de alternatieven die ze aanbieden aanleiding geven tot een houding die kenmerkend is voor meritocratische samenlevingen – hoogmoed onder de succesvollen en wrevel onder de achtergestelden.

Dat is het duidelijkst zichtbaar in het onderscheid dat Hayek maakt tussen verdienste en waarde. Hij merkt terecht op dat het idee dat inkomensongelijkheid een afspiegeling zou zijn van ongelijke verdienste de zaak alleen nog maar erger maakt. 'Een samenleving waarin algemeen wordt aangenomen dat een hoog inkomen het bewijs vormt voor verdienstelijkheid en een laag inkomen voor het ontbreken daarvan, een waarin algemeen wordt aangenomen dat positie en beloning overeenstemmen met verdienste (…) zou waarschijnlijk nog ondraaglijker zijn dan een waarin gewoon eerlijk werd erkend dat er niet noodzakelijker- wijs een verband bestaat tussen verdienste en succes.'[35] Hayek citeert Anthony Crosland van de Britse Labourpartij, die in zijn invloedrijke boek *The Future of Socialism* (1956) eveneens wees op het demoraliserende effect dat een meritocratie kan hebben op wie er niet in slaagt om op te klimmen:

> Wanneer bekend is dat de kansen ongelijk zijn en duide- lijk voorbehouden aan mensen met geld of van de juiste afkomst, kunnen anderen zichzelf hun gebrek aan succes vergeven met het idee dat ze toch nooit een eerlijke kans hebben gehad – het systeem was niet eerlijk, het werkte in hun nadeel. Maar wanneer verdienste duidelijk het selectie- criterium is, valt deze troost weg en leidt het niet behalen van succes tot een overweldigend gevoel van inferioriteit, zonder enig excuus of enige troost. Dat draagt vervolgens, zo zit de mens in elkaar, juist weer bij aan een grotere ja- loezie en wrevel over het succes van anderen.[36]

Volgens Hayek wordt de inkomensongelijkheid minder aan- stootgevend wanneer men bedenkt dat er een verschil is tussen verdienste en waarde. Als iedereen zou weten dat een dergelijke ongelijkheid niets te maken heeft met de verdienste van mensen, zouden de rijken minder trots en de armen minder rancuneus zijn dan anders. Maar als, zoals Hayek beweert, economische waarde een legitieme reden is voor ongelijkheid, ligt het niet voor de hand dat daarmee de aanstoot die mensen nemen aan succes wordt weggenomen.

Bedenk: is wat succesvolle mensen zichzelf wijsmaken wer- kelijk zo anders wanneer ze denken dat hun succes in overeen- stemming is met de waarde van wat ze hebben bijgedragen dan wanneer ze denken dat het in overeenstemming is met hun ver- dienste? En hoe anders is wat de minder bevoorrechten zichzelf voorhouden wanneer ze denken dat hun tegenslag niets te maken heeft met hun karakter, maar enkel iets zegt over de beperkte waarde van wat ze te bieden hebben?

In moreel en psychologisch opzicht wordt het onderscheid tussen verdienste en waarde zo gering dat het vrijwel verdwijnt. Dat geldt met name in marktsamenlevingen, waarin geld de maat is van de meeste dingen. In dergelijke samenlevingen is de rijken eraan herinneren dat hun rijkdom (hooguit) een afspiegeling is van de hogere waarde van hun bijdrage aan de samenleving niet bepaald een goed middel tegen hoogmoed en zelfgenoegzaamheid. En omgekeerd worden de armen er ook niet bepaald sterker van wanneer ze eraan herinnerd worden dat hun armoede (hooguit) een afspiegeling is van de geringere waarde van hun bijdrage.

Het gemak waarmee waardeoordelen kunnen veranderen in oordelen over iemands verdienste is het gevolg van de bekende, maar dubieuze aanname dat iemands marktwaarde een goede maat is voor zijn of haar bijdrage aan de samenleving. Hayek neemt die aanname kritiekloos over. Hij wijst er enkel op dat onze marktwaarde wordt bepaald door factoren waarover we geen controle hebben en dat ze daarom geen maat van onze verdienste is. Hij houdt echter geen rekening met de mogelijkheid dat de waarde van de bijdrage die iemand levert aan de samenleving weleens iets anders zou kunnen zijn dan zijn of haar marktwaarde.

Wanneer de marktwaarde echter eenmaal wordt beschouwd als een plaatsvervangende maat voor de sociale bijdrage van mensen, is moeilijk aan de gedachte te ontkomen dat mensen het recht zouden hebben op het inkomen dat overeenkomt met hun marktwaarde, hun 'marginaal product' zoals economen het noemen. De standaard economische analyse gaat ervan uit dat volmaakt concurrerende markten elke arbeider precies de waarde van zijn of haar marginale product, de waarde van de productie die aan die arbeider kan worden toegeschreven, uitbetalen.

Als het, ondanks de complexiteit van de economie, mogelijk zou zijn om van iedere individuele persoon op deze manier de marktwaarde aan te wijzen en af te zonderen, zou het vervolgens nog maar een kleine stap zijn naar de conclusie dat mensen het in moreel opzicht verdienen om te worden betaald in overeenstemming met hun marginale product of marktwaarde.

Een recente versie van die redenering vinden we bij de econoom N. Gregory Mankiw van Harvard, die economisch adviseur was van president George W. Bush. Mankiw herhaalt om te beginnen een algemeen aanvaard en intuïtief aantrekkelijk principe: 'Mensen zouden moeten krijgen wat ze verdienen. Wie meer bijdraagt aan de samenleving verdient een hoger inkomen, dat een afspiegeling vormt van die grotere bijdrage.' Vervolgens noemt hij voorbeelden als Steve Jobs, de oprichter van Apple, en J.K. Rowling, schrijfster van de razend populaire Harry Potter-boeken. De meeste mensen zijn het erover eens dat zij hun miljoenen hebben verdiend, aldus Mankiw, aangezien hun hoge inkomen een afspiegeling vormt van de grote waarde van iPhones en spannende verhalen.[37]

Volgens Mankiw geldt die redenering voor alle inkomens in een concurrerende markteconomie: de ethiek zou de resultaten die concurrerende markten genereren moeten onderschrijven, zowel voor werkenden in de zorg als voor de managers van hedgefondsen. Aangezien 'ieders inkomen een afspiegeling is van de waarde van wat hij heeft bijgedragen aan de maatschappelijke productie van goederen en diensten', aldus Mankiw, 'zou men kunnen concluderen dat onder ideale omstandigheden iedereen krijgt wat hij verdient.'[38]

De aanname dat mensen in moreel opzicht het inkomen verdienen dat een concurrerende vrije markt hun gunt, stamt nog uit het begin van de neoklassieke economie. Critici van dat idee, onder wie ook enkele economen die in de regel voorstander zijn van de vrije markt, wijzen al heel lang op de problemen ervan. Zoals we al zagen verwerpt Hayek het idee, omdat hij meent dat wat mensen betaald krijgen afhankelijk is van wat ze kunnen, iets waar ze zelf geen invloed op hebben. Daarnaast is het afhankelijk van de grillen van vraag en aanbod. Of de talenten die ik in de aanbieding heb zeldzaam zijn of juist veelvoorkomend, daar kan ik zelf geen invloed op uitoefenen, maar het is wel bepalend voor het inkomen dat ik er op de markt mee kan verwerven. Mankiws theorie van het 'gerechte loon' gaat voorbij aan die onzekere factoren.

Marktwaarde versus morele waarde

Misschien wel de meest verpletterende kritiek van het idee dat de marktwaarde een afspiegeling zou zijn van de morele waarde stamt uit de jaren twintig van de twintigste eeuw en is van Frank Knight, een van de grondleggers van de neoklassieke economie. Knight, een criticus van de New Deal, doceerde aan de University of Chicago, en enkele van zijn studenten, onder wie Milton Friedman, zouden toonaangevende libertaire economen worden. Toch leverde juist Knight een bijzonder scherpzinnige kritiek op het idee dat markten verdienste belonen. 'Algemeen wordt aangenomen (…) dat de productieve bijdrage een ethische maat van de verdienste is,' schreef hij. Maar 'een nader onderzoek van de kwestie laat al snel zien dat de productieve bijdrage van weinig tot geen ethisch belang kan zijn'.[39]

Knight komt met twee argumenten tegen het toedichten van morele verdienste aan het resultaat op de markt. Eén daarvan is het argument over talent dat Hayek en Rawls later beiden nadrukkelijk van hem overnemen.[40] Het hebben van talenten die mij in staat stellen om in te spelen op de vraag van de markt is net zomin mijn eigen verdienste als het erven van waardevol bezit dat is. 'Het is moeilijk in te zien hoe (…) het bezit van de vaardigheid om diensten te verlenen waarnaar een vraag bestaat (…) een ethische aanspraak op een groter deel van het sociale dividend zou opleveren, behalve voor zover de omvang van die vaardigheid zelf het product is van een zorgvuldige inspanning.' Bovendien is het inkomen dat mijn talenten opleveren afhankelijk van hoeveel andere mensen diezelfde talenten bezitten. Als ik talenten bezit die toevallig zeldzaam zijn maar zeer op prijs worden gesteld, is dat gunstig voor mijn inkomen, maar dat is niet iets waarvoor ik de verdienste kan opeisen. 'Het is moeilijk te begrijpen waarom men verdienstelijker zou zijn dan anderen, simpelweg door anders te zijn.'[41]

Knights tweede argument gaat veel verder. Daarin trekt hij een aanname in twijfel die Hayek als vanzelfsprekend overneemt, namelijk het idee dat marktwaarde hetzelfde zou zijn als maatschappelijke bijdrage. Knight wijst erop dat tegemoetkomen aan de vraag van de markt niet noodzakelijkerwijs hetzelfde is als werkelijk een waardevolle bijdrage leveren aan de samenleving.

Inspelen op de vraag van de markt is niet meer dan een kwestie van inspelen op de vragen en verlangens die mensen op dat moment toevallig hebben. Het ethisch belang van het tegemoetkomen aan dergelijke verlangens is echter afhankelijk van hun morele waarde. De vaststelling van die waarde gaat gepaard met morele oordelen waarover we inderdaad zouden kunnen discussiëren, maar waarin een economische analyse niet kan voorzien. Zelfs nog afgezien van de kwestie van de talenten, is het dus een vergissing om te denken dat het geld dat mensen verdienen door in te spelen op de voorkeuren van consumenten een afspiegeling zou zijn van hun verdienste of van wat in moreel opzicht juist is. Het ethische belang is afhankelijk van morele overwegingen waar geen enkel economisch model in kan voorzien.

We kunnen de behoeftebevrediging niet als het uiteindelijke criterium van de waarde accepteren, omdat we onze behoeften ook niet als definitief beschouwen. In plaats van te berusten in de opvatting dat over smaak niet valt te twisten, is er niets waar we het zo vaak over oneens zijn. Ons belangrijkste probleem bij de waardering is de beoordeling van onze verlangens op zich, en het meest verontrustende verlangen is onze wens om de 'juiste' verlangens te hebben.[42]

Knights inzicht slaat een wig tussen twee concepten die Hayek ineenschuift – de waarde van een economische bijdrage gemeten door de markt, en de daadwerkelijke waarde ervan. Denk hierbij aan de scheikundeleraar in de televisieserie *Breaking Bad*, die zijn expertise als chemicus inzet om de zeer gevraagde (maar illegale) drug methamfetamine, crystal meth, te maken. De crystal meth die hij bereidt, is zo zuiver dat ze op de drugsmarkt miljoenen waard is, en het inkomen dat hij ermee verwerft is veel groter dan wat hij kreeg als scheikundeleraar. De meeste mensen zouden het er echter mee eens zijn dat zijn bijdrage als leraar veel waardevoller is dan die als drugsdealer.

Dat heeft niets te maken met de onvolmaaktheden van de markt of het feit dat de wetten die drugs verbieden de aanvoer beperken en daarom de winstmarge vergroten van wie ze illegaal verkoopt. Zelfs als crystal meth legaal zou zijn, zou een getalenteerd chemicus waarschijnlijk nog meer geld verdienen met de productie ervan dan met het onderwijzen van kinderen. Dat betekent echter niet dat de bijdrage van de drugsproducent waardevoller is dan die van een leraar.

Of neem bijvoorbeeld de miljardair en casinobaas Sheldon Adelson. Hij is een van de rijkste mensen ter wereld en verdient duizenden keren zoveel als een verpleegkundige of een arts. Maar zelfs als we vooronderstellen dat de markten voor casinobazen en zorgmedewerkers volmaakt concurrerend zijn, hebben we geen reden om aan te nemen dat hun marktwaarde een afspiegeling is van de werkelijke waarde van hun bijdrage aan de samenleving. Dat komt doordat de waarde van hun bijdrage afhankelijk is van het morele belang van de doelen die ze dienen, en niet van hoe effectief ze inspelen op de vraag van de consument. De zorg voor de gezondheid van mensen is in moreel opzicht belangrijker dan het tegemoetkomen aan hun verlangen om te gokken.

Knight stelt bovendien dat 'de behoeften waaraan een economisch systeem probeert te voldoen, grotendeels een product zijn van de werking van dat systeem zelf'. De economische orde is geen simpele bevrediging van een reeds bestaande vraag, 'haar

activiteiten omvatten bovendien de vorming en de radicale transformatie, zo niet de totale uitvinding, van de vraag op zich'. Elke
ethische beoordeling van een economisch systeem moet daarom
rekening houden met 'het soort behoeften dat het geneigd is te
genereren of te voeden', en niet alleen met de efficiëntie waarmee
het 'de behoeften op een bepaald moment bevredigt'.[43]

Deze overwegingen brengen Knight ertoe het idee te verwerpen dat Mankiw juist verdedigt, namelijk dat mensen op een
volstrekt concurrerende markt in moreel opzicht het marginale
product van hun arbeid verdienen. Knight bespot dergelijke
beweringen als 'de bekende ethische conclusies van apologetische
economie'.[44]

Hoewel men zich Knight, een scepticus op het gebied van
ambitieuze sociale hervormingen, herinnert als een belangrijk
voorstander van de laisser-faire-economie, protesteerde hij krachtig tegen het idee dat marktprijzen een maat zouden zijn van
morele verdienste of ethische waarde.

> Het product of de bijdrage wordt altijd gemeten in ter-
> men van prijs, hetgeen niet direct aansluit op de ethische
> waarde of het menselijk belang. De geldelijke waarde van
> een product is een kwestie van 'vraag', en die is op haar
> beurt een afspiegeling van de smaak en de koopkracht van
> het koperspubliek en de beschikbaarheid van alternatieve
> goederen. Al deze factoren worden grotendeels tot stand
> gebracht en beheerst door de werking van het economische
> systeem zelf. Daarom kunnen de resultaten op zich nooit
> van enig ethisch belang zijn als norm voor een beoordeling
> van het systeem.[45]

Hoewel Knight niet pretendeert met een ethische theorie te
komen die het morele belang van verschillende behoeften en
verlangens zou kunnen bepalen, verwerpt hij de opvatting van
veel economen dat er over smaak niet valt te twisten en dat het
daarom onmogelijk is om sommige behoeften als belangrij-

ker en waardiger te beschouwen dan andere. Een economisch systeem zou niet zozeer moeten worden beoordeeld op grond van de efficiëntie waarmee het de behoeften van de consument bevredigt, als wel op grond van 'de behoeften die het genereert [en] het soort karakter dat het tot stand brengt in mensen. (…) Ethisch gezien is de totstandbrenging van de juiste behoeften belangrijker dan de bevrediging ervan.'[46]

Door de aanname ter discussie te stellen dat de marktwaarde van productieve bijdragen enig ethisch belang zou hebben, biedt Knight een grondiger kritiek van de meritocratie dan Hayek, één die bovendien minder gevoelig is voor zelfgenoegzaamheid. Hayek houdt de rijken voor dat, hoewel hun rijkdom geen maat is voor hun verdienste, deze wel een afspiegeling vormt van de superieure waarde van hun bijdrage aan de samenleving. Wat Knight betreft is dat veel te complimenteus. Goed zijn in geld verdienen is geen maat van onze verdienste en ook niet van de waarde van onze bijdrage. Iedereen die succesvol is kan oprecht zeggen dat hij erin is geslaagd – door een raadselachtige mix van slimmigheid of sluwheid, timing of talent, geluk, lef of vastberadenheid – op een effectieve manier in te gaan op de warboel van behoeften en verlangens, hoe gewichtig of lichtzinnig ook, waaruit de vraag van de consument op een bepaald moment bestaat. De bevrediging van de vraag van de consument heeft op zichzelf geen waarde. Die waarde is in elk geval weer opnieuw afhankelijk van de morele status van de doeleinden die ze dient.

Verdiend of een recht?

Nu rest nog de vraag hoe ook een egalitair liberalisme de meritocratische hoogmoed voedt, ondanks zijn verwerping van het idee dat mensen in moreel opzicht de economische beloningen verdienen die de markten hun geven. Om te beginnen is het nodig om te verhelderen wat Rawls bedoelt met zijn verwerping van de verdienste als basis van de rechtvaardigheid. Hij bedoelt niet dat niemand een legitieme aanspraak zou hebben op het inkomen of de positie die hij of zij weet te verwerven. In een rechtvaardige samenleving heeft wie hard werkt en zich aan de regels houdt, recht op wat hij of zij verdient.

Hierbij maakt Rawls een subtiel maar belangrijk onderscheid – tussen morele verdienste en wat hij omschrijft als 'rechten op legitieme verwachtingen'. Het verschil is als volgt. In tegenstelling tot een aanspraak vanwege verdienste kan een recht alleen ontstaan wanneer bepaalde regels van het spel vaststaan. Dat vertelt ons niet hoe die regels er in eerste instantie uit moeten zien. Rawls wil daarmee zeggen dat we niet kunnen weten wie er recht heeft op wat, als we niet eerst de rechtsprincipes vaststellen die leidend moeten zijn voor die regels en, meer in het algemeen, voor de basisstructuur van de samenleving.[47]

Dat onderscheid is als volgt van belang voor de discussie over meritocratie: als we de rechtvaardigheid baseren op morele verdienste, maken we de regels zo dat ze de deugdzamen en de verdienstelijken belonen. Rawls verwerpt dat. Naar zijn mening is het een vergissing om een economisch systeem – en overigens geldt dat ook voor een grondwet – te beschouwen als een systeem om deugdzaamheid te belonen of goede karakters te kweken. Rechtvaardigheid staat voorop, en pas daarna kan er worden nagedacht over verdienste en deugd.

Dat is de essentie van Rawls' bezwaar tegen een meritocratie. In een rechtvaardige samenleving heeft wie rijk wordt of een prestigieuze positie weet te verwerven recht op dat succes, niet omdat het getuigt van zijn superieure verdienste, maar slechts voor zover deze voordelen deel uitmaken van een systeem dat iedereen eerlijke kansen biedt, ook diegenen in de samenleving die er het slechtst voorstaan.

'Een rechtvaardig stelsel beantwoordt zodoende aan hetgeen waar mensen recht op hebben; het voldoet aan hun op sociale instituties gebaseerde legitieme verwachtingen. Maar waar zij recht op hebben is niet evenredig aan, noch afhankelijk van, hun intrinsieke waarde.' De principes van rechtvaardigheid die de plichten en rechten van mensen definiëren 'noemen morele verdienste niet, en meestal zal de verdeling er niet mee corresponderen'.[48]

In Rawls' verwerping van de verdienste spelen twee kwesties een rol – een politieke en een filosofische. Politiek gezien wil Rawls laten zien dat de welgestelden niet in hun recht staan wanneer ze bezwaar maken tegen een nivellerend belastingstelsel door te stellen dat hun rijkdom hun toekomt, iets is wat ze moreel gezien hebben verdiend. Dit is het argument over de morele willekeur van talent en andere toevalligheden die bijdragen aan succes. Als het succes in een markteconomie sterk afhankelijk is van geluk, kan moeilijk worden beweerd dat het geld dat we verdienen een beloning is voor een grotere inspanning of verdienste.

> [G]een van de stelregels van rechtvaardigheid [is] erop gericht deugd te belonen. De premies bijvoorbeeld die iemand krijgt als hij schaarse natuurlijke talenten bezit, moeten de kosten van opleiding dekken en het studeren aanmoedigen, en vaardigheid daarheen leiden waar ze het algemeen welzijn optimaal bevordert. De resulterende verdeling correleert niet met morele waarde, aangezien de initiële bedeling met natuurlijke gaven en de contingenties van hun groei en ontwikkeling in de jonge jaren vanuit moreel gezichtspunt arbitrair zijn.[49]

Filosofisch gezien is de aanname dat rechtsprincipes onafhankelijk moeten worden gedefinieerd van overwegingen van verdienste of deugd een voorbeeld van een meer algemeen kenmerk van Rawls' liberalisme. Dat betreft de bewering dat het 'rechtvaardige' (het kader van plichten en rechten dat de samenleving als geheel regeert) voorafgaat aan het 'goede' (de verschillende opvattingen van deugd en het goede leven waarmee mensen binnen dit kader werken). Rechtsprincipes die een bepaalde opvatting van (morele) verdienste of deugd bevestigen, zouden niet neutraal staan tegenover concurrerende opvattingen over het goede leven die burgers in pluralistische samenlevingen belijden. Dergelijke principes zouden aan sommigen de waarden van anderen opleggen, en zo een miskenning vormen van het recht dat iedereen heeft om zijn eigen manier van leven te kiezen en na te streven. Rawls legt aan de hand van een analogie uit waarom gerechtigheid vóór verdienste gaat: we hebben de institutie van het eigendom niet ingesteld omdat we geloven dat dieven een slecht karakter hebben en we op basis daarvan naar een institutie verlangen die ons in staat stelt hen te bestraffen. Dat zou als het ware een 'meritocratische' theorie van de straf zijn. Daarmee zouden we het goede voor het rechtvaardige plaatsen, maar daarmee wordt de morele logica op haar kop gezet. In plaats daarvan hebben we de institutie van het eigendom ingesteld om redenen van efficiëntie en gerechtigheid. Wanneer mensen vervolgens stelen, handhaven we de wet door hen te straffen. Omdat ze de rechten van anderen hebben geschonden, worden ze bestraffing waardig. Het doel daarvan is om de dieven te straffen voor het begaan van een onrecht, niet om hen te stigmatiseren vanwege een slecht karakter (al kan dat een bijkomend effect zijn).[50]

Rawls stelt dat een meritocratische benadering van economische beloningen bovendien de juiste relatie tussen het rechtvaardige en het goede zou omdraaien. 'Als een samenleving zichzelf zou organiseren met het doel om morele verdienste te belonen als een eerste beginsel, is dat net alsof de institutie van eigendom er is om dieven te kunnen straffen.'[51]

Opvattingen over succes

Op het eerste gezicht moet Rawls' niet-meritocratische manier van denken over economisch succes de succesvollen tot nederigheid manen en de benadeelden troosten. Het zou de neiging tot meritocratische hoogmoed onder de elites moeten indammen en moeten voorkomen dat wie het aan macht of rijkdom ontbreekt, zijn zelfachting verliest. Als ik werkelijk geloof dat mijn succes een kwestie van geluk is en dat het niet door mijn eigen toedoen tot stand is gekomen, zal ik me waarschijnlijk eerder geroepen voelen om dit geluk met anderen te delen.

Een dergelijk sentiment is vandaag de dag maar nauwelijks voorhanden. Bescheidenheid onder de succesvollen is geen prominent kenmerk van het hedendaagse maatschappelijke en economische leven. Eén aanleiding voor de populistische reactie is een wijdverbreid gevoel onder werkenden dat de elites op hen neerkijken. Voor zover dit het geval is, zou het er simpelweg op kunnen duiden dat de huidige welvaartsstaat niet voldoet aan Rawls' idee van een rechtvaardige samenleving. Het zou echter ook kunnen betekenen dat egalitair liberalisme de zelfgenoegzaamheid van de elites helemaal niet ter discussie stelt.

Het is zeker waar dat de huidige welvaartsstaat, met name in de Verenigde Staten, niet voldoet aan Rawls' visie op een rechtvaardige samenleving. Veel van de inkomens- en machtsongelijkheid die we nu zien, is niet ontstaan uit een systeem van eerlijke, gelijke kansen en werkt ook niet in het voordeel van de minst welgestelden. Daardoor zijn *liberals* geneigd de wrok van de arbeidersklasse tegen de elites te interpreteren als een klacht over onrecht. Als dat de enige basis is van de woede tegen de elites, is de oplossing om nog meer energie te steken in het project dat de kansen en de economische vooruitzichten van de minst welgestelden wil vergroten.

Dat is echter niet de enige manier waarop de populistische reactie tegen de elites kan worden geïnterpreteerd. De hoogmoed van de succesvollen die deze reactie uitlokt, zou weleens kunnen zijn veroorzaakt door een gevoel ergens recht op te hebben, iets wat Rawls' filosofie bevestigt, ook al verwerpt ze de morele verdienste. Bedenk immers: zelfs een samenleving die volmaakt overeenstemt met Rawls' definitie van rechtvaardigheid, staat bepaalde ongelijkheden toe – die welke het gevolg zijn van eerlijke, gelijkwaardige kansen en die werken in het voordeel van de minst welgestelden. Laten we ons eens voorstellen hoe een rijke CEO, geheel in overeenstemming met Rawls' principes, zijn of haar voordelen zou kunnen rechtvaardigen tegenover een minder goed betaalde fabrieksarbeider:

> Ik ben niet waardiger dan jij en heb in moreel opzicht niet meer recht dan jij op de positie die ik bekleed. Mijn riante salaris en secundaire arbeidsvoorwaarden zijn niet meer dan een aanmoediging om mij en anderen zoals ik ertoe te brengen onze talenten te ontwikkelen ten gunste van allen. Het is niet jouw schuld dat het je ontbreekt aan de talenten die de samenleving nodig heeft, en het is al evenmin aan mij te danken dat ik ze in overvloed heb. Daarom wordt een deel van mijn inkomen afgeroomd door middel van belastingen, om mensen zoals jij te helpen. In moreel opzicht verdien ik mijn hogere salaris en betere positie niet, maar ik heb er recht op volgens de eerlijke regels van de maatschappelijke samenwerking. En bedenk, jij en ik zouden beiden hebben ingestemd met deze regels vóór we wisten wie er bovenaan en wie er onderaan de ladder terecht zou komen. Haat mij dus niet. Mijn privileges maken dat jij het beter hebt dan je het anders zou hebben gehad. Die ongelijkheid waar jij je zo over opwindt, is voor je eigen bestwil.[52]

Natuurlijk zou deze redenering niet alle ongelijkheid op het gebied van inkomen, vermogen, macht en kansen zoals die nu bestaat, kunnen rechtvaardigen. Wat ze echter wel aan het licht brengt, is dat een meritocratische houding ten opzichte van succes niet noodzakelijkerwijs wordt verzacht of vervangen door liberale theorieën van de rechtvaardige verdeling. Recht op legitieme verwachtingen kan een even krachtige bron van meritocratische hoogmoed en wrok onder de arbeidersklasse zijn als aanspraken gebaseerd op (morele) verdienste of deugd.

Denk maar eens terug aan de analogie met straf. Zelfs als de reden voor het bestraffen van diefstal is dat we de institutie van het eigendom in stand willen houden, is een kenmerkend bijkomend effect van een dergelijke bestraffing dat dieven worden gestigmatiseerd. Zo geldt dan ook dat, zelfs als de reden om chirurgen meer te betalen dan conciërges is dat het salarisverschil simpelweg onderdeel vormt van een basisstructuur die uitpakt in het voordeel van de minst welgestelden, een voorspelbaar bijkomstig effect van dergelijke verschillen is dat de speciale talenten en bijdragen van chirurgen worden geëerd. In de loop van de tijd bepalen deze normatieve 'bijkomende effecten' de houding ten opzichte van succes (en mislukking) zodanig dat die moeilijk te onderscheiden is van een meritocratische.

Sociaal aanzien stroomt haast onvermijdelijk naar diegenen die economische en educatieve voordelen genieten, zeker wanneer ze de voordelen hebben verdiend onder de rechtvaardige condities van een sociale samenwerking. *Liberals* zouden daarop kunnen antwoorden dat als alle leden van een samenleving als burgers hetzelfde respect krijgen, de toewijzing van sociaal aanzien geen politieke kwestie is. De beslissing welke vaardigheden en successen bewonderenswaardig zijn, is een kwestie van maatschappelijke normen en persoonlijke waarden – een kwestie van goed of slecht, niet van rechtvaardig of onrechtvaardig.[53]

Maar die reactie gaat voorbij aan het feit dat de toewijzing van eer en erkenning een politieke kwestie is die van centraal belang is en ook al heel lang als zodanig wordt erkend. Volgens Aristoteles ging gerechtigheid voornamelijk over de verdeling van ambten en eretitels, en niet over de verdeling van inkomen en vermogen. De populistische opstand van dit moment tegen de elites wordt in belangrijke mate gedreven door woede onder de kiezers uit de arbeidersklasse over wat naar hun idee de minachting is van de hogeropgeleiden voor mensen zonder een universitair diploma. Vasthouden aan de prioriteit van het rechtvaardige ten opzichte van het goede maakt maatschappelijk aanzien tot een kwestie van persoonlijke moraliteit, en dat maakt *liberals* zo blind voor de politiek van de hoogmoed en de vernedering.

Het is echter dwaas om vol te houden dat de neerbuigende houding van de hoger opgeleide klassen met hun diploma's ten opzichte van de lager opgeleiden een kwestie is van maatschappelijke normen waar de politiek zich niet mee zou kunnen of moeten bezighouden. Vragen rondom eer en erkenning kunnen niet netjes worden onderscheiden van vragen rondom een rechtvaardige verdeling. Dit is met name het geval wanneer blijkt dat de neerbuigende houding ten opzichte van de minderbedeelden impliciet een rol speelt bij wat ze betaald krijgen. Soms krijgt die houding een expliciete uitdrukking. Zoals Thomas Nagel, een liberale egalitaire filosoof schreef: 'Wanneer raciaal en seksueel onrecht zijn teruggedrongen, zullen we nog altijd het grote onrecht van de slimmen en de dommen hebben, die zo verschillend worden beloond voor een vergelijkbare inspanning.'[54]

'De slimmen en de dommen' is een veelzeggende formulering, die de ergste vermoedens over liberale elites bevestigt. Anders dan de democratische gevoeligheid van Rawls, die streeft naar een samenleving waarin we 'elkaars lot delen'[55], verraadt de manier waarop Nagel het formuleert de meritocratische hoogmoed waartoe sommige versies van het liberalisme van de welvaartsstaat geneigd zijn.

Toeval en keuze

De neiging van het liberalisme van de welvaartsstaat om de politiek van de hoogmoed en de vernedering te voeden werd explicieter in het werk van de liberale egalitaire filosofen van de jaren tachtig en negentig. Voortbouwend op Rawls' stelling dat de verdeling van talenten vanuit moreel perspectief willekeurig is, stelden deze filosofen dat een rechtvaardige samenleving mensen zou moeten compenseren voor allerlei vormen van tegenslag – voor het feit dat ze in armoede werden geboren, gehandicapt zijn, over weinig talenten beschikken, een ongeluk hebben gehad of in de loop van hun leven met andere tegenslagen kampten. Een van die filosofen schreef: 'Een eerlijke verdeling schrijft voor dat wie geluk heeft, een deel van of alles wat hij wint als gevolg van dat geluk aan minder gelukkigen afstaat.'[56]

Op het eerste gezicht lijkt deze filosofie van het *luck egalita-rianism*, het 'toevalsegalitarisme', een genereuze manier om te reageren op spelingen van het lot. Omdat het probeert de on-verdiende voordelen en lasten waarmee de loterij van het leven ons bedeelt eerlijker te verdelen, lijkt ze een humaan alternatief voor een competitieve meritocratische samenleving.

Nader onderzoek leert echter dat deze filosofie vraagt dat we oordelen vellen over verdienste. Omdat ze stelt dat mensen slechts moeten worden gecompenseerd voor zover hun tegen-slag het gevolg is van factoren waar ze zelf geen invloed op hebben, maakt ze de overheidssteun (een bijstandsuitkering of gezondheidszorg, bijvoorbeeld) afhankelijk van de vraag of iemand hulp nodig heeft omdat hij pech heeft gehad of omdat hij de verkeerde keuzes heeft gemaakt. Dan moeten beleidsma-kers zien te bepalen wie van de armen het slachtoffer zijn van de omstandigheden en daarom hulp verdienen, en wie er zelf verantwoordelijk zijn voor hun armoede en daarom geen hulp verdienen.[57]

Elizabeth Anderson, een scherpzinnig critica van dit toe-valsegalitarisme, noemt het onderscheid tussen verdiend en onverdiend arm een nieuwe vorm van de oude, draconische 'armenwetten'.[58] De staat komt hierdoor in de positie dat hij behoeftige burgers moet ondervragen om vast te stellen of ze hun armoede hadden kunnen vermijden door betere keuzes te maken. Deze ontleding van de verantwoordelijkheid is om ten minste twee redenen een moreel onaantrekkelijke manier om te kijken naar de verplichtingen die democratische burgers hebben ten opzichte van elkaar.

Ten eerste wordt onze verplichting om behoeftigen te helpen zo niet gebaseerd op medeleven of solidariteit, maar op de vraag hoe ze eigenlijk behoeftig zijn geworden. In bepaalde gevallen is dat moreel gezien zinvol. De meeste mensen zijn het er wel over eens dat iemand die in staat is om te werken, maar dat ronduit weigert uit luiheid, zelfs wanneer er geschikt werk beschikbaar is, niet erg sterk staat wanneer hij om bijstand vraagt. Omdat hij ervoor heeft gekozen om niet te werken, is zo iemand ook verantwoordelijk voor de gevolgen daarvan. Maar sommige toevalsegalitairen hebben een veel uitgebreidere opvatting van verantwoordelijkheid. Zij stellen dat zelfs het niet afsluiten van een verzekering voor allerlei tegenslagen feitelijk een keuze is die mensen zelf verantwoordelijk maakt voor de eventuele tegenslagen waardoor ze vervolgens worden getroffen. Wanneer iemand die niet verzekerd is bijvoorbeeld ernstig letsel oploopt in een auto-ongeluk, wil de toevalsegalitair weten of hij of zij een verzekering had kunnen nemen. Pas als dat niet mogelijk of betaalbaar blijkt te zijn geweest, zou de gemeenschap moeten helpen bij het betalen van de ziekenhuisrekeningen.[59]

Ten tweede is het toevalsegalitarisme niet alleen streng tegenover onverstandige mensen, het vernedert bovendien iedereen die wel in aanmerking komt voor steun, door ze weg te zetten als hulpeloze slachtoffers. Hier hebben we te maken met een paradox. Toevalsegalitairen hechten grote morele waarde aan het vermogen van mensen om zelf te kiezen. Ze willen compenseren voor het toeval, zodat het inkomen en de levensvooruitzichten van mensen beter overeenkomen met de keuzes die ze hebben gemaakt in het leven. Maar deze veeleisende ethiek van de verantwoordelijkheid en de keuze heeft een ernstige implicatie: wie hulp nodig heeft zal moeten kunnen aantonen dat zijn hulpbehoevendheid niet zijn eigen schuld is. Om in aanmerking te komen voor steun, moet zo iemand zichzelf presenteren – en zichzelf dus ook zien – als het slachtoffer van omstandigheden waarop hij geen invloed kon uitoefenen.[60]

Deze tegennatuurlijke prikkel breidt zich echter uit tot voorbij het zelfbeeld van de hulpvragende, naar het publieke debat. *Liberals* die de welvaartsstaat verdedigen op basis van het toevalsegalitarisme laten zich vrijwel onvermijdelijk verleiden tot een retoriek van het slachtofferschap, die de ontvangers van steun beschouwt als gemankeerden, als niet in staat om verantwoordelijk te handelen.[61]

Behoeftigen helpen omdat ze het slachtoffer zijn van omstandigheden waar ze zelf niets aan kunnen doen, heeft echter een hoge morele en burgerlijke prijs.

Het versterkt de kleinerende gedachte dat mensen die steun nodig hebben weinig bijdragen en niet in staat zijn om verantwoordelijk te handelen. En zoals Anderson terecht opmerkt, laat de ontkenning dat mensen die steun nodig hebben in staat zouden zijn om verantwoordelijke keuzes te maken zich moeilijk verenigen met respect voor hen als gelijkwaardige burgers die ook een aandeel toekomt in het zelfbestuur.[62]

Kortom, het toevalsegalitarisme 'biedt geen hulp aan wie het onverantwoordelijk acht, en vernederende hulp aan wie het afschildert als van nature inferieur', aldus Anderson. 'Net als de armenwetten destijds laat het diegenen die door hun eigen keuzes in de problemen zijn gekomen over aan hun akelige lot en definieert het wie wel steun verdient aan de hand van hun aangeboren geringere talenten, intelligentie, vermogens of sociale aantrekkelijkheid.'[63]

Net als andere versies van het liberalisme begint het toevalsegalitarisme met een verwerping van de verdienste als basis voor de rechtvaardigheid, maar onderstreept het uiteindelijk toch weer, en sterker dan ooit, meritocratische houdingen en normen. Voor Rawls komen deze normen terug in beeld in de vorm van de aanspraak op terechte verwachtingen. Voor de toevalsegalitairen gebeurt dat via een nadruk op de individuele keuze en de persoonlijke verantwoordelijkheid.

Het idee dat we de voordelen en de lasten die het gevolg zijn van het toeval – waaronder ook het al dan niet hebben van talenten waar de samenleving aan hecht – niet verdienen, lijkt in strijd met de meritocratische gedachte dat we, bij een eerlijke concurrentie, krijgen wat we verdienen. Voordelen die het gevolg zijn van toeval in plaats van keuze zijn niet verdiend. Het is echter niet zo eenvoudig te bepalen wanneer iets toeval is en wanneer keuze, aangezien mensen er soms voor kiezen risico te nemen. Parachutisten wagen lijf en leden voor de kick. Jonge mensen die zich onverwoestbaar voelen, besteden geen geld aan een ziektekostenverzekering. Goklustigen weten massaal de casino's te vinden.

Toevalsegalitairen stellen dat wie ervoor kiest om risico's te nemen zelf verantwoordelijk is voor zijn lot wanneer het verkeerd afloopt. De gemeenschap is alleen hulp verschuldigd aan slacht-offers van tegenslag die deze niet over zichzelf hebben afgeroepen – aan wie getroffen wordt door een meteoriet, bijvoorbeeld. Wie een weddenschap verliest die hij willens en wetens is aangegaan, kan geen hulp vragen van de winnaars. Ronald Dworkin maakt dit punt met zijn onderscheid tussen *brute luck*, brute pech (het slachtoffer van de meteoor), en *option luck*, optionele pech (de gokker die verliest).

Het contrast tussen toeval en keuze maakt het vellen van een oordeel over verdienste of verdiende loon onvermijdelijk. Hoewel niemand het verdient om te verliezen bij het gokken, verdient de verliezer, die ervoor heeft gekozen om het risico aan te gaan, geen hulp van de gemeenschap bij het afbetalen van zijn speelschulden. Hij is verantwoordelijk voor zijn eigen ellende.

Natuurlijk kan het soms onduidelijk zijn wat er precies telt als een echte keuze. Sommige gokkers zijn verslaafd, en gokauto-maten zijn zo geprogrammeerd dat ze de gebruiker manipuleren om te blijven spelen. In dergelijke gevallen is gokken niet zozeer een keuze als wel een dwingend mechanisme dat de kwetsbaren uitbuit. Maar voor zover mensen er vrij voor kunnen kiezen om bepaalde risico's te nemen, houdt de toevalsegalitair ze verant-woordelijk voor de gevolgen. Ze verdienen hun lot, althans in die zin dat niemand verplicht is hen te helpen om die gevolgen te dragen.

Afgezien van de bekende meningsverschillen over wat er pre-cies telt als vrijwillige keuze, wordt het onderscheid tussen toeval en keuze bovendien vertroebeld door een andere overweging – de mogelijkheid om je te verzekeren. Als mijn huis afbrandt, heb ik natuurlijk pech. Maar wat nu als er een betaalbare brandver-zekering beschikbaar was en ik die niet heb afgesloten omdat ik hoopte dat er nooit brand zou uitbreken en ik zo geld kon besparen op de jaarlijkse premie? Hoewel de brand zelf 'brute pech' is, is mijn beslissing om geen brandverzekering te nemen een keuze die het ongelukkige incident omzet in 'optionele pech'. Omdat ik er niet voor heb gekozen om een verzekeringspolis af te sluiten, ben ik verantwoordelijk voor de gevolgen en mag ik niet verwachten dat de belastingbetaler me compenseert voor het verloren gaan van mijn huis.

Nu is er uiteraard niet voor alle ongelukken en toevalligheden een verzekering beschikbaar. Sommige mensen hebben het geluk om geboren te worden met talenten waar de samenleving aan hecht, terwijl andere geboren worden met een handicap die het hun moeilijk maakt om de kost te verdienen. Volgens Dworkin kan het concept van de verzekering zo ver worden verbreed dat het ook dit soort onverwachte situaties dekt. Aangezien het onmogelijk is om je te verzekeren voor je wordt geboren, stelt Dworkin voor dat we een schatting maken van het gemiddelde bedrag dat mensen zouden willen betalen voor een verzekering tegen geboren worden met weinig tot geen talenten, en dat cijfer te gebruiken om inkomen te herverdelen van de getalenteerden naar de talentlozen. Het idee is om daarmee te compenseren voor de ongelijke verdeling van aangeboren vermogens, door diegenen te belasten die de genetische loterij hebben gewonnen.[64]

Er is echter reden om te betwijfelen of het mogelijk is om de premie en de uitbetalingen te berekenen voor een hypothetische verzekering tegen het ontbreken van talent. Als het mogelijk zou zijn om de getalenteerden te belasten en de talentlozen naar verhouding te compenseren, en als bovendien iedereen gelijke toegang zou hebben tot banen en scholing, dan zou het toevalsegalitaire ideaal van een rechtvaardige samenleving kunnen worden gerealiseerd. Alle inkomensverschillen en handicaps zouden worden gecompenseerd en alle ongelijkheid die er dan nog rest, zouden een afspiegeling zijn van factoren waarvoor we zelf verantwoordelijk zijn, zoals inspanning en keuze. Zo wijzen de pogingen van de toevalsegalitair om de effecten van toeval en ongeluk uit te bannen uiteindelijk toch weer naar een meritocratisch ideaal: een verdeling van het inkomen, niet op basis van moreel willekeurige toevalligheden, maar gebaseerd op wat mensen moreel verdienen.[65]

Toevalsegalitarisme verdedigt de ongelijkheid die het gevolg is van inspanning en keuze. Daarin zien we een punt waarop het samenvalt met het vrijemarktliberalisme. Beide benadrukken de individuele verantwoordelijkheid en maken de verantwoordelijkheid van de gemeenschap om behoeftigen te helpen afhankelijk van bewijs dat die behoeftigheid niet hun eigen schuld is. Toevalsegalitairen zeggen de welvaartsstaat te willen verdedigen tegen critici die de vrije markt voorstaan, door het 'het krachtigste idee in het arsenaal van anti-egalitair rechts [over te nemen]: het idee van keuze en verantwoordelijkheid'.[66] Daardoor worden de meningsverschillen tussen egalitaire *liberals* en verdedigers van de vrije markt beperkt tot een debat over de voorwaarden waaronder persoonlijke keuzes kunnen worden beschouwd als waarlijk vrije keuzes in plaats van keuzes ingegeven door omstandigheden of noodzaak.

Hoewel het liberalisme van de vrije markt en dat van het egalitarisme beide verdienste afwijzen als een eerste principe van gerechtigheid, delen ze uiteindelijk een meritocratische neiging. Geen van beide heeft een goed antwoord op de moreel onaantrekkelijke houding ten opzichte van succes en falen die optreedt in een meritocratie – de hoogmoed van de winnaars en de vernedering van de verliezers. Dat heeft deels te maken met het feit dat ze stug vasthouden aan een analyse in termen van individuele verantwoordelijkheid. Daarnaast getuigt het van de waarde die ze hechten aan talent. Ook al zullen beide beamen dat aangeboren talenten een kwestie van toeval zijn en daarom vanuit moreel oogpunt willekeurig, toch nemen ze talent, en dan met name het natuurlijke of aangeboren talent, ongelooflijk serieus.

Dat geldt met name voor de egalitaire *liberals*, die inkomensongelijkheid in belangrijke mate wijten aan de gevolgen van de genetisch loterij. Ze bedenken ingewikkelde methoden, zoals Dworkins hypothetische verzekering, om de verschillen te compenseren op het gebied van 'natuurlijke', 'aangeboren' talenten die, in tegenstelling tot sociale en culturele voordelen, niet kunnen worden gecompenseerd door betere kansen in het onderwijs. Ze baseren hun argumenten voor herverdeling op dit biologische idee van wat talent is, als een genetisch feit dat voorafgaat aan maatschappelijke regelingen. Die visie op talent, als een soort aangeboren excellentie, is echter een hoogmoedige. Alhoewel egalitaire *liberals* proberen iets te doen aan 'het grote onrecht van de slimmen en de dommen',[67] valoriseren ze daarmee 'de slimmen' en denigreren ze 'de dommen'.

Er is geen heftig debat over de genetische aanleg voor intelligentie voor nodig om in te zien dat de verbijsterende ongelijkheid in inkomen en vermogen waarvan we nu getuige zijn weinig te maken heeft met aangeboren verschillen in intelligentie. Het idee dat de overdreven hoge inkomens van mensen in de financiële of de zakenwereld en de eliteberoepen het gevolg zouden zijn van hun genetische superioriteit is vergezocht. Hoewel het best eens waar zou kunnen zijn dat wat genieën zoals Einstein of virtuozen zoals Mozart wisten te bereiken het gevolg is van aangeboren gaven, is het absurd om te denken dat een dergelijk buitengewoon natuurlijk genie nu juist is wat de managers van hedgefondsen onderscheidt van docenten in het middelbaar onderwijs.

Zoals Elizabeth Anderson opmerkt, valt het nog maar te bezien 'of geringere aangeboren gaven zoveel te maken hebben met de waargenomen inkomensongelijkheid in kapitalistische economieën'. De meeste inkomensverschillen 'zijn het gevolg van het feit dat de samenleving veel meer heeft geïnvesteerd in de ontwikkeling van de talenten van sommigen dan in die van anderen, en dat ze werkenden zeer ongelijke hoeveelheden kapitaal ter beschikking stelt. Productiviteit houdt voornamelijk verband met rollen in het werk, niet met individuen.'[68]

Natuurlijke talenten, hoe onverdiend ook, worden in een meritocratische samenleving geprezen. Dat komt deels omdat ze bewonderd worden om wat ze zijn. Maar het is ook omdat verondersteld wordt dat ze de enorme winst van de geslaagden zouden verklaren.

Als een meritocratie mensen in staat stelt zover op te klimmen 'als de hun door God gegeven talenten hen kunnen brengen', is het verleidelijk om te denken dat de meest succesvollen ook de meest getalenteerden zijn. Dat is echter een vergissing. Succes bij het verdienen van geld heeft weinig te maken met aangeboren talent, zo dat al bestaat.[69] Door zo de nadruk te leggen op natuurlijk talent als de belangrijkste reden voor inkomensongelijkheid, overdrijven egalitaire *liberals* de rol ervan en vergroten ze onbedoeld het ermee samenhangende prestige.

De opkomst van de meritocratie

'Meritocratie' was aanvankelijk een scheldwoord, maar zou zich ontwikkelen tot iets positiefs en nastrevenswaardigs. 'New Labour zet in op de meritocratie,' verkondigde Tony Blair in 1996, een jaar voordat hij premier van Groot-Brittannië zou worden. 'Wij geloven dat mensen in staat moeten zijn om op te klimmen op grond van hun talenten en niet op basis van hun afkomst of privileges.'[70] Toen hij in 2001 campagne voerde voor een tweede termijn, zei hij dat het zijn missie was om 'de barrières te slechten die mensen tegenhouden, om te zorgen voor echte sociale mobiliteit, een open samenleving die werkelijk gebaseerd is op verdienste en de gelijkwaardigheid van allen'. Hij beloofde 'een strikt meritocratisch programma', gericht op 'het openstellen van de economie en de samenleving voor verdienste en talent'.[71]

Michael Young, die tegen die tijd vijfentachtig was, was hevig ontsteld. In een essay in *The Guardian* klaagde hij dat Blair een opvatting huldigde die hij (Young) veertig jaar eerder al in zijn satirische werk had ontkracht. Young vreesde nu dat zijn duistere voorspelling was uitgekomen. 'Ik verwachtte dat de armen en de achtergestelden de pineut zouden worden, en dat blijkt ook zo te zijn. (…) Het is nogal zwaar om in een samenleving die zozeer

hecht aan de verdienste te worden weggezet als iemand die het
daaraan ontbreekt. Nog nooit eerder werd een onderklasse in
moreel opzicht zo radicaal moreel uitgekleed.'[72]

Ondertussen ging het de rijken en de machtigen, 'onverdraag-
lijk zelfgenoegzaam', voor de wind. 'Als meritocraten denken,
en meer en meer van hen doen dat, dat ze hun succes te danken
hebben aan hun eigen verdienste, kunnen ze het gevoel hebben
dat ze alles verdienen waar ze de hand op weten te leggen.' Het
gevolg is dat 'de ongelijkheid jaar na jaar ernstiger is geworden,
en dat zonder een protest van de leiders van de partij die ooit
nog zo krachtig en kenmerkend pleitte voor grotere gelijkheid'.[73]

Hij had geen idee wat er kon worden gedaan 'aan deze sterk
gepolariseerde meritocratische samenleving', maar hij wenste dat
'meneer Blair het eens zou nalaten dat woord nog te gebruiken,
of toch in elk geval de negatieve aspecten ervan zou erkennen'.[74]

In de afgelopen decennia heeft de taal van de verdienste het publieke debat gedomineerd en is er maar weinig aandacht geweest
voor de negatieve aspecten ervan. Zelfs naarmate de ongelijkheid
ernstiger werd, heeft de retoriek van het opklimmen de belangrijkste partijen direct links en rechts van het midden voorzien van
het primaire vocabulaire om te spreken over morele vooruitgang
en politieke verbetering. 'Wie hard werkt en zich aan de regels
houdt, zou in staat moeten zijn om zover op te klimmen als
zijn talent hem kan brengen.' Meritocratische elites waren zo
gewend geraakt dit mantra te herhalen dat ze niet opmerkten
dat het inmiddels steeds minder mensen wist te inspireren. Blind
voor het toenemende ressentiment van degenen die niet hadden
gedeeld in de opbrengsten van de mondialisering, zagen ze ook
de ontevredenheid niet. Ze werden dan ook volstrekt verrast
door de populistische reactie. Ze hadden niet begrepen wat de
impliciete belediging was die uitging van de meritocratische
samenleving die ze aanboden.

6

De sorteermachine

Als meritocratie het probleem is, wat is dan de oplossing? Moeten we mensen aanstellen op basis van vriendjespolitiek of allerlei vooroordelen, in plaats van hun vermogen om het werk te doen? Moeten we dan terugkeren naar de tijd toen Ivy League-universiteiten de geprivilegieerde zonen van witte, protestantse families uit de hogere klassen toelieten, zonder veel aandacht te besteden aan hun academische vooruitzichten? Nee. Het overwinnen van de tirannie van verdienste betekent niet dat verdienste helemaal geen rol kan spelen bij de verdeling van banen en maatschappelijke rollen.

In plaats daarvan betekent het dat we op een andere manier moeten nadenken over succes en vragen moeten stellen bij het meritocratisch waandenkbeeld dat wie bovenaan de ladder staat, daar op eigen kracht is gekomen. Het betekent bovendien dat we kritisch moeten zijn op de ongelijkheid in vermogen en aanzien die wordt verdedigd uit naam van de verdienste, maar die bijdraagt aan de wrok, onze politiek vergiftigt en ons uiteendrijft. Een dergelijke heroverweging zou zich moeten richten op de twee domeinen van het leven die centraal staan in de meritocratische opvatting van succes: onderwijs en werk.

In het volgende hoofdstuk zal ik laten zien hoe de tirannie van verdienste de waardigheid van werk ondermijnt, en hoe we die waardigheid kunnen herstellen. In dit hoofdstuk laat ik zien hoe hoger onderwijs een sorteermachine is geworden die sociale mobiliteit op basis van verdienste in het vooruitzicht stelt, maar in plaats daarvan de bestaande privileges beschermt en een houding ten opzichte van succes bevordert die schadelijk is voor de gemeenschappelijkheid die voor een democratie nodig is.

Universiteiten controleren het systeem door middel waarvan moderne samenlevingen kansen verdelen. Ze verlenen de diploma's die bepalen wie er toegang heeft tot goedbetaalde banen en prestigieuze posities. Voor het hoger onderwijs is die rol echter geen onverdeeld genoegen.

Wanneer we universiteiten tot drijvende kracht van de meritocratische verwachting maken, verlenen we ze daarmee enorm veel cultureel gezag en prestige. Daardoor is toelating tot de elite-universiteiten het object van een koortsachtige ambitie geworden en is een aantal Amerikaanse universiteiten in staat gebleken miljarden dollars te verzamelen in de vorm van schenkingen. Deze ontwikkeling, waarin universiteiten tot het bolwerk van de meritocratische orde worden gemaakt, zou echter slecht kunnen uitpakken voor de democratie, voor de studenten die dingen naar het recht om ze te bezoeken én voor de universiteiten zelf.

James Conants meritocratische staatsgreep

De concurrentiestrijd om toelating tot een universiteit als springplank naar goede kansen in het leven is inmiddels zo vertrouwd geworden dat we haast zouden vergeten hoe recent die ontwikkeling eigenlijk is. De meritocratische missie van het Amerikaanse hoger onderwijs is van relatief recente datum, en ontstond in de jaren vijftig en zestig. Tijdens de eerste decennia van de twintigste

eeuw was toelating tot Harvard, Yale en Princeton, de invloedrijke 'grote drie' van de Ivy League, voornamelijk afhankelijk van
de vraag of iemand een van de private kostscholen had bezocht
die families uit de hogere klassen van de protestantse elite bedienden. Academische capaciteiten telden minder dan de juiste
sociale achtergrond en het vermogen om het collegegeld te kunnen betalen. Elke universiteit had haar eigen toelatingsexamens,
maar zelfs daar werd flexibel mee omgegaan. Veel kandidaten die
er niet voor slaagden werden desondanks toegelaten. Vrouwen
waren niet welkom, zwarte studenten kregen geen toegang tot
Princeton en maar zelden tot Harvard en Yale, en het aantal Joodse kandidaten werd beperkt door formele en informele quota.[1]

Het idee van elite-universiteiten als meritocratische instituties die tot doel hadden de meest getalenteerde studenten aan
te trekken en op te leiden, ongeacht hun achtergrond, zodat ze
een leidende rol konden gaan spelen in de maatschappij, werd
het duidelijkst uitgewerkt in de jaren veertig door James Bryant
Conant, de president van Harvard University. Conant, een schei-
kundige die tijdens de Tweede Wereldoorlog als wetenschappelijk
adviseur van het Manhattanproject had gediend, maakte zich
zorgen over de opkomst van een erfelijke hogere klasse, zowel
aan Harvard als in de rest van de Amerikaanse samenleving. Een
dergelijke elite was in strijd met de Amerikaanse democratische
idealen, vond hij, en weinig geschikt om het land te besturen in
een tijd waarin het meer dan ooit behoefte had aan intelligentie
en wetenschappelijke uitmuntendheid.

Nicholas Lemann, auteur van een zeer verhelderende geschiedenis van de toelatingsexamens van het hoger onderwijs in Amerika,
beschrijft het probleem zoals Conant dat zag. Aan Harvard en
andere toonaangevende universiteiten, 'zetten achteloze jonge-
mannen met bedienden, die vooral bezig waren met feesten en
sport in plaats van studeren, de toon voor het universitaire leven'.
Diezelfde mannen zouden vervolgens de scepter zwaaien op toonaangevende advocatenkantoren, banken op Wall Street, de buitenlandse dienst, en de universitaire ziekenhuizen en faculteiten.[2]

De beste plaatsen waren allemaal gereserveerd voor leden van een bepaalde groep (...), allen mannen van de oostkust, orthodoxe protestanten, voormalige kostschoolleerlingen. (...) Katholieken en Joden werden niet toegelaten, behalve in zeldzame gevallen, maar dan moesten ze wel elk eventueel accent of andere zichtbare of hoorbare uiting van hun vreemde culturele achtergrond zien kwijt te raken. Wie niet wit was, stond zeker te ver af van de elite en kwam al helemaal niet in aanmerking. En zelfs de felste sociale hervormers van dat moment kwamen niet op het idee dat er misschien ook een rol weggelegd kon zijn voor vrouwen in het bestuur van het land.[3]

Conant hoopt een einde te maken aan deze erfelijke elite en haar te vervangen door een meritocratische. Volgens Lemann was het zijn doel om ...

... de bestaande, ondemocratische Amerikaanse elite af te zetten en te vervangen door een nieuwe, die bestond uit intelligente, goed opgeleide en sociaal geëngageerde mensen uit alle delen van de samenleving, met uiteenlopende achtergronden. Deze mensen (lees: mannen) zouden dan het land leiden. Ze zouden leidinggeven aan de grote technische organisaties die de ruggengraat zouden vormen van de Verenigde Staten in de late twintigste eeuw en voor het eerst in de geschiedenis een systeem tot stand brengen dat alle Amerikanen kansen zou bieden.[4]

Het was, zoals Lemann het formuleert, 'een gewaagd plan om een verandering tot stand te brengen in de leiding en de maatschappelijke structuren van het land – een soort stille, geplande staatsgreep'.[5]

Om deze meritocratische staatsgreep te kunnen plegen, moest Conan in staat zijn om de meest veelbelovende leerlingen op de middelbare scholen op het spoor te komen, ongeacht hun eventuele bescheiden afkomst, en hen zien te werven voor de elite-universiteiten. Om te beginnen riep hij een Harvard-beurs in het leven voor getalenteerde leerlingen van openbare scholen in de Midwest, die zouden worden geselecteerd op basis van een test van hun intellectuele capaciteiten. Toen hij opdracht gaf voor de ontwikkeling van deze test, stond hij erop dat deze de aangeboren intelligentie zou meten, en niet de beheersing van academische onderwerpen, in de hoop zo te voorkomen dat leerlingen die de betere middelbare scholen hadden bezocht een voordeel hadden ten opzichte van anderen. De test waar hij uiteindelijk voor koos was een variant op een IQ-test zoals die tijdens de Eerste Wereldoorlog werd gebruikt door het Amerikaanse leger, de zogenoemde Scholastic Aptitude Test (SAT).

Na verloop van tijd kwamen de beurzen van Conant ook beschikbaar voor kandidaten uit de rest van het land. De test die hij gebruikte om hen te selecteren, de SAT, zou uiteindelijk in heel het land worden overgenomen om te bepalen wie er werd toegelaten tot een universiteit. Zoals Lemann stelt, werd de SAT 'niet alleen een manier om een paar beurzen te verdelen voor Harvard, maar het fundamentele mechanisme om de Amerikaanse bevolking mee te sorteren'.[6]

Conants poging om van Harvard een meritocratische instelling te maken was onderdeel van een veelomvattender ambitie om de Amerikaanse samenleving opnieuw in te richten aan de hand van meritocratische principes. Hij zette zijn visie uiteen in 'Education for a Classless Society', een toespraak die hij hield aan de University of California en die in 1940 werd gepubliceerd in *The Atlantic*. Conant wilde het principe van de gelijke kansen recupereren voor de Amerikaanse samenleving, aangezien dat inmiddels bedreigd werd door 'de ontwikkeling van een erfelijke aristocratie van vermogenden'. Hij citeerde Frederick Jackson Turner, de Harvard-historicus die had gesteld dat er een einde was gekomen aan de traditionele Amerikaanse kansen om wat van het leven te maken toen expansie naar het westen niet langer mogelijk was – de mogelijkheid om daar een nieuw leven te

beginnen, land te bebouwen en er door inspanning en vindingrijkheid op te klimmen, zonder te worden gehinderd door een
aan klasse gebonden hiërarchie. 'Het meest opmerkelijke feit'
van de vroege periode van de Amerikaanse democratie was, aldus
Turner, 'de vrijheid van het individu om op te klimmen onder
omstandigheden die sociale mobiliteit toestonden'.[7]

Turner, die aan het eind van de negentiende eeuw schreef,
was wellicht de eerste die de term 'sociale mobiliteit' gebruikte.[8]
Conant noemde dit concept 'de kern van mijn redenering', en
hij gebruikte het om zijn ideaal van een klasseloze maatschappij
te definiëren.

> Een hoge mate van sociale mobiliteit is de essentie van het
> Amerikaanse ideaal van de klasseloze samenleving. Als grote
> aantallen jonge mensen hun eigen talenten kunnen ontwik-
> kelen, ongeacht de economische status van hun ouders, is
> de sociale mobiliteit groot. Als de toekomst van een jonge
> man of vrouw daarentegen vrijwel geheel wordt bepaald
> door erfelijk privilege of het ontbreken daarvan, is er geen
> sociale mobiliteit.[9]

Als de sociale mobiliteit groot is, legde Conant uit, 'kunnen en
moeten zonen en dochters hun eigen niveau opzoeken, hun eigen
economische beloning verkrijgen en voor elk gewenst vak kunnen kiezen, ongeacht wat hun ouders zouden hebben gekozen'.[10]

Maar wat kon er, bij het ontbreken van verdere expansiemo-
gelijkheden naar het westen, functioneren als het instrument
van de mobiliteit die een vloeiende klasseloze samenleving nodig
had? Conants antwoord daarop was onderwijs. Naarmate meer
en meer Amerikanen de highschool bezochten, veranderde het
middelbaar onderwijs in een 'enorme machine' die, mits juist
gebruikt, zou 'kunnen helpen bij het herstel van (...) kansen
zoals we die ooit hadden met de trek naar het westen'.

Zoals Conant het zag, bestonden de kansen die een algemene
toegang tot de highschool bood echter niet zozeer in het onder-

wijs dat werd geboden, als wel in de gelegenheid om leerlingen te sorteren en te beoordelen als kandidaten voor het hoger onderwijs. In een uiterst geïndustrialiseerde samenleving 'moeten vaardigheden worden beoordeeld, talenten worden ontwikkeld en ambities worden gestuurd. Dat is de taak van ons openbare onderwijs.'[11]

Hoewel Conant dacht dat het van belang was om alle toekomstige burgers op te leiden tot leden van een politieke democratie, was dit burgerlijke doel van de openbare scholen ondergeschikt aan hun sorteerfunctie. Belangrijker dan het opleiden van jonge mensen voor het burgerschap was het om hen toe te rusten 'om op de eerste sport van de ladder van hun keuze te kunnen stappen'. Conant erkende dat deze sorterende rol 'misschien een overweldigende belasting lijkt voor ons onderwijssysteem', maar hij hoopte dat de openbare scholen 'konden worden heringericht voor dit specifieke doel'.[12] De openbare scholen vormden een breed platform voor de werving van een nieuwe, meritocratische elite.

Conant schakelde een formidabele bondgenoot in om dit idee van de selectie van de meeste geschikten van elke generatie voor hoger onderwijs en publieke leidersfuncties te ondersteunen – Thomas Jefferson. Net als Conant was Jefferson tegen een aristocratie van het vermogen en het geboorterecht geweest en had hij deze willen vervangen door een aristocratie van de deugden en talenten. Daarnaast geloofde Jefferson dat een goed ontworpen onderwijssysteem het mechanisme zou kunnen zijn voor 'de selectie van de verstandigste jeugd uit de klassen van de armen'. De natuur had het talent niet exclusief aan de rijken gegeven, maar 'gelijkmatig verspreid' over alle rangen van de samenleving. Nu was het de uitdaging om het te vinden en te cultiveren, zodat de meest getalenteerden en deugdzamen konden worden opgeleid en toegerust om te leiden.[13]

Dit was het doel dat Jefferson voor ogen had gehad toen hij voor Virginia een systeem voor openbaar onderwijs voorstelde. Wie het best presteerde op de lagere scholen, zou worden uitverkoren om 'op kosten van de gemeenschap hoger onderwijs te volgen aan een school in het district'. Wie daar vervolgens uitstekend presteerde, kon rekenen op een beurs om het College of William and Mary te bezoeken en zo een van de leiders van de samenleving te worden. 'Waardigheid en verstand zouden zo worden gezocht onder alle omstandigheden van het leven en met scholing volledig worden klaargestoomd om de concurrentie van rijkdom en privilege te overwinnen wanneer ze naar publieke functies dongen.'[14]

Jeffersons plan werd niet overgenomen, maar voor Conant vormde het een inspirerend precedent van het type hoger onderwijs waar hij voorstander van was, gebaseerd op gelijke kansen en sociale mobiliteit. Jefferson had overigens geen van die termen gebruikt. In plaats daarvan had hij het over een 'natuurlijke aristocratie' van het talent en de deugd die het, naar hij hoopte, zou winnen van 'een kunstmatige aristocratie op basis van rijkdom en afkomst'.[15] Vervolgens beschreef hij zijn plan voor deze concurrentie in het onderwijs, ondersteund met beurzen, in een taal die Conant in zijn tijd nooit had kunnen bezigen: 'Twintig van de beste genieën per jaar zullen tussen het vullis uit worden geharkt en op kosten van de gemeenschap worden opgeleid.'[16]

Voortekenen van een tirannie van verdienste

Achteraf bezien brengt Jeffersons onaangename woordkeuze twee potentiële problemen van een meritocratisch onderwijssysteem aan het licht die in ons spreken over sociale mobiliteit en gelijke kansen verborgen bleven. Om te beginnen is een vloeiende, mobiele samenleving gebaseerd op verdienste, hoewel ze niet te verenigen is met een erfelijke hiërarchie, wel te verenigen met ongelijkheid. Sterker nog, ze legitimeert de ongelijkheid die zo ontstaat op basis van verdienste in plaats van geboorte. Ten tweede dreigt een systeem dat 'de beste genieën' viert de rest te denigreren, zowel impliciet als expliciet, tot 'vullis'. Zelfs al in zijn voorstel voor een tamelijk genereus beurzenstelsel zien we bij Jefferson een vroeg voorbeeld van onze eigen meritocratische neiging om 'slim' te waarderen en 'dom' te stigmatiseren.

Conant gaat in op deze twee potentiële bezwaren tegen een meritocratische orde, zij het wat directer op het eerste dan op het tweede. Wat betreft het probleem van de ongelijkheid gaf hij eerlijk toe dat zijn idee van een klasseloze maatschappij niet gericht was op een gematigder verdeling van inkomen en vermogen. Hij streefde eerder naar een mobielere samenleving dan naar een gelijkwaardigere. Wat hem betreft ging het niet om vermindering van de kloof tussen rijk en arm, maar om de verzekering dat mensen van generatie op generatie van plaats konden wisselen in de economische hiërarchie, waarbij sommigen zouden opklimmen en anderen zouden wegzakken ten opzichte van de status van hun ouders. 'Gedurende één generatie, en misschien wel twee, zullen er aanzienlijke verschillen bestaan in economische status en een extreme differentiatie in de aard van het werk, zonder dat er klassen ontstaan.' Macht en privilege kunnen ongelijk verdeeld zijn, vooropgesteld dat ze 'automatisch worden herverdeeld aan het eind van elke generatie'.[17]

Wat betreft het smakeloze beeld van de genieën die tussen 'het vullis' moesten worden uit geharkt, dacht Conant niet dat het uitsorteren dat hij voorstond zou leiden tot het valoriseren van de uitverkorenen of het denigreren van de afgewezenen. 'We moeten uitgaan van de veronderstelling dat er geen onderwijsprivileges bestaan, zelfs niet op het allerhoogste niveau,' schreef hij. 'Geen van de kanalen zou een groter sociaal aanzien moeten hebben dan de andere.'[18]

Conant zou in beide gevallen te optimistisch blijken. Het meritocratisch maken van het hoger onderwijs leidde niet tot een klasseloze maatschappij, noch kon het voorkomen dat op iedereen die wegens een gebrek aan talent werd uitgesloten werd neergekeken. Sommigen zouden zeggen dat deze ontwikkelingen simpelweg getuigen van het feit dat men er niet in is geslaagd de meritocratische idealen te verwerkelijken. Zoals Conant echter

toegaf, zijn het vinden van de talenten en het streven naar gelijkheid twee verschillende projecten.

Conants meritocratische visie was egalitair voor zover hij
Harvard en andere elite-universiteiten wilde openstellen voor
de meest getalenteerde studenten van het land, ongeacht hun
sociale of economische achtergrond.

In een tijd waarin de universiteiten van de Ivy League werden
gedomineerd door families met gevestigde privileges was dit een
nobele ambitie. Conant was echter niet geïnteresseerd in een
vergroting van de toegankelijkheid van het hoger onderwijs. Zijn
plan was niet om het aantal studenten aan de universiteiten te vergroten, hij wilde enkel zorgen dat alleen de meest getalenteerden
er terechtkwamen. Het land 'zou profiteren van de eliminatie van
zeker een kwart, of misschien zelfs wel de helft van iedereen die
nu nog hoger onderwijs aan de universiteiten volgt', schreef hij in
1938, 'en de vervanging van deze mensen door anderen met meer
talent'. In overeenstemming met dat idee was hij tegenstander
van de zogenoemde GI Bill, die in 1944 werd ingevoerd door
Franklin D. Roosevelt en voorzag in gratis universitair onderwijs
voor terugkerende veteranen. Het land had geen behoefte aan
meer studenten, volgens Conant, maar aan betere.[19]

Tijdens de twee decennia waarin Conant collegevoorzitter
van Harvard was, voldeed het toelatingsbeleid niet aan de meritocratische idealen die hij voorstond. Tegen het eind van zijn
termijn, in het begin van de jaren vijftig, kwam het nog steeds
maar zelden voor dat Harvard de zonen van alumni weigerde.
Meer dan 87 procent van hen werd toegelaten.[20] Men bleef er
bovendien de voorkeur geven aan kandidaten van de elitaire
kostscholen in New England, het grootste deel van hen werd
toegelaten, terwijl men voor de kandidaten van openbare scholen
hogere eisen hanteerde. Dat had deels te maken met het feit dat
de studenten van de kostscholen 'betalende gasten' waren die
geen financiële ondersteuning behoefden, maar ook met hun
afkomst 'uit de betere kringen', dat het cachet met zich meebracht
waar de universiteiten van de Ivy League zo aan hechtten.[21] Be-

perkingen van het aantal Joodse studenten dat werd toegelaten
werden stilletjes wat minder streng toegepast, maar niet helemaal
opgeheven, vanuit de angst dat te veel Joden 'de bovenklasse van
protestantse jongens die Harvard graag toeliet zou afschrikken'.[22]
De toelating van vrouwen en pogingen om studenten te werven
onder raciale en etnische minderheden lagen op dat moment
nog in de toekomst.

Conants meritocratische erfenis

Hoewel Harvard ze in zijn tijd niet volledig zou implementeren,
zijn de meritocratische idealen die Conant verkondigde sindsdien
bepalend geworden voor het zelfbeeld van het hoger onderwijs
in Amerika. De argumenten die hij in de jaren veertig aandroeg
met betrekking tot de rol van universiteiten in een democratische
samenleving zijn inmiddels gemeengoed geworden. Nu er niet
langer discussie over bestaat, zijn die inmiddels gaan behoren tot
de standaard retoriek van rectoren bij de opening van het college-
jaar en in andere toespraken: het hoger onderwijs behoort open
te staan voor getalenteerde studenten met uiteenlopende sociale
en economische achtergronden, liefst zonder dat hun vermogen
om ervoor te betalen een rol speelt. Hoewel alleen de rijkste
colleges het zich kunnen veroorloven om mensen ongeacht hun
vermogen toe te laten en ze bovendien financieel te ondersteunen, is men het er wel algemeen over eens dat verdienste de reden
van toelating zou moeten zijn. Terwijl de meeste universiteiten
kandidaten beoordelen aan de hand van verschillende factoren,
waaronder academische vooruitzichten, karakter, sportiviteit
en extracurriculaire activiteiten, wordt academische verdienste
voornamelijk gemeten aan de cijfers behaald op de middelbare
school en de score op de SAT, de gestandaardiseerde test van
intellectuele aanleg waar Conant voorstander van was.

Overigens is men het er bepaald niet over eens wat nu precies
verdienste is. In discussies over positieve discriminatie is bijvoor-

beeld nog weleens het argument te horen dat rekening houden met ras en etniciteit in strijd is met verdienste, waarop dan weer het antwoord klinkt dat het vermogen om andere levenservaringen en perspectieven mee te brengen naar het klaslokaal en de samenleving als geheel, een verdienste is die voor de missie van de universiteit van belang is. Dat de discussies over het toelatingsbeleid van onze universiteiten over het algemeen draaien om verdienste laat echter wel zien dat het meritocratische ideaal gemeengoed is geworden.

Misschien nog wel het meest vanzelfsprekend lijkt Conants opvatting van het hoger onderwijs als toegangspoort tot nieuwe kansen, als een bron van een opwaartse sociale mobiliteit die de samenleving in beweging houdt door alle studenten, ongeacht hun sociale en economische achtergrond, de kans te bieden om op te klimmen tot het niveau waarop hun talent hen kan brengen. Uitgaand van dat idee herinneren rectoren ons er steeds weer aan dat excellentie en gelijke kansen hand in hand gaan. Hoe minder sociale en economische obstakels er zijn voor wie naar de universiteit wil, hoe groter het vermogen van de universiteiten om de beste studenten te vinden en ze toe te rusten voor het succes. Wanneer een nieuwe groep op de campus verschijnt voor de introductie, wordt die overladen met lof voor hun uitmuntendheid en diversiteit, en voor het talent en de inspanningen die tot hun toelating hebben geleid.[23]

Zowel in retorisch als in filosofisch opzicht heeft Conants meritocratische ideologie het gewonnen. Toch is het anders gelopen dan hij had verwacht.

SAT-scores laten zien wie het rijkst is

Om te beginnen blijkt de SAT niet academische geschiktheid en aangeboren intelligentie los van sociale of onderwijsachtergrond te meten. SAT-scores blijken integendeel zelfs sterk verband te houden met de rijkdom van ouders. Hoe hoger het gezinsinkomen, hoe hoger de SAT-score. De gemiddelde SAT-score neemt toe naarmate men hoger op de inkomensladder opgroeide.[24] Met name voor de scores die kandidaten in aanmerking doen komen voor de meest selectieve universiteiten is de kloof extreem. Als je stamt uit een rijke familie (met een inkomen van meer dan tweehonderdduizend dollar per jaar), is je kans om meer dan veertienhonderd (van de zestienhonderd) punten te scoren een op vijf. Als je uit een arme familie komt (minder dan twintig-duizend dollar per jaar), is je kans een op vijftig.[25] Kandidaten in de hoogst scorende categorieën zijn bovendien voornamelijk kinderen van ouders met een universitaire graad.[26]

Afgezien van de algemene educatieve voordelen die een welge-stelde familie biedt, worden de SAT-scores van geprivilegieerden nog eens verhoogd door de private voorbereidingscursussen en -docenten. Sommige, bijvoorbeeld in Manhattan, vragen wel duizend dollar per uur voor hun een-op-eenonderwijs. Naarmate de meritocratische concurrentie voor toelating tot de universiteit in de afgelopen decennia is toegenomen, is dit soort privéon-derwijs en testvoorbereiding een miljardenindustrie geworden.[27]

Jarenlang heeft het College Board dat de SAT organiseert volgehouden dat de test de geschiktheid van kandidaten zou meten en dat de score niet kon worden beïnvloed met dit soort privéonderwijs. Onlangs heeft men toegegeven dat dit niet het geval is en de samenwerking gezocht met de Khan Academy om iedereen die de test wil doen een gratis online SAT-oefenmodule aan te bieden. Hoewel dat een nobel streven was, heeft het niet werkelijk bijgedragen aan een eerlijker verdeling van de kansen voor testvoorbereiding waarop het College Board had gehoopt, en waarvan het had beweerd dat die zou worden bereikt. Niet geheel verrassend maakten kandidaten uit families met hogere in-komens en betere scholing vaker gebruik van de online hulp dan die uit achtergestelde gezinnen, zodat de kloof tussen de scores van geprivilegieerden en de rest alleen nog maar groter werd.[28]

Voor Conant hield een test van geschiktheid of IQ de belofte in van een democratische maat van de academische vermogens, niet gekleurd door een opleidingsachterstand of de wisselende kwaliteit van eindexamens. Daarom koos hij voor de SAT als basis voor de selectie van zijn beursstudenten. Hij zou verbaasd zijn te horen dat de eindexamencijfers van de middelbare school beter geschikt zijn dan de SAT-scores om vast te stellen welke leerlingen uit lage-inkomensgroepen waarschijnlijk succesvol zullen zijn op de universiteit.

Het is niet eenvoudig om de voorspellende vermogens van testscores en schoolcijfers te vergelijken. Voor twee derde van alle studenten lopen ze min of meer gelijk. Maar indien de SAT-scores en de schoolcijfers uiteenlopen, helpt de SAT de geprivilegieerden en schaadt hij de achtergestelden.[29]

Terwijl er wel enig aantoonbaar verband is tussen de cijfers op de middelbare school en het gezinsinkomen, is dat bij de SAT-scores veel duidelijker het geval. Dat heeft er deels mee te maken dat het, ondanks het feit dat de testindustrie het jarenlang heeft ontkend, wel degelijk mogelijk is om kandidaten te coachen voor de SAT. Privéonderwijs helpt, en er is dan ook een winstgevende bedrijfstak ontstaan die leerlingen tegen het einde van de middelbare school handigheidjes en trucs leert om hoger te kunnen scoren.[30]

Meritocratie houdt de ongelijkheid in stand

Ten tweede leidde het systeem van de meritocratische toelating waar Conant voorstander van was niet tot de klasseloze samenleving waar hij op had gehoopt. De inkomens- en vermogensongelijkheid zijn alleen maar groter geworden sinds de jaren veertig en vijftig, en de sociale mobiliteit die Conant had beschouwd als de oplossing voor een gelaagde maatschappij is niet tot stand gekomen. Rijken en armen wisselen niet van plaats met het wisselen van de generaties. We zagen al dat relatief weinig kinderen van arme mensen weten op te klimmen tot een grotere welvaart, en dat maar weinig kinderen van de rijken erg ver wegzakken

onder de hogere middenklasse. Ondanks de Amerikaanse droom
dat iedereen het zou kunnen maken, is de sociale mobiliteit in
opwaartse richting veel zeldzamer in de Verenigde Staten dan
in veel Europese landen, en ook in de afgelopen decennia lijkt
dat niet beter te zijn geworden.

Concreet betekent dit dat het hoger onderwijs in dit tijdperk
van de meritocratie dus geen drijvende kracht achter sociale mobiliteit is gebleken. Integendeel zelfs: het heeft de voordelen versterkt die rijkere ouders hun kinderen kunnen bieden. Natuurlijk
is het demografische en academische profiel van de studenten aan
de elite-universiteiten sinds de jaren veertig wel verbeterd. De
erfelijke aristocratie van witte, Angelsaksische, protestantse rijken
die Conant uit het zadel wilde wippen, domineert niet langer.
Vrouwen worden nu onder dezelfde voorwaarden toegelaten als
mannen, universiteiten zoeken actief naar kandidaten met een
andere raciale en etnische achtergrond en ongeveer de helft van
alle Ivy League-studenten vandaag de dag beschouwt zichzelf
als persoon van kleur.[31] De quota en de informele praktijk die
de toelating van Joden beperkten tijdens de eerste helft van de
twintigste eeuw zijn verdwenen.

De bevoorrechting van jongens van de kostscholen van de
hogere klassen zoals die bestond aan Harvard, Yale en Princeton,
nam af in de jaren zestig en zeventig. Datzelfde gold ook voor
de automatische toelating van elke zoon van een alumnus, hoe
weinig getalenteerd ook, tot Ivy League-universiteiten. De academische standaard is verbeterd en de gemiddelde SAT-score is
hoger geworden. De financieel meest draagkrachtige universiteiten hebben een toelatingsbeleid waarbij niet wordt gekeken naar
het financiële vermogen en bieden royale beurzenprogamma's
aan, zodat een belangrijke financiële barrière is weggenomen
voor veelbelovende studenten met bescheiden middelen.

Dat zijn onmiskenbare verbeteringen. En toch heeft de meritocratische revolutie in het hoger onderwijs niet geleid tot de
sociale mobiliteit en de grotere kansengelijkheid die de vroegste
voorstanders ervan verwachtten en die leidinggevende figuren in

het onderwijs en politici nog steeds blijven beloven. De selectieve universiteiten van Amerika hebben zich ontdaan van de zelfgenoegzame, erfelijke elite die Conant zo verontrustte. Maar deze aristocratie van het erfelijke privilege heeft plaatsgemaakt voor een meritocratische elite die inmiddels al even geprivilegieerd en verschanst is als de elite die ze heeft vervangen.

Hoewel ze veel inclusiever is op het gebied van gender, ras en etniciteit, heeft deze meritocratie niet geleid tot een vloeibare, mobiele samenleving. In plaats daarvan hebben de professionele klassen met hun diploma's een manier gevonden om hun privileges door te geven aan hun kinderen, niet door hun uitgebreide bezit aan hen door te geven, maar door hun allerlei ondersteuning te bieden die hen vooruithelpt in een meritocratische maatschappij.

Ondanks de nieuwe rol van het hoger onderwijs als scheidsrechter op het gebied van kansen en als drijvende kracht achter de sociale mobiliteit, is het er in de afgelopen jaren niet in geslaagd voldoende tegenwicht te bieden aan de toenemende ongelijkheid. Kijk bijvoorbeeld eens naar de klassensamenstelling van studenten in het hoger onderwijs nu, zeker aan de meest selectieve universiteiten:

- De meeste studenten aan selectieve universiteiten stammen uit rijke families en slechts weinige hebben een achtergrond met lage inkomens. Meer dan zeventig procent van de studenten die de honderd meest concurrerende universiteiten in de Verenigde Staten bezoeken komt uit het hoogste kwart van de inkomensschaal en slecht drie procent uit het laagste.[32]
- De vermogenskloof in de toelatingen tot universiteiten is het duidelijkst aan de top. Aan Ivy League-universiteiten, Stanford, Duke en andere prestigieuze instituten zijn er meer studenten uit de rijkste één procent families dan uit de totale onderste helft van het land. Aan Yale en Princeton stamt slechts ongeveer een op de vijftig studenten uit een arme familie (de laagste twintig procent).[33]

- Als je uit een rijke familie stamt (de top één procent), zijn je kansen om op een Ivy League-universiteit terecht te komen zevenenzeventig keer groter dan wanneer je uit een arme familie stamt (laagste twintig procent). De meeste jongeren uit de laagste helft van de inkomensschaal volgen een verkorte hogere opleiding of beginnen er helemaal niet aan.[34]

In de afgelopen twee decennia zijn de elite-universiteiten royalere financiële ondersteuning gaan bieden en heeft de federale overheid de studiebeurzen voor studenten met bescheiden middelen verhoogd. Zo geven Harvard en Stanford inmiddels gratis onderwijs, huisvesting en maaltijden aan elke student uit een gezin dat minder dan vijfenzestigduizend dollar per jaar verdient. Ondanks dit soort maatregelen is het aandeel studenten uit families met een lager inkomen aan de selectieve universiteiten sinds 2000 nauwelijks veranderd, en in sommige gevallen zelfs afgenomen. Het percentage 'eerstegeneratiestudenten' (de eerste in hun families die een universiteit bezoeken) aan Harvard is vandaag de dag niet hoger dan in 1960. Jerome Karabel, de auteur van een geschiedenis van het toelatingsbeleid aan Harvard, Yale en Princeton, stelt vast dat 'het nu nog even onwaarschijnlijk is dat de kinderen van de arbeidersklasse en de armen de grote drie [Harvard, Yale en Princeton] bezoeken als in 1954'.[35]

Waarom elite-universiteiten geen drijvende kracht van de sociale mobiliteit zijn

De academische reputatie, de wetenschappelijke bijdragen en het rijke onderwijsaanbod van de toonaangevende universiteiten van Amerika worden wereldwijd bewonderd. Deze universiteiten zijn echter niet erg effectief in het bevorderen van opwaartse sociale mobiliteit. Recent deed econoom Raj Chetty met zijn collega's uitgebreid onderzoek naar de rol van universiteiten bij de bevordering van de mobiliteit van generatie tot generatie, en keek daarbij naar de economische ontwikkeling van dertig miljoen studenten tussen 1999 en 2013. Voor elke universiteit in Amerika berekenden ze vervolgens het percentage studenten dat van de onderste sport van de inkomensladder wist op te klimmen naar de top (dat wil zeggen, van het laagste kwintiel tot het hoogste kwintiel). Ze vroegen, met andere woorden, welk deel van de studenten aan elk college uit een arme familie stamde, maar uiteindelijk net zoveel was gaan verdienen als de hoogste twintig procent. Ze stelden vast dat hoger onderwijs vandaag de dag verrassend weinig bijdraagt aan een grotere opwaartse sociale mobiliteit.[36]

Dat geldt met name voor de elite-universiteiten. Hoewel studeren aan een instelling als Harvard of Princeton een jongere wel een goed kans biedt om verder op te klimmen, worden er aan die universiteiten überhaupt maar zo weinig armen aangenomen dat hun mobiliteitscijfer laag is. Slechts 1,8 procent van de studenten aan Harvard (en slechts 1,3 procent aan Princeton) klimt op van de laagste sport van de inkomensladder tot de hoogste.[37]

Men zou verwachten dat dit anders ligt aan de grote openbare universiteiten. Toch worden ook aan die universiteiten zo veel studenten toegelaten die uit rijkere families stammen dat ze weinig bijdragen aan de opwaartse sociale mobiliteit. De mobiliteitscijfers van de University of Michigan in Ann Arbor bedraagt slechts 1,5 procent. Het klassenprofiel is er op een vergelijkbare manier vertekend als op Harvard: twee derde van de studenten stamt er uit rijke families (hoogste kwintiel). Er zijn zelfs nog minder studenten met een arme achtergrond in Ann Arbor (minder dan 4 procent) dan aan Harvard. Een vergelijkbaar patroon zien we aan de University of Virginia, met een mobiliteitscijfer van slechts 1,5 procent, voornamelijk te wijten aan het feit dat minder dan 3 procent van de studenten daar uit arme families stamt.[38]

Chetty en zijn team vonden wel enkele minder beroemde openbare (staats)universiteiten met een hoger mobiliteitscijfer. Die zijn toegankelijk voor studenten uit een lagere inkomensklasse en helpen hen op te klimmen. Cal State University in Los Angeles bijvoorbeeld en de State University of New York in Stony Brook stellen bijna tien procent van hun studenten in staat om van de laagste sport van de ladder op te klimmen naar de hoogste, ongeveer vijf keer het mobiliteitscijfer van de Ivy League en de meeste selectieve openbare universiteiten.[39]

Deze instituten vormen echter een uitzondering. Samen stelden de achttienhonderd instellingen die Chetty bestudeerde – privaat en openbaar, selectief en niet-selectief – minder dan twee procent van hun studenten in staat om op te klimmen van het laagste kwintiel van de inkomensschaal naar het hoogste.[40] Sommige mensen vragen zich misschien af of het wel redelijk is om als maat voor de mobiliteit studenten te nemen die binnen één generatie van het laagste kwintiel (twintigduizend dollar gezinsinkomen of minder) naar de top (honderdtienduizend dollar of meer) opklimmen. Maar ook veel bescheidener bevorderingen zijn tamelijk zeldzaam. Aan elite-universiteiten slaagt maar ongeveer een op de tien studenten erin om zelfs ook maar twee sporten (twee kwintielen) op de inkomensladder op te klimmen.[41]

Amerikaanse universiteiten stellen verrassend weinig studenten in staat om op te klimmen, ondanks het feit dat het bezoeken van dergelijke instituties wel je economische vooruitzichten verbetert. Afgestudeerden, met name die van prestigieuze universiteiten, hebben een belangrijke voorsprong wanneer ze meedingen naar lucratieve banen. De opleidingen hebben echter weinig effect op opwaartse sociale mobiliteit, omdat de meeste studenten toch al uit welgestelde families stammen. Het hoger onderwijs in Amerika is als een lift in een gebouw waar de meeste mensen op de hoogste verdieping instappen.

In de praktijk doen de meeste universiteiten minder om nieuwe kansen te bieden dan om het privilege te consolideren. Voor wie het hoger onderwijs beschouwt als het belangrijkste middel om mensen kansen te bieden, is dat ontnuchterend nieuws. Daarmee wordt een geloofspunt van de hedendaagse politiek aan het wankelen gebracht – dat het antwoord op de toenemende ongelijkheid zou liggen in grotere mobiliteit, en dat de manier om die mobiliteit te vergroten zou zijn om meer mensen te laten studeren.

Hoewel die visie op kansen wordt aangehaald door politici verspreid over het hele ideologische spectrum, sluit ze steeds slechter aan op wat veel mensen concreet ervaren, zeker degenen die geen universitaire graad hebben maar wel graag fatsoenlijk werk met enig aanzien en een goed inkomen willen. Dat is een redelijk verlangen dat de meritocratische samenleving beter niet kan negeren. Voor de gediplomeerde klassen is het eenvoudig te vergeten dat de meesten van onze medeburgers geen universitair diploma hebben. Hen er voortdurend aan herinneren dat ze hun situatie moeten verbeteren door een diploma te behalen ('Wat je eet hangt af van wat je weet') werkt eerder beledigend dan inspirerend.

Dus wat moeten we nu aan met het hoger onderwijs? Moet dat zijn huidige rol als scheidsrechter van de kansen behouden? En moeten we ervan blijven uitgaan dat kansen bestaan uit een gelijkwaardige toegang tot het meritocratische toernooi waartoe de toelatingsprocedure tot universiteiten is verworden? Volgens sommigen wel, mits we er maar voor kunnen zorgen dat dit toernooi eerlijk verloopt. Zij stellen dat het geringe aantal studenten uit lagere inkomensklassen in het hoger onderwijs niet wijst op een fout van het meritocratische toelatingsbeleid, maar op een onjuiste toepassing ervan. Volgens die opvatting is de oplossing voor de problemen van de meritocratie een nog veel verder gaande meritocratie, een die getalenteerde studenten gelijkwaardige toegang tot de universiteit biedt, ongeacht hun sociale en economische achtergrond.

De meritocratie eerlijker maken

Op het eerste gezicht lijkt dit een redelijk uitgangspunt. Het verbeteren van de gelijke kansen voor arme, maar getalenteerde studenten is ongetwijfeld goed. In de afgelopen decennia hebben universiteiten belangrijke stappen gezet in de werving van Afro-Amerikaanse en Latijns-Amerikaanse studenten, maar weinig ondernomen om het aantal studenten uit lagere inkomensgroepen te bevorderen. Sterker nog, naarmate het debat over positieve discriminatie van raciale en etnische minderheden heviger werd, hebben universiteiten in stilte feitelijk een positieve discriminatie van de rijken gepraktiseerd.

Zo geven veel van de selectieve universiteiten de voorkeur aan kinderen van alumni (*legacies* worden ze genoemd), omdat hen toelaten zou bijdragen aan de versterking van de gemeenschapsgeest en nieuwe donaties oplevert. Aan elite-universiteiten is het zes keer waarschijnlijker dat kinderen van alumni worden aangenomen dan dat anderen worden toegelaten. In totaal neemt Harvard een op de twintig kandidaten aan, maar onder de kinderen van alumni is dat een op de drie.[42]

Sommige universiteiten gaan bovendien soepel om met hun academische standaarden om de kinderen van rijke donateurs die geen alumni zijn te kunnen toelaten, vanuit de redenering dat het de moeite waard is om een aantal minder goede studenten toe te laten in ruil voor een nieuwe bibliotheek of een nieuw fonds voor beurzen. Tijdens een fondsenwervingscampagne in de late jaren negentig en de vroege jaren tweeduizend, reserveerde Duke University elk jaar ongeveer honderd plaatsen in het eerste jaar voor kinderen van rijke donateurs die anders niet zouden zijn toegelaten. Hoewel sommige faculteitsleden zich zorgen maakten over de negatieve invloed hiervan op de academische standaarden, hielp dit beleid wel om de fondsen en het aanzien van Duke ten opzichte van de concurrentie te vergroten.[43] Documenten die werden vrijgegeven in het kader van een recente rechtszaak over het toelatingsbeleid aan Harvard lieten zien dat bijna tien procent van de studenten daar wordt toegelaten dankzij connecties met donateurs.[44]

De voorkeur voor sportieve kandidaten werkt opnieuw in het voordeel van de rijken. Soms wordt ervan uitgegaan dat een verlaging van de academische standaarden voor sporters, met name in populaire sporten zoals American football en basketbal, zou helpen om studenten uit ondervertegenwoordigde minderheden en lagere inkomensgroepen aan te trekken. Maar over het geheel genomen zijn de kandidaten die profiteren van de voorkeur voor sporters vaker rijk en wit. Dat komt doordat de meeste sporten waar universiteiten op selecteren nu juist worden beoefend door kinderen van rijke ouders – squash, lacrosse, zeilen, roeien, golf, waterpolo, schermen en zelfs paardrijden.[45]

De voorkeursbehandeling voor sporters blijft niet beperkt tot universiteiten die belangrijk zijn voor het American football, zoals Michigan en Ohio State, die met hun teams enorme stadions weten te vullen. Ook aan bijvoorbeeld Williams College, een kleine, prestigieuze universiteit gespecialiseerd in alfawetenschappen, in New England, is dertig procent van de eerstejaars sporter.[46] Slechts enkelen van deze student-sporters komen uit een achtergesteld milieu. Een onderzoek naar negentien selectieve universiteiten, onder coauteurschap van de voormalig collegevoorzitter van Princeton, stelde vast dat sporters grotere voordelen genieten bij de toelatingsprocedure dan de ondervertegenwoordigde minderheden of de kinderen van alumni, en dat slechts 5 procent van hen stamt uit het laagste kwart van de inkomensschaal.[47]

Universiteiten zouden deze oneerlijkheid op verschillende manieren kunnen proberen te bestrijden. Ze zouden aan positieve discriminatie op basis van klasse kunnen doen door studenten uit armere families dezelfde voorkeursbehandeling te geven die ze momenteel geven aan de *legacies*, de kinderen van donateurs, en de sporters die ze aannemen. Ze zouden ook de voordelen die de rijkere kandidaten tot nu toe hebben genoten kunnen beperken door gewoon helemaal een einde te maken aan de voorkeursbehandelingen. Daarnaast kunnen universiteiten rijkere kandidaten het voordeel ontnemen dat ze genieten doordat hun SAT-scores hoger uitvallen als gevolg van de privélessen en de testvoorbereiding, namelijk door niet langer met deze standaardtests te werken, zoals de University of Chicago en andere instellingen onlangs hebben besloten. Onderzoeken hebben aangetoond dat SAT-scores als voorspellers van academische prestaties eerder dan eindexamencijfers vertekend worden door sociaaleconomische achtergrond. Door minder op deze scores te vertrouwen zouden universiteiten meer studenten met bescheiden middelen kunnen aannemen, zonder dat dit grote consequenties zou hebben voor de academische successcore van hun instituut.[48]

Dat zijn stappen die elke universiteit op zich al kan nemen. Daarnaast zou de overheid kunnen ingrijpen om ervoor te zorgen dat de toelating tot universiteiten de geprivilegieerden minder bevoordeelt. Senator Edward Kennedy, die zelf een *legacy*-student was aan Harvard, stelde ooit eens voor om van private universiteiten te eisen dat ze hun toelatingscijfers voor de kinderen van alumni publiceerden en verslag deden van hun sociaaleconomische profiel. Daniel Markovits, professor aan de rechtenfaculteit van Yale en criticus van de meritocratische ongelijkheid, zou nog verder willen gaan. Hij heeft voorgesteld om private universiteiten hun belastingvrijstelling te ontzeggen, tenzij ze minstens de helft van hun studenten uit de laagste twee derde van de inkomensschaal betrekken, bij voorkeur door er meer aan te nemen.[49]

Deze maatregelen, of ze nu worden genomen door de universiteiten zelf of op last van de overheid, zouden de ongelijkheid verminderen die het hoger onderwijs tot een zwak instrument voor de sociale mobiliteit maakt. Ze zouden de oneerlijkheid van het systeem beperken door de toegankelijkheid voor minder bevoorrechten te verbeteren. Dat zijn aantrekkelijke argumenten om dit soort maatregelen te overwegen.

Wanneer we echter alleen focussen op de oneerlijkheid van het systeem, dient zich een grotere vraag aan over de kern van Conants meritocratische revolutie: moeten universiteiten wel de rol op zich nemen om mensen te sorteren op basis van talent en zo bepalen wie er in het leven succesvol is?

Er zijn zeker twee redenen om daaraan te twijfelen. De eerste betreft de aanstootgevende oordelen die een dergelijke sortering impliceert voor iedereen die niet tot de uitverkorenen behoort en de schadelijke effecten die dat kan hebben voor het samenleven als burgers. Het tweede heeft betrekking op de schade die de meritocratische strijd veroorzaakt aan diegenen die wel worden uitverkoren, en op het risico dat het sorteren zo belangrijk wordt dat het universiteiten afleidt van hun onderwijsmissie. Kortom, het hoger onderwijs veranderen in een uiterst competitieve sorteringsstrijd is even ongezond voor de democratie als voor het onderwijs. Laten we deze risico's een voor een behandelen.

Sortering en de toewijzing van sociaal aanzien

Conant was zich bewust van het risico dat het gebruik van de universiteiten als sorteermechanismen tot sociale onrust kon leiden, maar hij dacht dat deze consequentie te vermijden viel. Zijn doel was om mensen te testen en hun prestaties te volgen, om zo elk individu precies naar die sociale rol te wijzen die optimaal bij zijn talenten aansloot (hij ging er nog altijd van uit dat alleen het talent van mannen hoefde te worden getest en gevolgd), zonder te impliceren dat de meest getalenteerden waardiger waren dan anderen. Hij geloofde niet dat deze sortering door het onderwijs zou leiden tot oordelen over sociale superioriteit of prestige, zoals het oude systeem van het erfelijke privilege dat had gedaan.[50]

Conants vertrouwen dat het mogelijk moest zijn om mensen te sorteren zonder een oordeel over hen te vellen, gaat voorbij aan de morele logica en de psychologische aantrekkingskracht van het meritocratisch regime dat hij hielp lanceren. Een van de belangrijkste argumenten om een meritocratie te verkiezen boven een erfelijke aristocratie is dat wie opklimt dat doet op grond van zijn eigen verdiensten, zijn eigen succes, en daarom de beloningen verdient die deze verdiensten opleveren. De meritocratische sortering gaat onherroepelijk gepaard met oordelen over loon en verdienste. Dat zijn onontkoombare publieke oordelen over welke talenten en prestaties het waard zijn te worden geëerd en erkend.

Conants overtuiging dat het hoger onderwijs de erfelijke hogere klasse haar macht zou moeten ontnemen en de getalenteerde wetenschappers en intellectuelen moest vinden, was niet alleen een manier om de sociaal noodzakelijke rollen in te vullen, maar impliceerde bovendien een opvatting over welke eigenschappen van het intellect en het karakter een moderne, technologisch geavanceerde samenleving zou moeten waarderen en belonen. Het viel dus moeilijk te ontkennen dat het nieuwe sorteringssysteem tevens een basis vormde voor de toewijzing van sociale status en aanzien. Dat was het punt dat Michael Young maakte in zijn *Rise of the Meritocracy* (1958), dat slechts een paar jaar na Conants afscheid als rector van Harvard werd gepubliceerd. Young zag wat Conant niet had gezien of niet had willen toegeven, namelijk dat de nieuwe meritocratie een nieuwe, veeleisende basis met zich meebracht op grond waarvan werd beoordeeld wie er waardig was en wie niet.

De navolgers van Conant die de meritocratische overname van het hoger onderwijs tot stand brachten, waren expliciet over het verband tussen sorteren en oordelen. In een boek met de titel *Excellence* (1961) gaf John W. Gardner, een stichtingsdirecteur die later nog minister van Gezondheidszorg, Onderwijs en Welzijn zou worden onder Lyndon Johnson, uitdrukking aan de geest van het nieuwe meritocratische tijdperk. 'We zijn getuige van een revolutie in de maatschappelijke houding tegenover mannen en vrouwen met grote talenten die hoger onderwijs hebben genoten. Voor het eerst in de geschiedenis zijn dergelijke mannen en vrouwen ineens algemeen gevraagd.' In tegenstelling tot eerdere samenlevingen die door kleine groepen mensen werden bestuurd en het zich daarom konden veroorloven om talent te verspillen, moest een moderne technologische samenleving, bestuurd door

complexe organisaties, steeds op zoek blijven naar talent, overal
waar het maar te vinden was. De vereisten van deze grote 'talen-
tenjacht' bepaalden nu de taak van het onderwijs – het moest
een 'rigoureus proces van sortering' worden.[51]

In tegenstelling tot Conant erkende Gardner wel het hardvochtige aspect van deze meritocratische sortering. 'Naarmate
het onderwijs er beter in slaagt om de slimme jongelingen naar
boven te halen, wordt het een steeds beter sorteringsproces voor
iedereen die ermee te maken heeft. (...) Het onderwijs is de
beste weg naar kansen voor jonge mensen, maar tegelijk is het
ook de arena waarin de minder getalenteerden hun beperkingen
ontdekken.' Dat was het nadeel van gelijke kansen. Zo kon 'elke
jongere zover komen als zijn vermogens en zijn ambities hem
maar konden brengen, zonder de obstakels van het geld, sociaal
aanzien, religie of ras'. Dat ging echter wel 'gepaard met pijn
voor iedereen die het aan het nodige talent ontbrak'.[52]

Die pijn was onvermijdelijk, aldus Gardner, en het was een
prijs die het waard was te betalen vanwege de dringende behoefte
om talent uit te sorteren en te cultiveren. Hij gaf toe dat de pijn
met name groot zou zijn omdat sommige kandidaten wel in
aanmerking zouden komen voor de universiteit en andere niet.
'Als een samenleving op efficiënte en eerlijke wijze mensen uit-
sorteert aan de hand van hun talenten, weet de verliezer dat de
ware reden voor zijn geringe status is dat hij niet tot beter in staat
is. Dat is voor iedereen een bittere pil om te moeten slikken.'[53]

Voor Young was dit het belangrijkste ingrediënt van zijn aanklacht tegen de meritocratie. Gardner beschouwde het als een ongelukkig neveneffect. 'Omdat de universiteit een buitengewoon
prestige heeft gekregen,' gaf hij toe, was ze de definitie van succes
geworden. 'Vandaag de dag is een universitaire studie bijna een
vereiste voor de verwerving van aanzien, en wel zo dat ze in het
oneigenlijke waardenkader dat we tot stand hebben gebracht
het enige paspoort naar een betekenisvol leven lijkt.' Gardner
was wel zo sportief te stellen dat 'prestaties niet moeten worden
verward met menselijke waardigheid' en dat individuen respect

verdienden, ongeacht wat ze bereikt hadden. Hij leek echter ook te begrijpen dat de meritocratische maatschappij die hij tot stand hielp te brengen maar weinig ruimte liet voor een onderscheid tussen onderwijsprestaties en sociaal aanzien.[54]

> Het simpele feit is dat universitair onderwijs over het algemeen zeker wordt geassocieerd met persoonlijk succes, opwaartse sociale mobiliteit, marktwaarde en zelfachting. En als maar genoeg Amerikanen geloven dat je een universitaire studie moet hebben gedaan om respect en vertrouwen te krijgen, dan wordt dat vanzelf ook waar.[55]

Een paar jaar later erkende ook Kingman Brewster, de rector van Yale, dat er een nauw verband was tussen het sorteren van studenten op basis van verdienste en het feit dat de toelating tot een universiteit een bewijs van sociale erkenning en aanzien werd. Brewster, die aan Yale het concept van de meritocratie introduceerde, stuitte op verzet van invloedrijke leden van zijn bestuur tegen zijn pogingen om de toelating minder te baseren op familiebanden en meer op academisch talent. In 1966 ging Yale over op een *needs-blind* toelatingsbeleid, dat wil zeggen dat studenten werden toegelaten ongeacht hun financiële behoeften en dat ze vervolgens de financiële middelen ontvingen die ze nodig hadden voor hun studie. Brewster beargumenteerde, listig maar scherpzinnig, dat het nieuwe beleid Yale niet alleen in staat zou stellen om sterke studenten met een bescheiden achtergrond aan te trekken, maar het instituut bovendien interessanter zou maken voor rijke studenten die zich aangetrokken voelden tot een universiteit die erom bekendstond studenten aan te nemen op basis van talent en niet van geld. Nu 'het chequeboek niet langer relevant was voor de toelating', schreef hij 'putten de bevoorrechten trots uit het gevoel dat ze op grond van hun verdienste waren toegelaten, in plaats van op basis van wat met een ambigue term "achtergrond" werd genoemd'.[56]

Ooit waren mensen er nog trots op geweest dat ze hun kinderen naar universiteiten konden sturen waar ze met de aristocratische hogere klassen in aanraking zouden komen. Nu was men er juist trots op om zijn kinderen naar een plek te sturen die hun bijzondere verdienste bewees.

De verschuiving naar een meritocratisch toelatingsbeleid vergrootte het prestige van colleges die de beste studenten wisten aan te trekken. Het prestige werd meestal gemeten aan de hand van de gemiddelde SAT-scores van de studenten die ze toelieten en, onaangenaam genoeg, het aantal kandidaten dat ze wisten af te wijzen. De rangorde van universiteiten werd steeds vaker bepaald door hun selectiviteit, en selectiviteit begon een grote rol te spelen in de keuzes van de studenten zelf.

Tot in de jaren zestig bezochten studenten over het algemeen universiteiten dicht bij het ouderlijk huis. Het gevolg was dat de academische vermogens tamelijk gelijkmatig verdeeld werden over een reeks universiteiten. Naarmate de meritocratische herinrichting van het hoger onderwijs echter vorm kreeg, werd de keuze van een universiteit eerder een strategische. Studenten, met name die uit gezinnen met een hoog inkomen, gingen nu op zoek naar de meest selectieve universiteiten die hen wilden aannemen.[57]

Caroline M. Hoxby, een econome die zich bezighoudt met het hoger onderwijs, noemt deze trend de 'hersortering van het hoger onderwijs'. De kloof tussen de uiterst selectieve en de minder selectieve universiteiten werd groter. Studenten met de hoogste SAT-scores streden om toelating tot het handjevol universiteiten waar ook de andere hoogscorende studenten zaten, en de strijd om de toelating tot een universiteit werd er een waarbij de verliezers met lege handen naar huis gingen. Hoewel veel mensen ervan uitgaan dat toegang verkrijgen tot een universiteit tegenwoordig moeilijker is dan vroeger, is dat over het algemeen niet het geval. De meeste universiteiten in de Verenigde Staten accepteren het merendeel van de kandidaten die zich aanmelden.[58]

Aan slechts een klein aantal elite-universiteiten is het toelatingscijfer in de afgelopen decennia teruggelopen. Dat zijn de universiteiten die de krantenkoppen halen en de waanzin rond toelatingen op gang houden die de levens van zo veel rijke tieners op weg naar de universiteit verpest. In 1972, toen de 'hersortering' inmiddels goed op gang was gekomen, accepteerde Stanford een derde van alle aanmeldingen. Vandaag de dag is dat minder dan vijf procent. Johns Hopkins, waar men in 1988 nog de meerderheid van de kandidaten accepteerde (vierenvijftig procent), accepteert nu nog maar negen procent van hen. Aan de University of Chicago zien we de meest extreme afname, van zevenenzeventig procent acceptatie in 1993 naar zes procent in 2019.[59]

Alles bij elkaar zijn er nu zesenveertig universiteiten die minder dan twintig procent van de kandidaten die zich aanmelden accepteren. Verschillende van die universiteiten behoorden tot de gewenste bestemmingen van studenten van wie de ouders in 2019 betrokken waren bij het toelatingsschandaal. Toch bezoekt slechts vier procent van alle Amerikaanse studenten deze uiterst selectieve universiteiten. Meer dan tachtig procent van hen bezoekt universiteiten die meer dan de helft van iedereen die zich aanmeldt accepteren.[60]

Wat verklaart die hersortering die in de afgelopen vijftig jaar de hoog scorende studenten bijeen heeft gebracht op een relatief kleine groep uiterst selectieve universiteiten? Hoxby geeft een verklaring zoals je die van een econome zou verwachten: lagere reiskosten maken het eenvoudiger om universiteiten ver van huis te bezoeken en lagere informatiekosten maken het eenvoudiger om uit te zoeken hoe je SAT-score zich verhoudt tot die van andere studenten. Daarnaast besteden de meest prestigieuze universiteiten meer aan het onderwijs van elke afzonderlijke student, dus voor wie erin slaagt om er binnen te komen is dat een goede investering in zijn 'menselijk kapitaal' – zelfs als we rekening houden met de verwachte donatie aan de universiteit later in het leven.[61]

Het feit dat deze 'hersortering' samenviel met de meritocratische transformatie van het hoger onderwijs doet echter nog een andere verklaring vermoeden: selectieve universiteiten werden onweerstaanbaar aantrekkelijk omdat ze bovenaan de hiërarchie van de verdienste stonden die begon te ontstaan. Op aandringen van hun ouders verdrongen ambitieuze, welgestelde studenten zich niet alleen voor de poorten van de prestigieuze campussen omdat ze wilden studeren samen met academisch begaafde studenten, maar ook omdat deze universiteiten hun het grootste meritocratische prestige verleenden. Dat gaf hun meer dan alleen iets om over op te scheppen, want het prestige dat samenhangt met het bezoeken van een uiterst selectieve universiteit maakt dat men na het afstuderen ook betere kansen heeft op de arbeidsmarkt. Dat is niet zozeer omdat werkgevers denken dat studenten meer leren aan elite-universiteiten dan aan de minder selectieve, als wel omdat ze vertrouwen op de sorteerfunctie die deze universiteiten vervullen en op de waarde van de meritocratische eer die ze verlenen.[62]

Getekende winnaars

Deze hersortering van het hoger onderwijs, waarbij verliezers met lege handen blijven staan, was om twee redenen ongewenst. Ten eerste vergrootte ze de ongelijkheid, aangezien de universiteiten die de beste resultaten behaalden in de strijd om selectiviteit, meestal het grootste aandeel rijke studenten hadden. Ten tweede eiste ze een hoge tol van de winnaars. In tegenstelling tot de oude erfelijke elite die haar plaats aan de top innam zonder al te veel moeite en gedoe, verkrijgt de nieuwe meritocratische elite haar plaats door onvermoeibaar streven.

Hoewel de nieuwe elite inmiddels ook weer een erfelijk aspect heeft gekregen, is de overdracht van het meritocratische privilege niet gegarandeerd. Dat is afhankelijk van of je 'erin komt'. Zo krijgt meritocratisch succes een paradoxale morele psychologie. Collectief en in retrospectief zijn de resultaten al bijna vooraf bekend, vanwege de overweldigende aanwezigheid van rijke kinderen op de elitecampussen. Wie zich echter midden in de uiterst competitieve strijd om de toelating bevindt, is niet in staat om succes te zien als iets anders dan het resultaat van individuele inspanning en prestaties. Dat is het standpunt dat er bij de winnaars toe leidt dat ze denken hun succes te hebben verdiend, dat ze er op eigen kracht zijn gekomen. We zouden die overtuiging kunnen bekritiseren als een vorm van meritocratische hoogmoed, omdat ze meer dan verantwoord hecht aan het individuele streven en daarbij de voordelen uit het oog verliest die inspanning omzetten in succes. Deze overtuiging heeft echter ook een pijnlijke kant – de geestdodende eisen die het meritocratische streven oplegt aan jongeren.

Rijke ouders zijn in staat om hun kinderen een stevige zet in de rug te geven bij de toelating tot de elite-universiteiten, maar de prijs daarvoor wordt vaak betaald met gespannen, angstige, slapeloze jaren op de middelbare school vanwege *Advanced Placement*-cursussen, privélessen ter voorbereiding op de SAT-test, sporttrainingen, dans- en muzieklessen, en talloze andere extracurriculaire activiteiten en vrijwilligerswerk, vaak op advies en onder begeleiding van private toelatingsconsultants die soms meer kosten dan een jaar aan Yale. Sommige van deze consultants adviseren ouders om hun kinderen de diagnose van een bepaalde handicap te bezorgen, zodat ze meer tijd krijgen bij de standaardtests. (In een rijke wijk in Connecticut kreeg maar liefst achttien procent dergelijke diagnoses, meer dan zes keer zoveel als het nationaal gemiddelde.) Andere consultants zijn gespecialiseerd in het samenstellen van speciale, aangepaste reisprogramma's voor de zomer, om in interessant materiaal te voorzien voor de essays die moeten worden geschreven bij de aanvraag.[63]

Deze meritocratische wapenwedloop zorgt ervoor dat de concurrentiestrijd uitvalt in het voordeel van de rijken en stelt welgestelde ouders in staat om hun privileges door te geven aan hun kinderen. Deze manier om privileges door te geven is in twee opzichten bedenkelijk. Voor wie het ontbreekt aan de middelen is het oneerlijk, en voor kinderen uit gezinnen die wel over de middelen beschikken is het benauwend. De meritocratische strijd leidt tot een cultuur van ingrijpende, door prestaties gedreven, drammerige ouders die tieners niet bepaald goeddoet. De opkomst van de 'helikopterouder' valt samen met de decennia waarin de meritocratische competitie heviger werd. Sterker nog, het Engels gebruik van to parent, 'ouderen', als werkwoord voor een vorm van zeer actieve betrokkenheid, ontstond in de jaren zeventig, toen men het voorbereiden van kinderen op academisch succes begon te zien als een belangrijke taak van ouders.[64]

Tussen 1976 en 2012 nam de tijd die Amerikaanse ouders besteedden aan het helpen van hun kinderen met hun huiswerk met meer dan het vijfvoudige toe.[65] Naarmate er meer op het spel kwam te staan bij de toelating tot de universiteit, werd opdringerig ouderschap een steeds groter probleem. In 2009 sloeg Time alarm met de volgende cover: 'Het probleem van te intensief ouderen: Waarom het tijd wordt dat mams en paps eens loslaten.' We waren 'zo geobsedeerd geraakt met het succes van onze kinderen,' aldus Time, 'dat ouderschap was veranderd in een soort productontwikkeling.' Het streven om de jeugd volledig te sturen begon al vroeg. 'Onder zes- tot achtjarigen nam de tijd om gewoon vrij te spelen tussen 1981 en 1997 met vijfentwintig procent af, en het huiswerk werd meer dan verdubbeld.'[66]

In een fascinerend onderzoek geven de economen Matthias Doepke en Fabrizio Zilibotti een economische verklaring voor de opkomst van het fenomeen van de helikopterouder, dat zij definiëren als 'de nauw betrokken, tijdrovende, controlerende benadering van de opvoeding die in de afgelopen drie decennia gemeengoed is geworden'. Ze stellen dat een dergelijke vorm van ouderschap een rationele reactie is op de toenemende ongelijkheid en het steeds grotere effect van goed onderwijs. Hoewel het intensieve ouderschap in de afgelopen decennia in veel samenlevingen is toegenomen, gebeurde dit het sterkst op plaatsen waar de ongelijkheid het grootst is, zoals in de Verenigde Staten en Zuid-Korea, en minder sterk in landen als Zweden en Japan, waar de ongelijkheid minder ernstig is.[67]

Hoe begrijpelijk ook, die neiging van ouders om het leven van hun kinderen intensief te sturen uit naam van het meritocrati-sche succes heeft een hoge psychologische tol geëist, zeker onder tieners in de jaren voorafgaand aan de universiteit. In het begin van de jaren 2000 merkte Madeline Levine, een psychologe die jonge mensen behandelt in Marin County, California, een rijke buitenwijk van San Francisco, dat op het eerste gezicht succes-volle tieners uit welgestelde families steeds vaker diepongelukkig waren, hun aansluiting met de wereld hadden verloren en weinig zelfstandig bleken. 'Even doorvragen en bij veel van hen merk je dat ze (…) depressief, angstig en boos zijn. (…) Ze laten zich te veel gelegen liggen aan de meningen van ouders, leraren, coaches en hun leeftijdgenoten, en vertrouwen er vaak op dat anderen hen niet alleen ondersteunen bij lastige taken, maar bovendien de rest van hun leven ook gemakkelijker zullen maken.' Ze begon te beseffen dat de welvaart en de hoge mate van betrokkenheid van de ouders bijdroegen aan hun ongeluk en kwetsbaarheid, in plaats van dat ze deze jonge mensen beschermden tegen de problemen van het leven.[68]

In een boek met de titel *The Price of Privilege* beschreef Levine wat zij typeerde als een 'een epidemie in de geestelijke gezondheid onder de geprivilegieerde jeugd'. Traditioneel waren psycholo-gen ervan uitgegaan dat juist de arme jeugd in de grote stad de grootste risico's liep, aangezien die 'opgroeide onder moeilijke omstandigheden'.[69] Zonder dat te ontkennen wees Levine er nu op dat de nieuwe groep die in Amerika risico liep, bestond uit tieners uit welvarende gezinnen met een hoog opleidingsniveau.

> Ondanks de economische en sociale voordelen die ze genie-ten, vinden we van alle groepen kinderen in dit land onder hen het hoogste percentage depressies, drugs-, alcohol- en medicijnmisbruik, angststoornissen, somatische klachten en gevoelens van ongeluk. Wanneer onderzoekers kinderen uit het gehele sociaaleconomische spectrum onder de loep nemen, stellen ze vast dat de meest getroebleerde adoles-centen vaak uit welgestelde families stammen.[70]

Levine citeerde uit onderzoek door Suniya S. Luthar, die vaststelde dat 'in tegenstelling tot wat men zou denken, juist de jeugd uit de hogere middenklasse die op weg is naar de meest prestigieuze universiteiten en de bestbetaalde carrières in Amerika' vaker emotionele nood lijdt dan andere tieners, een patroon dat zich voortzet wanneer ze eenmaal op de universiteit zitten. Vergeleken met de totale bevolking voldoen fulltimestudenten 'tweeënhalf keer zo vaak aan de diagnostische criteria van drugs-, alcohol of medicijnmisbruik of -verslaving (drieëntwintig procent tegenover negen procent)', en de helft van alle fulltimestudenten meldt dat ze zich weleens te buiten gaan aan drank en drugs, of medicijnen misbruiken.[71]

Hoe komt het dat er zo veel emotioneel leed is onder jongeren uit welgestelde gezinnen? Dat heeft in belangrijke mate te maken met de meritocratische imperatief – de niet aflatende druk om te presteren, dingen te bereiken en te slagen. 'Zowel voor kinderen als voor ouders,' schrijft Luthar, 'is het bijna onmogelijk om de alomtegenwoordige, overheersende boodschap te negeren die al vanaf hun eerste jaren klinkt: er is één route naar het ultieme geluk – geld – en die loopt via een prestigieuze universiteit.'[72]

Wie het slagveld van de verdienste weet te overleven wordt beschouwd als een winnaar, maar houdt er wel littekens aan over. Ik zie dat ook bij mijn eigen studenten. De neiging om zich steeds weer in allerlei bochten te wringen is moeilijk te overwinnen. Velen van hen voelen zich zo opgejaagd om te presteren dat ze moeite hebben om hun studietijd te gebruiken om na te denken, om te reflecteren op wie ze zelf zijn en te onderzoeken wat in het leven de moeite waard is. Een verontrustend groot aantal van hen heeft problemen met de geestelijke gezondheid. En de hoge psychische prijs die moet worden betaald voor dit meritocratische spitsroeden lopen blijft niet beperkt tot de Ivy League. Een recent onderzoek onder zevenenzestigduizend studenten aan meer dan honderd universiteiten in de Verenigde Staten laat zien dat 'studenten te maken krijgen met ongekende geestelijke nood', waaronder een groeiend aantal depressies en angststoornissen.

Een op de vijf studenten geeft aan in het jaar voorafgaand aan het onderzoek weleens zelfdoding te hebben overwogen, en bij een op de vier werd een probleem met de geestelijke gezondheid vastgesteld en behandeld.[73] Het zelfdodingscijfer onder jonge mensen (leeftijden tussen de twintig en vierentwintig) steeg met zesendertig procent tussen 2000 en 2017; inmiddels sterven er meer door zelfmoord dan door moord.[74]

Afgezien van deze klinische symptomen zijn psychologen ook nog een subtielere aandoening op het spoor gekomen die deze generatie studenten dwarszit: een 'verborgen epidemie van perfectionisme'. Aan jarenlang nerveus streven houden jonge mensen een broos gevoel van eigenwaarde over dat sterk af-hankelijk is van wat ze bereiken en bijzonder gevoelig voor het zware oordeel van ouders, docenten, toelatingscommissies en uiteindelijk ook henzelf. 'Irrationele idealen van het perfecte zelf zijn wenselijk – en zelfs noodzakelijk – geworden in een wereld waarin prestaties, status en imago de nuttigheid en de waarde van een persoon bepalen,' aldus Thomas Curran en An-drew P. Hill, die het onderzoek uitvoerden. Na hun onderzoek onder ruim veertigduizend Amerikaanse, Canadese en Britse universitaire studenten melden de auteurs een sterke toename van perfectionisme tussen 1989 en 2016, met onder meer een toename van tweeëndertig procent in perfectionisme verbonden aan verwachtingen van de maatschappij en van ouders.[75]

Perfectionisme is de meritocratische aandoening bij uitstek. In een tijd waarin jonge mensen genadeloos worden 'gesorteerd, geschift en ingedeeld door scholen, universiteiten en werkge-vers, plaatst de neoliberale meritocratie de sterke behoefte om te streven, te presteren en te bereiken in het middelpunt van het moderne leven'.[76] Of iemand erin slaagt om aan de eisen te voldoen, definieert nu de eigen verdienste en de eigenwaarde.

De figuren die in deze meritocratische machine aan de knop-pen zitten zijn zich wel degelijk bewust van de prijs die mensen ervoor betalen. In een eerlijk en verhelderend essay over het risico op een burn-out, spraken verantwoordelijken voor de toelating tot Harvard College hun zorg uit dat wie gedurende zijn middelbareschool- en studiejaren bezig is met zich in allerlei onmogelijke bochten te wringen om aan de hoge eisen te voldoen, uiteindelijk 'even verdwaasd achterblijft als iemand die zijn leven lang een loodzwaar trainingskamp volgt'. Dit essay, dat voor het eerst werd gepubliceerd in 2000, is nog altijd op de aanmeldingswebsite van Harvard te vinden, als waarschuwing.[77]

Gewoon om de adrenaline

Nadat ze de verdienstelijkheidsmanie hebben aangewakkerd en beloond met hun toelatingsbeleid, doen de elite-universiteiten vervolgens nauwelijks moeite om studenten weer enigszins te kalmeren wanneer ze eenmaal op de campus zijn aangekomen. De instinctieve neiging om te sorteren en te concurreren dringt binnen in het studentenleven, waarin studenten het ritueel van acceptatie en afwijzing overnemen. Een voorbeeld: Harvard College kent meer dan vierhonderd extracurriculaire clubs en organisaties. Voor sommige, zoals het orkest en het universitaire footballteam, zijn bepaalde vaardigheden vereist, en daarvoor worden terecht try-outs gehouden. Maar tegenwoordig is *comping* (*competing*), concurreren om de toelating tot studentenorganisaties, ongeacht of er speciale vaardigheden gevraagd worden, gewoon geworden. Die cultuur van *comping* is zo extreem geworden dat sommige studenten het eerste jaar ervaren als 'Afwijzing 101', een les in het omgaan met de teleurstelling wanneer ze niet worden gekozen.[78]

Net als de universiteiten zelf zijn de studentenorganisaties trots op hoe weinig mensen ze aannemen. De Harvard College Consulting Group zegt van zichzelf dat ze 'de meest selectieve studentenvereniging voor andere dan professionele doeleinden op de campus van Harvard is' en minder dan 12 procent van de kandidaat-leden aanneemt. De Crimson Key Society, die de Freshman Orientation Week, de introductieweek, organiseert en rondleidingen op de campus verzorgt, laat zich ook voorstaan op haar selectiviteit: slechts 11,5 procent van de aanmeldingen wordt gehonoreerd. 'We willen toeristen niet zomaar iemand voor hun neus zetten,' aldus de *comp-director* van de Society. Toch lijkt de behoefte aan talent als verklaring hiervoor minder belangrijk te zijn dan de neiging om het trauma – en de kick – van de meritocratische concurrentiestrijd opnieuw te beleven. 'Je hebt je al in allerlei bochten gewrongen om te worden toegelaten tot Harvard,' aldus een eerstejaars tegen *The Harvard Crimson*, 'en nu wil je dat vaker doen, gewoon om de adrenaline weer te voelen.'[79]

De opkomst van de *comping culture* laat zien hoe de universiteit is veranderd in een soort basisopleiding voor een competitieve meritocratie, een opleiding in zelfpromotie en solliciteren. Dat is op zich weer een afspiegeling van de meer algemene verschuiving aan universiteiten: hun rol als diplomaverstrekkers is zo belangrijk geworden dat de onderwijsfunctie eronder lijdt. Het sorteren en het streven gaan ten koste van het doceren en het leren. Decanen en rectoren dragen hieraan bij door, quasi met zelfspot, te beweren dat studenten meer leren buiten de collegezaal dan erin. Dat zou kunnen betekenen (en misschien deed het dat ooit ook wel) dat studenten leren van hun medestudenten door de informele, voortdurende bespreking van vragen die opkomen tijdens de colleges en het lezen van de studieboeken. Het gaat echter steeds vaker over netwerken.

Nauw verbonden met comping en netwerken is de obsessie met cijfers. Hoewel ik niet kan bewijzen dat de preoccupatie van studenten met cijfers in de aflopen decennia is toegenomen, voelt het in elk geval wel zo. Na wat een van de grootste fraudezaken aan een Ivy League-universiteit sinds mensenheugenis was, moesten in 2012 ongeveer zeventig studenten zich terugtrekken van Harvard College omdat ze hadden valsgespeeld met een examen dat ze mee naar huis moesten nemen om het te maken.[80] In 2017 werd de Honors Council van het College overspoeld met gevallen van academische fraude toen meer dan zestig studenten van een inleiding in informatica werden onderzocht op mogelijke frau-de.[81] Toch is fraude niet het enige waaruit de obsessie met cijfers blijkt. Aan een bekende universiteit krijgen faculteitsleden de opdracht om studenten niet te vertellen wanneer de cijfers voor het vorige semester bekend worden gemaakt, omdat was gebleken dat dit te veel opwinding veroorzaakte. De bekendmaking van de cijfers wordt nu zo gepland dat studenten in nood de hulp van een therapeut kunnen inschakelen.

Hoogmoed en vernedering

Toen Conant Harvard en het hoger onderwijs in het algemeen tot taak stelde om de Amerikaanse bevolking te testen en uit te sorteren, had hij waarschijnlijk niet voorzien dat hierdoor een genadeloze meritocratische concurrentiestrijd zou ontvlammen. Vandaag de dag is de rol van de universiteiten als scheidsrech-ters bij de verdeling van kansen zo vanzelfsprekend geworden dat we ons moeilijk anders kunnen voorstellen. Toch wordt het tijd dat we dat proberen. Een heroverweging van de rol van het hoger onderwijs is van belang, niet alleen om de beschadigde psyches van de geprivilegieerden te herstellen, maar ook om de gepolariseerde maatschappij te repareren die deze meritocratische sortering heeft opgeleverd.

Wanneer we proberen de sorteermachine te ontmantelen die Conant op gang heeft gebracht, is het goed om op te merken dat het regime van de verdienste zijn tirannie in twee richtingen tegelijk heeft uitgebreid. Bij wie uiteindelijk boven komt drij-ven, zorgt het voor angsten, een verlammend perfectionisme en een meritocratische hoogmoed die maar met moeite een broos zelfvertrouwen weet te camoufleren. Bij wie uiteindelijk wordt afgewezen laat het een demoraliserend, ja zelfs vernederend ge-voel achter gefaald te hebben.

Deze twee tirannieën hebben dezelfde morele oorsprong – het niet-aflatende meritocratische geloof dat we als individu volledig verantwoordelijk zijn voor ons eigen lot: als we succesvol zijn, is dat geheel aan onze eigen inspanningen te danken; en als we falen, kunnen we dat alleen onszelf verwijten. Hoe inspirerend dat ook lijkt, toch maakt deze veeleisende opvatting van de individuele verantwoordelijkheid het moeilijk om een beroep te doen op solidariteit en wederzijdse verplichting, terwijl dat ons juist in staat zou kunnen stellen de toenemende ongelijkheid in onze tijd te bestrijden.

Het zou een vergissing zijn om te denken dat alleen het hoger onderwijs verantwoordelijk is voor de ongelijkheid in inkomen en sociaal aanzien zoals we die vandaag de dag zien. Het project van de door de markt gedreven mondialisering, de technocratische wending van de hedendaagse politiek en de oligarchische overname van democratische instituties dragen daar stuk voor stuk ook aan bij. Voor we ons in hoofdstuk 7 echter bezig gaan houden met de lastige kwestie van het werk in een mondiale economie, is het goed om eens te reflecteren op wat er zou kunnen worden gedaan om de pijnlijke effecten van de meritocratische sortering te verzachten, en wel in beide richtingen – dus met aandacht voor de littekens die ze achterlaat bij de winnaars én voor de vernederingen die ze de verliezers bezorgt.

Wat volgt is een bescheiden voorstel tot een hervorming van het toelatingsbeleid, al was het maar om te illustreren hoe we een begin kunnen maken met het temperen van die verlammende cyclus van sorteren en streven.

Een loting onder de geschikten

Een mogelijke benadering van hervorming zou zijn om de toegang tot elite-universiteiten te verbeteren door minder op de SAT te vertrouwen en een einde te maken aan de voorkeursbehandeling die *legacies*, kinderen van donateurs en sporters ten deel valt.[82] Hoewel dergelijke hervormingen het systeem wel minder oneerlijk zouden maken, plaatsen ze geen vraagtekens bij het idee dat het hoger onderwijs een sorteerproject is dat jongeren zou moeten schiften, talent zou moet vinden en kansen en beloningen moet uitdelen aan wie dat talent bezit. Maar dat sorteerproject is nu juist het probleem. Wanneer we dat nog puurder meritocratisch maken, raken we het daarna nog moeilijker weer kwijt.

Overweeg daarom het volgende. Elk jaar solliciteren er meer dan veertigduizend kandidaten naar de ongeveer tweeduizend plaatsen die Harvard en Stanford in de aanbieding hebben. De verantwoordelijken voor de toelatingen vertellen ons dat heel veel van de kandidaten die zich melden ook werkelijk geschikt zijn om aan Harvard of Stanford te studeren en waarschijnlijk goed zullen presteren. Datzelfde geldt waarschijnlijk ook voor tientallen andere selectieve universiteiten die meer geschikte kandidaten aantrekken dan ze kunnen aannemen. (In 2017 namen zevenentachtig universiteiten minder dan dertig procent van de kandidaten aan.[83]) Al in 1960, toen het aantal aanmeldingen nog niet zo enorm hoog was, zou een oudgediende van de toelatingscommissie van Yale hebben gezegd dat 'je soms het akelige gevoel hebt dat je al die duizenden aanvragen op zou kunnen pakken, (...) van de trap zou kunnen gooien en er willekeurig duizend zou kunnen oprapen om tot een prima eerste jaar te komen, even goed als wat er uit een vergadering van de commissie komt'.[84]

In mijn voorstel neem ik die suggestie serieus. Filter uit de meer dan veertigduizend aanmeldingen degenen die het waarschijnlijk niet geweldig zullen doen aan Harvard of Stanford, degenen die niet de juiste kwalificaties hebben om goed te presteren en wat bij te dragen aan de scholing van hun medestudenten. Dan blijven er nog, laten we zeggen, dertig-, vijfentwintig- of twintigduizend over. In plaats van dan vervolgens dat hele lastige en onzekere proces te doorlopen om te proberen te voorspellen wie van hen het meest verdienstelijk zal zijn, kies je nu het eerste jaar uit deze stapel door middel van een loting. Je gooit met andere woorden de map met geschikte aanmeldingen van de trap, raapt er tweeduizend op en laat het daar verder bij.[85]

Dit voorstel gaat niet volledig voorbij aan verdienste, want alleen wie geschikt is, wordt toegelaten. Het gebruikt verdienste echter als een drempelwaarde, en niet als een ideaal dat moet worden gemaximaliseerd.[86] Dat is in de eerste plaats om praktische redenen een verstandige zet. Zelfs de allerwijste medewerker van een toelatingscommissie kan nooit exact voorspellen welke achttienjarige werkelijk voortreffelijke academische en andere bijdragen zal leveren. Hoewel we grote waarde hechten aan talent, is dat uiteindelijk in de context van het toelatingsbeleid een tamelijk vaag concept. Wellicht is het mogelijk om een wiskundetalent al op jonge leeftijd te herkennen, maar meer in het algemeen is talent een veel complexer, minder voorspelbaar verschijnsel.

Bedenk maar eens hoe lastig het is om nog nauwer gedefinieerde talenten en vaardigheden te beoordelen. Nolan Ryan, een van de beste werpers in de geschiedenis van het honkbal, heeft het historische record voor het hoogste aantal *strikeouts* op zijn naam staan en werd zonder enig probleem opgenomen in de hall of fame van het honkbal. Toen hij achttien was, werd hij pas in de twaalfde ronde van de honkbalselectie gekozen. Teams kozen eerst 294 andere, ogenschijnlijk meer capabele spelers voor ze hem opmerkten.[87] Tom Brady, een van de beste quarterbacks in de geschiedenis van het American football, werd pas als 199ste gekozen.[88] Als zelfs een toch zo duidelijk gedefinieerd talent als het vermogen om een honkbal of een football te gooien al zo moeilijk te voorspellen is, dan is het dwaas om te denken dat het vermogen om werkelijk een belangrijke rol te vervullen in de samenleving of bij een of andere toekomstige onderneming goed genoeg te voorspellen is om een dergelijk precieze sortering van eindexamenkandidaten te rechtvaardigen.

De meest overtuigende reden om te kiezen voor een loting onder de geschikten is echter dat we zo de tirannie van verdienste bestrijden. Het instellen van een geschiktheidsdrempel, om vervolgens de rest te laten bepalen door het lot, zou de jaren op de middelbare school weer enige normaliteit teruggeven, en toch in elk geval deels de geestdodende, curriculum vullende, naar perfectie strevende ervaring die ze nu zijn geworden weer wat verlichten. Het zou bovendien de meritocratische hoogmoed wat temperen, door duidelijk te maken dat wie geselecteerd wordt dat niet uitsluitend aan zichzelf te danken heeft, maar ook aan familieomstandigheden en aangeboren talent, twee zaken die in moreel opzicht net zo goed een loting waren.

Ik kan me minstens vier bezwaren voorstellen:

1. Wat zijn de gevolgen voor de academische kwaliteit?

Dat is afhankelijk van de juiste drempelwaarde. Voor wat de beste zestig of tachtig universiteiten betreft, heb ik het vermoeden dat de kwaliteit van de discussies in de colleges en de academische prestaties er niet onder zouden lijden. Ik kan me natuurlijk vergissen, maar het is op een eenvoudige manier vast te stellen. Doe eerst eens een experiment: laat de helft van een jaargang toe met het bestaande systeem en de andere helft door middel van een loting onder geschikten, en vergelijk vervolgens de academische prestaties op het moment van afstuderen (en de mate van succes in hun latere carrière). Stanford deed dit experiment bijna in de late jaren zestig, maar het plan werd uiteindelijk losgelaten vanwege het verzet van de decaan van de toelatingscommissie.[89]

2. En hoe zit het dan met de diversiteit?

In principe zou een loting kunnen worden bijgesteld om diversiteit te verzekeren in een verhouding die de universiteit wenselijk acht, door elke student uit een voorkeurscategorie twee of drie loten te geven. Dat zou de gewenste diversiteit kunnen opleveren zonder dat het toevalsaspect wordt losgelaten. Een andere variant is ook het overwegen waard: om de erfelijke bevooroordeling van een meritocratisch toelatingsbeleid zoals dat momenteel wordt gevolgd tegen te gaan, zouden universiteiten eerst een aantal gekwalificeerde kandidaten toe kunnen laten van ouders die niet aan de universiteit studeerden, en vervolgens pas aan de loting kunnen beginnen.

3. En hoe zit het dan met de kinderen van alumni en donateurs?

Idealiter zouden universiteiten kinderen van alumni niet langer een voorkeursbehandeling geven. Maar universiteiten die dat toch willen blijven doen, zouden elk kind van een alumnus twee loten in plaats van één kunnen geven (net als hierboven in verband met de diversiteit) – of meer zelfs, als men dat nodig acht. Wel moet worden opgemerkt dat om het huidige percentage *legacy*-toelatingen te evenaren, sommige universiteiten elk kind van een alumnus vijf of zes loten zouden moeten toekennen. Dat zou in elk geval goed illustreren hoe groot het voorrecht is dat ze verlenen aan geprivilegieerde kinderen en misschien een debat op gang brengen over het voortduren van dergelijke voorkeuren.

Aan het voortrekken van kinderen van gulle donateurs die zelf geen alumnus zijn, zou ook een einde moeten komen. Als universiteiten de verleiding echter niet weten te weerstaan om een aantal plaatsen in het eerste jaar te verkopen, zouden ze er natuurlijk ook gewoon een handjevol apart kunnen houden om te veilen of simpelweg te verkopen. Dat zou een veel eerlijker manier zijn om de compromissen te benaderen die sommige universiteiten momenteel sluiten onder het mom van de verdienstelijkheid. Net als in het huidige systeem wordt niet bekendgemaakt wie er op een gekochte plaats zit, maar het zou in elk geval ook niet langer mogelijk zijn om zogenaamde verdienstelijkheid te kopen.

4. Maar zou een loting het selectieproces niet minder
zinvol maken en zo ten koste gaan van het prestige
van de betere universiteiten?

Ja, misschien wel. Maar is dat werkelijk zo bezwaarlijk? Alleen
als je gelooft dat deze door prestige voortgedreven 'hersortering'
door het hoger onderwijs in de afgelopen decennia heeft bijgedragen aan een betere kwaliteit van onderwijs en studenten. Dat
is echter maar zeer de vraag. Door hoog scorende studenten weg
te lokken bij een groter aantal universiteiten in heel het land naar
een kleinere kring van uiterst selectieve plaatsen is de ongelijkheid groter geworden, maar het onderwijs nauwelijks verbeterd.
Het zenuwachtige streven en de overdreven inspanning waartoe
de meritocratische sortering heeft geleid, hebben ervoor gezorgd
dat studenten minder openstaan voor het wat meer verken-
nende karakter van een studie in de alfawetenschappen. Het
terugdringen van de sortering en de handel in prestige zou juist
een voordeel zijn van een systeem van lotingen, en geen nadeel.

Als een aanzienlijk aantal elite-universiteiten zou beginnen studenten toe te laten op basis van loting, zouden ze, in elk geval tot
op zekere hoogte, de stress van de middelbareschooltijd wegnemen. Tieners op weg naar de universiteit en hun ouders zouden
beseffen dat, afgezien van aantoonbare goede prestaties leveren
op school, kandidaten niet langer hun adolescentie hoeven te
besteden aan een wapenwedloop van activiteiten en prestaties die
indruk moeten maken op de toelatingscommissie. Het verschijnsel van de helikopterouder zou misschien weer wat zeldzamer
worden, en dat zou het emotionele welzijn van zowel kinderen
als ouders ten goede komen. Als hun de littekens van de strijd
om de verdienste bespaard blijven, zijn jonge mensen wanneer
ze eenmaal op de universiteit zijn aangekomen misschien ook
minder geneigd om zich in allerlei bochten te wringen om de
ene na de andere prestatie te leveren en staan ze wellicht weer
open voor persoonlijk en intellectueel onderzoek.

Die veranderingen zouden de schade beperken die de tirannie van verdienste toebrengt aan de winnaars. Maar hoe zit het dan met alle anderen? Slechts ongeveer twintig procent van de eindexamenkandidaten wordt meegesleept in de wilde strijd om toegang tot de meest prestigieuze universiteiten. Maar hoe zit het dan met die tachtig procent die minder competitieve universiteiten bezoekt, of verkort of zelfs helemaal geen hoger onderwijs volgt? Voor hen gaat de tirannie van verdienste niet over een geestdodende strijd om toelating, maar om een demoraliserende wereld van werk dat in economisch opzicht maar weinig oplevert en wie het ontbreekt aan meritocratische geloofsbrieven nauwelijks enig maatschappelijk aanzien geeft.

De ontmanteling van de sorteermachine

De beste aanpak is een ambitieus project: we moeten de meritocratische machine proberen uit te schakelen door ervoor te zorgen dat er minder op het spel staat bij de strijd om toelating tot uiterst selectieve universiteiten. Meer in het algemeen zouden we moeten bepalen hoe we een succesvol leven wat minder afhankelijk kunnen maken van die vier jaar aan de universiteit.

Elke poging om werk te waarderen moet ermee beginnen dat we de verschillende vormen van leren en training die mensen ervoor nodig hebben even serieus nemen. Dat betekent dat we de afbraak van het openbaar hoger onderwijs moeten stoppen, de verwaarlozing van technische en beroepsopleidingen moeten tegengaan, en het scherpe onderscheid tussen vierjarige universitaire opleidingen en andere vormen van onderwijs na het middelbare niveau moeten wegnemen, zowel wat betreft financiering als wat betreft prestige.

Een hindernis bij het beperken van de meritocratische sortering in het hoger onderwijs is dat, althans in de Verenigde Staten, een groot deel ervan in handen is van private colleges en universiteiten. Toch vertrouwen die instellingen, al zijn ze privaat, op aanzienlijke overheidssteun, zeker voor de financiële hulp aan studenten en bij onderzoek dat door de federale overheid wordt gesponsord. In sommige gevallen beschikken ze over een enorm eigen vermogen dat een inkomen genereert en meestal is vrijgesteld van belasting. (De Republikeinse belastingwet van 2017 legde een belastingheffing op aan het inkomen dat een klein groepje rijke colleges genereert uit eigen inkomen.[90]) In principe zou de federale overheid die invloed kunnen gebruiken en van de private universiteiten kunnen eisen dat ze hun toelatingsbeleid verbreden, meer studenten uit achtergestelde milieus toelaten of misschien zelfs een vorm van de voorgestelde loting invoeren.[91]

Het is echter onwaarschijnlijk dat dergelijke maatregelen ervoor zouden zorgen dat er minder op het spel komt te staan wanneer je minstens tot één selectief college wilt worden toegelaten. Belangrijker zijn dan de maatregelen die de toegang tot vierjarige openbare universiteiten verbreden, en een grotere steun aan plaatselijke hogescholen, technisch en beroepsonderwijs, en stages. Dat zijn immers de onderwijscontexten waarin een meerderheid van alle Amerikanen de vaardigheden leert waarmee ze een fatsoenlijk inkomen kunnen verdienen.

De overheidssteun voor de staatsuniversiteiten is in de afgelopen decennia achteruitgegaan en het collegegeld is gestegen tot een niveau dat de vraag oproept of dit soort instellingen nog wel zo openbaar is.[92] In 1987 ontvingen openbare universiteiten drie keer zoveel geld per student van de staat en de lokale overheid als in de vorm van collegegeld. Naarmate de financiering door de overheid echter daalde, steeg het collegegeld. In 2013 verkreeg het openbaar hoger onderwijs evenveel inkomen uit collegegelden als uit steun door de staat en de lokale overheid.[93]

Veel van de toonaangevende openbare universiteiten zijn nu alleen nog maar in naam openbaar.[94] Aan de University of Wisconsin-Madison bijvoorbeeld, bestaat nog maar veertien procent van het budget uit overheidsgeld.[95] Aan de University of Virginia bedraagt de financiering door de staat nog slechts tien procent van het budget.[96] En aan de University of Texas in

Austin dekte de staatsbijdrage in het midden van de jaren tachtig nog zevenenveertig procent van het budget, tegen slechts elf procent nu. Ondertussen is het aandeel uit collegegelden meer dan verviervoudigd.[97]

Naarmate de overheidssteun afnam en de collegegelden toenamen, zijn de studieschulden tot ongekende hoogten gestegen. De generatie studenten van nu begint aan haar carrière terwijl ze gebukt gaat onder enorme schulden. In de afgelopen vijftien jaar is het totale bedrag van de schuld door studentenleningen meer dan vervijfvoudigd. Tegen 2020 bedroeg het meer dan anderhalf *biljoen* dollar.[98]

Het meest in het oog springende bewijs van de meritocratische omslag in de financiering van het hoger onderwijs is de kloof tussen de federale steun voor hoger onderwijs en de steun voor technische en beroepsopleidingen. Isabel Sawhill, econome aan het Brookings-instituut, komt met een treffende beschrijving van de ongelijkheid:

> Vergelijk eens het kleine bedrag dat wordt besteed aan werkgelegenheid en training met dat wat wordt besteed aan hoger onderwijs in de vorm van beurzen, leningen en belastingvoordelen. In het academisch jaar 2014-2015 werd in totaal 162 miljard dollar uitgegeven om het mensen mogelijk te maken de universiteit te bezoeken. Daar staat tegenover dat het Department of Education per jaar ongeveer 1,1 miljard dollar uitgeeft aan beroeps- en technisch onderwijs.[99]

Sawhill voegt eraan toe dat zelfs wanneer we de financiering van beroeps- en technisch onderwijs optellen bij de investeringen in omscholingsmogelijkheden voor wie zijn baan is kwijtgeraakt, 'we op federaal niveau nog altijd maar ongeveer twintig miljard per jaar uitgeven aan dit soort werkgerelateerde programma's'.[100]

Het bedrag dat de vs besteden aan de training en de omscholing van arbeiders is niet alleen gering in vergelijking met het bedrag dat we uitgeven aan hoger onderwijs. Het is bovendien minuscuul vergeleken met de bedragen die andere landen uitgeven. Economen spreken in dit verband van 'actief arbeidsmarktbeleid' om overheidsprogramma's te beschrijven die arbeiders de vaardigheden geven waar de banenmarkt om vraagt. Dergelijk beleid speelt in op het feit dat de arbeidsmarkt op zich niet goed functioneert. Trainingen en stages zijn vaak nodig om arbeiders te helpen de baan te vinden die aansluit bij hun vaardigheden. Sawhill wijst erop dat economisch geavanceerde landen gemiddeld 0,5 procent van hun bbp uitgeven aan actieve arbeidsmarktprogramma's. Frankrijk, Finland, Zweden en Denemarken geven er meer dan 1 procent van hun bbp aan uit. De VS geeft er slechts 0,1 procent aan uit – minder dan aan gevangenissen.[101]

De Amerikaanse onverschilligheid ten opzichte van arbeidsmarktprogramma's kan een afspiegeling zijn van het marktgerelateerde vertrouwen dat aanbod en vraag (in dit geval van arbeid) zich automatisch op elkaar afstemmen, zonder hulp van buitenaf. Het getuigt echter ook van de meritocratische opvatting dat hoger onderwijs de belangrijkste route naar goede kansen vormt. 'Een van de redenen waarom de Verenigde Staten werkgelegenheid en training hebben verwaarloosd,' schrijft Sawhill, 'is omdat de nadruk altijd lag op de financiering van het hoger onderwijs. Men lijkt ervan uit te gaan dat iedereen naar de universiteit moet.'[102] We zagen echter al dat slechts ongeveer een derde van alle Amerikanen een universitair diploma haalt. Voor alle anderen is de toegang tot goedbetaalde banen afhankelijk van vormen van onderwijs en training die we verschrikkelijk verwaarlozen. Ondanks de hoopvolle aantrekkelijkheid van het idee, heeft de meritocratische overtuiging dat een vierjarige universitaire opleiding de route vormt naar succes voorkomen dat we de opleidingsbehoeften van de overgrote meerderheid serieus namen. Die verwaarlozing is niet alleen slecht voor de economie, ze getuigt bovendien van een gebrek aan respect voor het soort werk dat de arbeidersklasse doet.

De hiërarchie van het aanzien

Als we de schade die de meritocratische sorteermachine aanricht willen repareren, is er meer nodig dan alleen extra geld voor het beroepsonderwijs. Dan moeten we ook eens opnieuw nadenken over de manier waarop we verschillende soorten werk waarderen. Daarvoor zouden we om te beginnen de hiërarchie van het aanzien eens kunnen ontmantelen die meer eer en prestige hecht aan studenten en universiteiten van naam dan aan die in het hoger technisch en beroepsonderwijs. Het leertraject om loodgieter, elektricien of mondhygiënist te worden zou gerespecteerd moeten worden als een waardevolle bijdrage aan het algemeen welzijn, en niet moeten worden beschouwd als een troostprijs voor wie te laag scoort op de SAT of niet het geld heeft om het tot in de Ivy League te redden.

Het hoger onderwijs ontleent een groot deel van zijn prestige aan wat het hogere doel ervan zou zijn: studenten niet alleen toerusten voor de wereld van het werk, maar ze ook maken tot mensen die in staat zijn tot morele reflectie en goede democratische burgers die in staat zijn om in het algemeen belang te denken. Ik doceer al mijn hele carrière ethiek en politieke filosofie, en ben vast overtuigd van het belang van een opleiding tot moreel burgerschap. Maar waarom zouden we ervan uitgaan dat de universiteiten daar het monopolie op hebben, of zouden moeten hebben? Een wat ruimere opvatting van wat het inhoudt om burgers op te leiden voor de democratie zou zich verzetten tegen de afzondering ervan aan de universiteiten.

Om te beginnen moet worden erkend dat elite-universiteiten wat dit betreft niet erg goed presteren.[103] Over het algemeen leggen ze in hun curriculum maar relatief weinig nadruk op morele en burgerlijke vorming, of op het soort historische studie dat studenten leert om zich in de praktijk gefundeerde oordelen te vormen over maatschappelijke kwesties. Doordat we in toenemende mate hechten aan zogenaamd waardenneutrale sociale wetenschappen en er steeds meer beperkte, zeer gespecialiseerde vakken worden gegeven, is er weinig ruimte over voor colleges die studenten confronteren met de grote vragen van de morele en politieke filosofie en hen ertoe aanzetten om kritisch na te denken over hun morele en politieke overtuigingen.

Er zijn natuurlijk uitzonderingen. Veel universiteiten vragen van hun studenten dat ze ook colleges volgen die hen voorbereiden op de omgang met ethische of burgerschapsthema's. Over het algemeen zijn onze toonaangevende universiteiten er vandaag de dag echter beter in technocratische vaardigheden en standpunten te doceren dan het vermogen om te redeneren en afwegingen te maken in morele of burgerschapskwesties. Dit technocratische accent heeft misschien bijgedragen aan het falen van de bestuurlijke elite in de afgelopen twee generaties, en aan de moreel verarmde condities van het publieke debat.

Maar zelfs als mijn oordeel over de staat van het morele en burgerschapsonderwijs aan de elite-universiteiten te streng is, is er nog steeds geen reden waarom een vierjarige universitaire opleiding de enige context zou moeten zijn voor een opleiding in moreel denken en burgerschap. De opleiding tot goed burgerschap buiten de universiteitspoorten kent een lange traditie.

Een inspirerend voorbeeld is de eis van Knights of Labor, een van de eerste grote vakbonden van Amerika, dat er leesruimten kwamen in fabrieken, zodat arbeiders zich konden informeren over publieke zaken. Die vraag ontstond uit de Republikeinse traditie die de ontwikkeling van de burger beschouwde als onderdeel van de wereld van het werk.[104]

Zoals cultuurhistoricus Christopher Lasch opmerkte, waren buitenlandse bezoekers in het negentiende-eeuwse Amerika altijd onder de indruk geweest van de algehele toestand van gelijkheid van de mensen. Daarmee bedoelden ze dan niet een gelijkmatige verdeling van inkomen of zelfs ook maar de kans om op te klimmen, maar een onafhankelijkheid in het denken en het oordeel die alle burgers gelijkmaakte:

Burgerschap leek zelfs de meest bescheiden leden van de samenleving toegang te hebben gegeven tot de kennis en de wellevendheid die elders voorbehouden was aan de geprivilegieerde klassen. (...) De bijdrage van de arbeid aan het algemeen welzijn verliep zowel via de geest als via de spierkracht. Monteurs in Amerika, zo zei men, 'zijn geen ongetrainde uitvoerders, maar verlichte, nadenkende mensen die niet alleen weten hoe ze hun handen moeten gebruiken, maar bovendien vertrouwd zijn met principes'. De vakbladen van monteurs kwamen steeds weer op dit thema terug.[105]

Lash maakt het meer algemene punt dat het egalitaire karakter van de Amerikaanse samenleving in de negentiende eeuw niet zozeer te maken had met sociale mobiliteit, als wel met de algemene verspreiding van de intelligentie en scholing onder alle klassen en beroepen.[106] Dat is het soort gelijkheid dat door de meritocratische sortering wordt gesaboteerd. Die probeert de intelligentie en de kennis te concentreren in de citadel van het hoger onderwijs en belooft vervolgens toegang tot die citadel door middel van een eerlijke wedstrijd. Maar deze manier van toegang tot kennis verstrekken ondermijnt de waardigheid van de arbeid en gaat ten koste van het algemeen welzijn. De opvoeding tot goede burgers kan uitstekend werken aan beroepsopleidingen, op stageplaatsen en bij vakbonden, net zo goed als op lommerrijke universiteitscampussen. Er is geen reden om te veronderstellen dat wie verpleegster of loodgieter wil worden minder geschikt zou zijn voor democratische discussies dan wie managementconsultant wil worden.

De hoogmoed van de verdienste beteugelen

De krachtigste rivaal van de verdienste, van het idee dat we zelf verantwoordelijk zijn voor ons lot en dus krijgen wat we verdienen, is het idee dat we juist geen greep hebben op ons lot, dat we bij iets of iemand in het krijt staan voor ons succes, en dat we ook onze problemen aan iets anders te danken hebben – aan de goddelijke genade, de grillen van het lot, of het botte toeval. De puriteinen dachten, zoals we in hoofdstuk 2 al zagen, dat een grondige ethiek van de genade bijna niet vol te houden is. Leven met het geloof dat wij zelf niet kunnen beïnvloeden of we zullen worden gered in het volgende leven, of succesvol zullen zijn in het huidige, is moeilijk te verenigen met het idee van de vrijheid en de overtuiging dat we krijgen wat we verdienen. Dat is de reden waarom de verdienste de genade verdrijft. Vroeg of laat zullen de succesvollen gaan beweren en ook echt gaan geloven dat hun succes hun eigen verworvenheid is, en dat wie niet kan meekomen minderwaardig is.

Maar zelfs in zijn overwinning biedt het meritocratische geloof niet de zelfredzaamheid die het belooft. En het biedt al evenmin een basis voor solidariteit. Omdat ze weinig genereus is tegenover de verliezers en veeleisend tegenover de winnaars, verwordt de verdienste tot een tiran. En wanneer dat gebeurt, kunnen we haar oude rivaal te hulp roepen om haar aan te pakken. Dat is wat het idee van de loting in één klein aspect van het leven probeert te doen. Het maakt gebruik van het toeval om de hoogmoed van de verdienste te beteugelen.

Wanneer ik nadenk over de tirannie van verdienste voor rijke kinderen die mee kunnen komen, moet ik terugdenken aan twee ervaringen uit mijn eigen jeugd.

De manie van het sorteren en opsporen drong zelfs door tot de openbare middelbare school die ik in de late jaren zestig bezocht in Pacific Palisades in Californië. Onze prestaties werden zo sterk gevolgd dat ik moest vaststellen dat ik op een school met ongeveer drieëntwintighonderd leerlingen altijd in het gezelschap was van dezelfde dertig of veertig beste leerlingen. Een van mijn wiskundeleraren ging daarin wel heel ver. Ik weet niet meer of het nu de les algebra of geometrie was, maar ik weet nog wel hoe we zaten. Drie van de zes rijen waren de zogenaamde 'ererijen', waar de leerlingen zaten op volgorde van hun puntengemiddelde. Dat betekende dat je steeds weer van plaats moest wisselen na elke overhoring of toets. Om het geheel een nog dramatischer cachet te geven, maakte de leraar de nieuwe indeling bekend voor we ons nagekeken werk terugkregen. Ik was goed in wiskunde, maar niet de beste. Ik zat meestal ergens tussen het tweede en het vierde of het vijfde bankje. Een meisje genaamd Kay, een wiskundig genie, zat vrijwel altijd op de eerste plek.

Als veertienjarig dacht ik dat school zo werkte. Hoe beter je presteerde, hoe hoger je rang. Iedereen wist wie de beste leerlingen bij wiskunde waren, en wie een proefwerk geweldig of waardeloos had gemaakt. Hoewel ik dat destijds niet besefte, was dit de eerste keer dat ik met de meritocratie te maken kreeg.

Tegen de tijd dat we in ons eindexamenjaar kwamen, eiste het proces zijn tol. De meest getalenteerde leerlingen waren nu hevig geobsedeerd door cijfers, niet alleen die van henzelf, maar ook die van alle anderen. We waren verschrikkelijk competitief, zozeer zelfs dat onze aandacht voor cijfers ten koste dreigde te gaan van onze intellectuele nieuwsgierigheid.

Mijn biologieleraar dat jaar, meneer Farnham, een laconieke man met een vlinderdasje die ons ontving in een klaslokaal vol slangen, salamanders, vissen, muizen en ander fascinerend dierenleven, had daar moeite mee. Op een dag gaf hij ons een onverwachte overhoring. Hij vroeg ons een stuk papier te nemen, daarop de nummers een tot en met vijftien te zetten, en vervolgens te antwoorden met 'waar' of 'onwaar'. Toen wij klaagden dat hij helemaal geen vragen had gesteld, droeg hij ons op zelf een bewering achter elk vraagnummer te zetten en vervolgens op te schrijven of die waar of onwaar was. Sommigen vroegen nerveus of we hier ook een punt voor kregen, en of dat dan zou meetellen. 'Ja, natuurlijk,' zei hij.

Destijds vond ik dat een leuke, maar wel wat excentrieke grap. Achteraf gezien begrijp ik wat meneer Farnham op zijn eigen manier probeerde te doen om tegengas te geven aan de tirannie van verdienste. Hij probeerde ons ertoe te brengen eens lang genoeg afstand te nemen van het sorteren en het streven, in de hoop dat we ons weer zouden kunnen verbazen over de salamanders.

7

Waardering voor werk

Vanaf het einde van de Tweede Wereldoorlog tot in de jaren zeventig was het nog mogelijk voor mensen zonder universitair diploma om een goede baan te vinden, een gezin te onderhouden en als lid van de middenklasse een aangenaam leven te leiden. Vandaag de dag is dat een stuk moeilijker. In de afgelopen vier decennia is het inkomensverschil tussen mensen die alleen een middelbareschooldiploma hebben en afgestudeerden – Amerikaanse economen spreken van het *college premium* – verdubbeld. In 1979 verdienden afgestudeerden ongeveer veertig procent meer dan mensen met alleen middelbare school, rond 2000 was dat inmiddels tachtig procent meer.[1]

Hoewel het tijdperk van de mondialisering bijzonder gunstig bleek voor wie de juiste diploma's heeft, leverde het niets op voor de meeste gewone arbeiders. Tussen 1979 en 2016 nam het aantal banen in de Amerikaanse industrie af van 19,5 miljoen naar 12 miljoen.[2] De productiviteit nam toe, maar de arbeiders kregen een steeds kleiner deel van de waarde die ze produceerden, terwijl de directeuren en de aandeelhouders een steeds groter deel opstreken.[3] Aan het einde van de jaren zeventig verdienden de CEO's van grote Amerikaanse bedrijven 30 keer zoveel als de gemiddelde arbeider, in 2014 was dat 300 keer zoveel.[4]

Het mediane inkomen van de Amerikaanse man is in reële termen al een halve eeuw niet meer gegroeid. Hoewel het inkomen per hoofd van de bevolking sinds 1979 met 85 procent is toegenomen, is het reële inkomen van een witte man zonder universitair diploma nu lager dan destijds.[5]

De uitholling van de waardigheid van werk

Het is niet zo vreemd dat ze ontevreden zijn. Economische tegenslag is echter niet de enige reden van hun ongeluk. Het meritocratische tijdperk heeft hen ook op een sluipender manier geschaad: het heeft de waardigheid van hun werk aangetast. Doordat grotere waarde wordt gehecht aan de 'hersenen' die je moet hebben om goed te scoren op een toelatingstest voor de universiteit, denigreert de sorteermachine iedereen die niet over dergelijke meritocratische geloofsbrieven beschikt. Ze houdt hun voor dat het werk dat ze doen en dat door de markt minder wordt gewaardeerd dan het werk van goedbetaalde professionals, een minder grote bijdrage is aan het algemeen welzijn, en dus minder maatschappelijke erkenning en schatting waardig. Ze legitimeert de royale beloning die de markt de winnaars toekent en de magere die ze betaalt aan arbeiders zonder een universitair diploma.

Deze manier van denken over wie wat verdient, is in moreel opzicht niet te verdedigen. Vanwege redenen die we eerder al behandelden (hoofdstuk 5), is het onjuist om ervan uit te gaan dat de marktwaarde van een bepaalde baan de maat is van de bijdrage die ermee wordt geleverd aan het algemeen welzijn. (Denk maar terug aan de goedbetaalde crystal meth-producent en de middelbareschoolleraar met zijn bescheiden salarisje.) In de afgelopen decennia is het idee dat wat we verdienen een afspiegeling is van de waarde van onze bijdrage aan de maatschappij, echter stevig verankerd geraakt. We zien dat overal in het openbare leven terug.

De meritocratische sortering heeft dit idee helpen versterken. Datzelfde geldt voor de neoliberale, marktgerichte versie van de mondialisering zoals de belangrijkste partijen van centrumrechts en centrumlinks die sinds de jaren tachtig volgen. Terwijl de mondialisering leidde tot enorme ongelijkheid, zorgden deze twee visies – de meritocratische en de neoliberale – ervoor dat het steeds moeilijker werd om je ertegen te verzetten. Ze ondermijnden bovendien de waardigheid van werk, hetgeen leidde tot een ressentiment tegen de elites en een politieke reactie.

Al sinds 2016 zijn experts en wetenschappers in discussie over wat de populistische onvrede kan hebben veroorzaakt. Heeft het te maken met het verloren gaan van banen of met een culturele vervreemding? Dat is echter een te scherp onderscheid. Werk is niet alleen economisch, maar ook cultureel. Het is een manier om de kost te verdienen, maar ook een bron van maatschappelijke erkenning en waardering.

Dat is de reden waarom de ongelijkheid als gevolg van de mondialisering tot zulke grote woede en een dergelijk ressentiment heeft geleid. Mensen die werden achtergelaten door de mondialisering hadden niet alleen moeite om rond te komen terwijl anderen ervan profiteerden, ze voelden bovendien dat het werk dat ze deden niet langer een bron van maatschappelijke erkenning was. In de ogen van de samenleving, en misschien ook wel in hun eigen ogen, was hun werk niet langer een gewaardeerde bijdrage aan het algemeen welzijn.

Mannen uit de arbeidersklasse zonder universitair diploma stemden in overgrote meerderheid voor Donald Trump. Dat ze zich aangetrokken voelden tot zijn politiek van de ontevredenheid en het ressentiment doet vermoeden dat ze leden onder meer dan alleen economische tegenslag. Een andere uiting van hun 'onbelangrijkheid' die in de jaren voor Trumps verkiezing steeds sterker werd, zal ook een rol hebben gespeeld: naarmate de

arbeidsomstandigheden voor wie geen meritocratische geloofsbrieven bezat steeds uitzichtslozer werden, kwam een groeiend
aantal mannen in de werkende leeftijd helemaal zonder werk
te zitten.

In 1971 was drieënnegentig procent van de witte mannen
uit de arbeidersklasse aan het werk. In 2016 was dat nog maar
tachtig procent. Van de twintig procent die zonder werk zit, is
nog maar een klein gedeelte op zoek naar werk. Alsof ze zich
verslagen voelden door de vernederingen van een arbeidsmarkt
die niets meer gaf om hun vaardigheden, hadden de meesten
van hen het gewoon opgegeven. Met name onder hen die geen
universitaire opleiding hebben genoten, zijn er velen die werk
definitief de rug toekeerden. Van alle Amerikanen voor wie het
hoogste diploma dat van de middelbare school is, had in 2017
slechts achtenzestig procent een baan.[6]

Wanhoopssterfte

Dat deze mannen niet langer naar werk zochten, was echter
nog niet het ernstigste gevolg van het geschonden moreel van
de arbeidersklasse in Amerika. Velen van hen hadden de moed
om te leven ook verloren. Het meest tragische bewijs daarvoor
is wel de toename van de *deaths of despair*, de wanhoopssterfte.
Die term werd bedacht door Anne Case en Angus Deaton, twee
economen van Princeton die onlangs een verontrustende ontdekking deden. Gedurende de gehele twintigste eeuw bleef de
gemiddelde levensverwachting toenemen naarmate de moderne
geneeskunde succesvoller werd. In de periode 2014-2017 kwam
ze echter tot stilstand en begon zelfs achteruit te lopen. Voor het
eerst in honderd jaar nam de gemiddelde levensverwachting in
de Verenigde Staten gedurende drie jaar achtereen af.[7]

Dat kwam niet doordat de medische wetenschap niet langer
nieuwe geneesmiddelen en behandelingen ontwikkelde voor
ziekten. Case en Deaton stelden vast dat de sterftecijfers stegen

als gevolg van een ware epidemie van sterfgevallen door zelfdoding, overdoses drugs of medicijnen en leverziekten als gevolg van alcoholmisbruik. Dat noemden ze *deaths of despair*, wanhoopssterfte, omdat men deze zichzelf op verschillende manieren had aangedaan.[8]

Dit soort sterfgevallen, dat al meer dan tien jaar aan het toenemen was, werd met name vaak aangetroffen onder witte volwassenen van middelbare leeftijd. Onder witte mannen en vrouwen in de leeftijden vijfenveertig tot vierenvijftig nam de wanhoopssterfte tussen 1990 en 2017 met het drievoudige toe.[9] Tegen 2014 stierven voor het eerst meer mensen in deze groep door drugs, medicijnen, alcohol en zelfdoding dan door hartziekten.[10]

Wie niet direct in contact stond met de arbeidersklasse, merkte deze crisis aanvankelijk nauwelijks op. De omvang van het probleem bleef onduidelijk omdat er nauwelijks aandacht aan werd besteed. Tegen 2016 stierven er echter elk jaar meer Amerikanen aan overdoses drugs of medicijnen dan er in de totale Vietnamoorlog waren gesneuveld.[11] Columnist Nicholas Kristof van *The New York Times* komt met nog een pijnlijke vergelijking: inmiddels sterven er *elke twee weken* meer Amerikanen aan wanhoop dan er omkwamen tijdens de achttien jaar strijd in Afghanistan en Irak.[12]

Hoe kan deze akelige epidemie worden verklaard? Een veelzeggende aanwijzing is te vinden in het opleidingsniveau van de meest kwetsbaren. Case en Deaton ontdekten dat de 'toename van de wanhoopssterfte vrijwel geheel plaatsvond onder mensen zonder universitair diploma. Onder mensen die wel zo'n diploma hebben, komt het verschijnsel nauwelijks voor, juist wie geen diploma heeft loopt het grootste risico.'[13]

Het totale sterftecijfer onder witte mannen en vrouwen van middelbare leeftijd (vijfenveertig tot vierenvijftig) is niet veel veranderd gedurende de afgelopen twee decennia. Het sterftecijfer verschilt echter enorm naargelang van het opleidingsniveau. Sinds de jaren negentig is het sterftecijfer onder afgestudeerden

afgenomen met veertig procent. Voor mensen zonder universitaire graad steeg het echter met vijfentwintig procent. Hier zien
we opnieuw een voordeel dat mensen met de juiste diploma's
hebben. Wie beschikt over een universitaire graad loopt slechts
een kwart van het risico dat mensen zonder diploma lopen.[14]

Het verschil wordt in belangrijke mate bepaald door de wanhoopssterfte. Mensen met een lager opleidingsniveau lopen al
heel lang een groter risico dan mensen met een universitaire
graad om te sterven aan het misbruik van alcohol, medicijnen of
drugs, of door zelfdoding. Het verschil in de sterftecijfers tussen
gediplomeerden en ongediplomeerden is echter wel steeds schrij-
nender geworden. Tegen 2017 was het inmiddels meer dan drie
keer zo waarschijnlijk dat een man zonder universitair diploma
een wanhoopsdood zou sterven dan een die was afgestudeerd.[15]

We zouden kunnen denken dat het achterliggende ongeluk
stamt van de armoede, en dat het verschil in opleidingsniveau
alleen opvalt omdat wie minder opleiding heeft genoten, waarschijnlijk eerder arm zal zijn. Case en Deaton houden rekening
met die mogelijkheid, maar zijn niet overtuigd. De dramatische toename van de wanhoopssterfte tussen 1999 en 2017
correspondeert niet met de algemene toename van de armoede.
Daarnaast bestudeerden ze de cijfers per staat, en vonden geen
overtuigende correlatie tussen de sterfgevallen als gevolg van
zelfdoding, drugs- of medicijnoverdoses of alcoholmisbruik, en
de toegenomen armoede.

De wanhoop werd door meer dan alleen de materiële armoede
veroorzaakt, namelijk door iets wat kenmerkend was voor het
lot van mensen die moeite hadden om verder te komen in een
meritocratische samenleving waarin meritocratische geloofsbrieven burgers verzekeren van erkenning en waardering. De
wanhoopssterfte, zo besluiten Case en Deaton, 'is een afspiegeling van het langzaam verloren gaan van een levenswijze van de
witte, minder hoog opgeleide arbeidersklasse'.[16]

De breder wordende kloof tussen mensen met en zonder een diploma zien we niet alleen in de sterftecijfers, maar ook in de levenskwaliteit. Onder mensen zonder diploma zien we een toename in het niveau van pijn, slechte gezondheid en ernstige psychische aandoeningen. Daarnaast neemt hun vermogen om te werken en aan het sociale leven deel te nemen af. De kloof verbreedt zich ook op het gebied van het inkomen, de gezinsstabiliteit en de gemeenschap. Een universitair diploma is *het* belangrijkste kenmerk geworden van sociale status, haast alsof mensen die er geen hebben een badge zouden moeten dragen die aangeeft dat zij het zonder moeten stellen.[17]

Die toestand bevestigt helaas Michael Youngs vrees dat het 'in een samenleving die zozeer hecht aan verdienste', moeilijk te verdragen is om 'te worden weggezet als iemand zonder verdienste. Nog nooit eerder werd een onderklasse in moreel opzicht zo radicaal moreel uitgekleed.'[18]

Het herinnert ons bovendien op onheilspellende wijze aan John Gardners argumenten voor 'excellentie' en de sortering in het onderwijs in het begin van de jaren zestig. In zijn erkenning van de nadelen van een meritocratie had hij een vooruitziender blik dan hij zelf bevroedde. Wie 'de schoonheid meende te zien van een systeem waarin elke jongere zover zou komen als zijn vermogens en zijn ambities hem maar konden brengen', zag al snel over het hoofd 'welke pijn dat oplevert voor wie het aan die vermogens ontbreekt', aldus Gardner. 'En toch zal en moet het pijn doen.'[19]

Twee generaties later, toen oxycontin inmiddels het geneesmiddel was dat die pijn verzachtte, verried de gestaag aanwassende golf van sterfgevallen de duistere consequenties van de meritocratische sortering – een wereld van het werk die maar weinig overlaat van de waardigheid van wie is afgevallen.

Bronnen van het ressentiment

Tijdens de Republikeinse voorverkiezingen van 2016 presteerde Donald Trump, op dat moment een opstandige kandidaat die de strijd aanbond met het establishment, het best op die plaatsen waar de wanhoopssterfte het hoogst was. Bij een analyse van de verkiezingsresultaten per provincie bleek dat zelfs wanneer er werd gecompenseerd voor inkomen, het sterftecijfer onder witten van middelbare leeftijd een sterke correlatie vertoonde met de steun voor Trump. Datzelfde gold ook voor het ontbreken van universitaire diploma's.[20]

Een van de redenen waarom de mainstream experts en politici zo geschokt en verbijsterd waren over de verkiezing van Trump is dat ze geen idee hadden van (of in sommige gevallen hadden bijgedragen aan) de cultuur van het elitaire neerkijken op anderen die al een tijd in opkomst was. Die cultuur ontstond in belangrijke mate uit het meritocratische sorteringsproject en de ongelijkheid die het gevolg waren van de marktgedreven mondialisering. We zien er echter overal in het leven in Amerika de sporen van. Vaders uit het arbeidersmilieu in televisieseries, bijvoorbeeld Archie Bunker in *All in the Family* en Homer Simpson in *The Simpsons*, zijn meestal sukkels. Mediawetenschappers hebben vastgesteld dat de televisie vaders met fabrieksbanen afbeeldt als incapabel en dom, het mikpunt van grappen, vaak gedomineerd door hun veel competentere en verstandigere vrouwen. Vaders uit de hogere middenklasse en professionals komen er veel beter van af.[21]

De elitaire denigratie van de arbeidersklasse is ook terug te horen in het gewone taalgebruik. Joan Williams, professor aan het Hastings College of Law in San Francisco, bekritiseerde progressieven al om hun 'totale gebrek aan klassenbewustzijn'.[22]

Het gebeurt te vaak in de verder o zo beleefde samenleving dat de elite (en daartoe moeten zeker ook de progressieven worden gerekend) onbewust de witte arbeidersklasse kleineert. Men heeft het over *trailer trash* in *flyover states*, staten waar je alleen overheen vliegt, dat last heeft van een 'bouwvakkersdecolleté' – openlijke beledigingen van een hele klasse die doorgaan voor gevatheid. Die neerbuigendheid heeft effect op politieke campagnes, zoals toen Hillary Clinton sprak over *deplorables*, betreurenswaardige figuren, en Barack Obama over mensen die 'zich vastklampen aan wapens en religie'.[23]

Williams erkent dat 'economische afgunst heeft geleid tot rassenangst die bij sommige aanhangers van Trump (en bij de man zelf) uitloopt op openlijk racisme. Die woede van de witte middenklasse afdoen als niet meer dan racisme, dient echter hooguit om intellectuelen gerust te stellen, en is gevaarlijk.'[24]

Barbara Ehrenreich, een journaliste die schrijft over werk en klasse, maakt een vergelijkbare opmerking. Zij citeert W.E.B. Du Bois, die in 1935 schreef: 'We moeten wel bedenken dat de witte groep arbeiders, terwijl ze een laag loon ontvingen, deels werd gecompenseerd met een soort publiek en psychologisch loon.' In tegenstelling tot Afro-Amerikanen werden witte Amerikanen uit de arbeidersklasse 'samen met alle andere klassen witte mensen vrijelijk toegelaten tot openbare gelegenheden, parken en de beste openbare scholen'.[25] Vandaag de dag wordt dit 'publieke en psychologische loon' omschreven als het 'witte privilege'.

Na de burgerrechtenbeweging kwam er een einde aan de rassenscheiding die deze perverse psychologische beloning in stand hield, stelt Ehrenreich, waardoor de armere witte mensen het nu moesten stellen zonder 'de troost van het besef dat er mensen waren die er nog slechter aan toe waren dan zij'. De liberale elites die 'zich deugdzaam voelen in hun afschuw van het racisme van de lagere klassen' hebben wel gelijk als ze dat racisme veroordelen.[26] Ze zien echter niet in dat het kwetsend is om in verband met witte mannen en vrouwen uit de arbeidersklasse die toch al buitenspel zijn gezet over 'wit privilege' te spreken, aangezien dat voorbijgaat aan de moeite die zij hebben om eer en erkenning te verkrijgen in een meritocratische orde die maar nauwelijks waardering heeft voor de vaardigheden die zij in de aanbieding hebben.

Katherine J. Cramer, politicologe aan de University of Wisconsin-Madison, interviewde vijf jaar lang mensen in landelijke gemeenschappen in Wisconsin en kwam vervolgens met een genuanceerd beeld van het politieke ressentiment.[27] Inwoners van plattelandsgemeenschappen dachten dat er te veel belastinggeld en overheidsaandacht werd besteed aan mensen die dat niet verdienden. 'Tot degenen die het niet verdienden werden mensen uit de raciale minderheden met een uitkering gerekend,' schreef Cramer, 'maar ook luie stadsbewoners met een kantoorbaan zoals ik, die niet meer produceren dan ideeën.' Racisme vormt een deel van hun ressentiment, legde ze uit, maar het is verweven met de veel fundamentelere zorg 'dat mensen zoals zij, op plaatsen zoals die van hen, over het hoofd worden gezien en niet worden gerespecteerd'.[28]

In een van de meest fascinerende kronieken van de onvrede onder de arbeidersklasse, vestigde Arlie Russell Hochschild, een sociologe aan de University of California, Berkeley, zich in de *bayous* van Louisiana. Door de gesprekken die ze rond de keukentafel voerde met conservatieve zuidelijken uit de arbeidersklasse, kwam ze erachter hoe diegenen die de sterkste behoefte hadden aan overheidssteun – niet in de laatste plaats om iets te doen aan de chemische bedrijven die milieurampen veroorzaakten in hun gemeenschappen – desalniettemin diezelfde federale overheid verafschuwden en wantrouwden. Ze schreef een verhaal, een interpretatieve reconstructie van wat ze gehoord had, waarin ze 'de hoop, de angsten, de trots, de schaamte, het ressentiment en de angst beschreef in de levens van de mensen met wie ze had gesproken'.[29]

Haar verhaal vertelde over een verstrengeling van economische achterstelling en culturele ontheemding. Economische vooruitgang was inmiddels moeilijker te bereiken en bleef 'beperkt tot een kleine elite'. Voor de laagste negentig procent was de

Amerikaanse droommachine 'gestagneerd als gevolg van de au-
tomatisering, de verplaatsing van arbeid naar lagelonenlanden
en de groeiende macht van multinationals ten opzichte van hun
arbeiders. Tegelijkertijd was voor diezelfde negentig procent
de concurrentie tussen witte mannen en alle anderen toegenomen – de strijd om banen, erkenning en overheidsgeld.'[30] Alsof
dat nog niet erg genoeg was, moest iedereen die dacht dat hij
braaf op zijn beurt had gewacht op een kans op de Amerikaanse
droom nu vaststellen dat anderen voorgingen – mensen van
kleur, vrouwen, immigranten, vluchtelingen. Ze hadden een
hekel aan deze 'voorkruipers' (de mensen die profiteerden van
positieve discriminatie bijvoorbeeld) en waren boos op politieke
leiders die toestonden dat het gebeurde.[31]

Toen de mensen die braaf op hun beurt hadden gewacht,
klaagden over deze voorkruipers, sprak de elite over hen als
racisten, rednecks en *white trash*, of andere beledigende termen.
Hochschild kwam met de volgende begripvolle beschrijving van
het probleem waarmee haar in het nauw gedreven gastheren en
-vrouwen uit de arbeidersklasse werden geconfronteerd:

> Je bent een vreemde in je eigen land. Je herkent jezelf niet
> in hoe anderen je zien. Het kost moeite om opgemerkt
> en gewaardeerd te worden. Om je gewaardeerd te voelen
> moet je het idee hebben dat je vooruitgaat – en dat andere
> mensen dat ook zien. Vaak ga je er stilletjes, zonder dat je
> er zelf wat aan kunt doen, juist op achteruit.[32]

Elke serieuze reactie op deze frustraties van de arbeidersklasse
zal in moeten gaan tegen de neerbuigendheid van de elite en
de vooroordelen rond de waarde van diploma's die alomtegen-
woordig zijn in de publieke cultuur. Daarnaast moet ze de waardigheid van werk tot het middelpunt van de politieke agenda
maken. Dat is nog niet zo eenvoudig als het lijkt. Mensen met
verschillende ideologische achtergronden zullen op verschillende
manieren denken over wat het voor de samenleving betekent om

de waardigheid van werk te respecteren, zeker in een tijd waarin mondialisering en technologie, en de ogenschijnlijk onvermijdelijke richting waarin die zich lijken te ontwikkelen, dat dreigen te ondermijnen. De manier waarop een samenleving de arbeid eert en beloont, vormt echter de kern van hoe ze het algemeen welzijn definieert. Wanneer we de betekenis van werk overdenken, dwingt ons dat ertoe om morele en politieke vraagstukken onder ogen te zien die we anders uit de weg gaan, maar die onopgelost net onder het oppervlak van onze huidige onvrede aanwezig blijven: wat telt mee als een waardevolle bijdrage aan het algemeen welzijn, en wat zijn we elkaar verschuldigd als burgers?

De hernieuwing van de waardigheid van werk

Naarmate de ongelijkheid in de afgelopen jaren toenam en het ressentiment van de arbeidersklasse aan kracht won, reageerden sommige politici daarop door te spreken over 'de waardigheid van werk'. Bill Clinton gebruikte die term vaker dan enige president voor hem, en ook Donald Trump heeft het er regelmatig over.[33] Inmiddels is het een populaire retorische truc geworden voor politici over het gehele politieke spectrum, al is dat dan vooral ten dienste van de vertrouwde politieke stellingnamen.[34]

Volgens sommige conservatieven zou het beperken van de bijstand de waardigheid van werk ten goede komen, omdat het leven daardoor moeilijker zou worden voor luie mensen en dit hen zou dwingen los te komen van overheidssteun. Trumps minister van Landbouw beweerde dat een beperktere toegang tot de zogenoemde *foodstamps* 'de waardigheid van werk herstelt voor een aanzienlijk deel van onze bevolking'. In zijn verdediging van een wet uit 2017 die de belastingen voor bedrijven reduceerde en voornamelijk ten goede kwam aan de rijken, zei Trump dat het zijn doel was dat 'elke Amerikaan de waardigheid van werk en de trots van het salarisstrookje leerde kennen'.[35]

Liberals doen op hun beurt soms een beroep op de waardigheid van werk wanneer ze het vangnet en de koopkracht van werkende mensen willen versterken – een verhoging van het minimumloon, een ziektekostenverzekering, zwangerschapsverlof en kinderopvang, belastingvoordelen voor gezinnen met een laag inkomen.

Toch wist deze retoriek, die gepaard ging met substantiële beleidsvoorstellen, geen grip te krijgen op de woede van de arbeidersklasse en het ressentiment dat daar heerste, en die in 2016 tot Trumps overwinning zouden leiden. Veel *liberals* begrepen daar niets van. Hoe konden zo veel mensen die er in economisch opzicht op zouden vooruitgaan als deze maatregelen werden doorgevoerd, toch juist op een kandidaat stemmen die ertegen was?

Een bekend antwoord is dat witte kiesgerechtigden uit de arbeidersklasse, verblind door hun angst voor culturele vervreemding, hun economisch belang niet onderkenden of minder belangrijk vonden en stemden 'met hun middelvinger', zoals sommige commentatoren het omschreven. Dat is echter te kort door de bocht. Zo wordt er een te scherp onderscheid gemaakt tussen economische belangen en culturele status. Economische overwegingen hebben niet alleen te maken met hoeveel geld we krijgen, ze gaan ook over de invloed die onze rol in de economie heeft op ons maatschappelijk aanzien. De mensen die achterbleven na vier decennia van mondialisering en groeiende ongelijkheid, hadden onder meer te lijden dan alleen een stagnatie van de lonen: ze kregen ook steeds meer het gevoel overbodig te worden. De maatschappij waarin ze leefden, leek niet langer behoefte te hebben aan de vaardigheden die ze te bieden hadden.

Robert F. Kennedy, die in 1968 de presidentskandidaat van zijn partij wilde worden, begreep dit. De pijn van het werkloos zijn, was niet alleen gelegen in het ontbreken van een inkomen, maar ook in het feit dat men niet de kans kreeg om iets bij te dragen aan het algemeen welzijn. 'Werkloosheid betekent dat je niets te doen hebt – en dat betekent dat je niets te doen hebt met de rest van ons,' legde hij uit. 'Zonder werk zitten, zonder nut zijn voor je medeburgers, is waarlijk die Onzichtbare Man zijn over wie Ralph Ellison schreef.'[36]

Wat Kennedy leek te hebben begrepen over de ontevredenheid van zijn tijd is wat de *liberals* van vandaag de dag niet onderkennen in de onze. Ze hebben de kiezers uit de arbeidersklasse en de middenklasse een rechtvaardigere verdeling aangeboden – eerlijker, vollediger toegang tot de vruchten van de economische groei. Maar waar kiezers nog sterker naar verlangen, is een rechtvaardiger verdeling van de erkenning – een kans om de maatschappelijke erkenning en waardering te oogsten die is weggelegd voor iemand die iets produceert wat anderen nodig hebben en op prijs stellen.

De nadruk die *liberals* leggen op een eerlijker verdeling van het inkomen biedt terecht tegenwicht aan de veel te eenzijdige focus op de maximalisering van het bbp. Ze ontstaat uit de overtuiging dat een rechtvaardige samenleving niet alleen moet streven naar maximalisering van het algemene welvaartsniveau, maar ook naar een eerlijke verdeling van inkomen en vermogen. Volgens die opvatting valt beleid dat zal leiden tot een hoger bbp – zoals vrijhandelsverdragen of beleid dat bedrijven aanmoedigt om werkgelegenheid te verplaatsen naar lagelonenlanden – alleen te verdedigen als de winnaars de verliezers daarvoor compenseren. Zo zou bijvoorbeeld de toegenomen winst van bedrijven en individuen die wat verdienen aan de mondialisering kunnen worden belast, om het sociale vangnet te versterken en bijstand en omscholingen te financieren voor wie zijn werk naar het buitenland zag verdwijnen.

Deze benadering ligt ten grondslag aan de benadering van centrumlinkse (en sommige centrumrechtse) partijen in de Verenigde Staten en Europa sinds de jaren tachtig: omarm de mondialisering en de toegenomen welvaart die deze met zich meebrengt, maar gebruik de winst ervan om het verlies te compenseren dat de arbeiders in eigen land erdoor lijden. Het populistische protest komt neer op een verwerping van dit project. Terugkijkend op de brokstukken, is ook duidelijk waarom dit project is mislukt.

Om te beginnen werd het nooit werkelijk ten uitvoer gebracht.

Er vond economische groei plaats, maar de winnaars hebben de verliezers niet gecompenseerd. In plaats daarvan leidde de neoliberale mondialisering tot een verdere toename van de ongelijkheid. Vrijwel alle winst van de economische groei is naar de top gegaan, en de meeste arbeiders zagen vrijwel geen verbeteringen, ook niet na belastingen. Het nivellerende aspect van het project ging verloren, deels als gevolg van de groeiende macht van het geld in de politiek, die door sommigen de 'oligarchische overname' van democratische instituties wordt genoemd.

Er was echter nog een probleem. De focus op de maximalisering van het bbp legt, zelfs wanneer die gepaard gaat met hulp voor wie achterblijft, de nadruk op consumptie in plaats van productie. Ze nodigt ons ertoe uit onszelf eerder als consumenten te zien dan als producenten. In de praktijk zijn we echter beide. Als consumenten willen we waar voor ons geld, en goederen en diensten zo goedkoop mogelijk kopen, ongeacht of dat nu betekent dat ze gemaakt werden in de lagelonenlanden of door fatsoenlijk betaalde Amerikaanse arbeiders. Als producenten willen we een bevredigende baan die goed betaalt.

Het is aan de politiek om onze identiteit als consument te verenigen met die als producent. Het project van de mondialisering streefde echter naar maximalisering van de economische groei, en daarmee van de welvaart van consumenten, zonder veel aandacht te besteden aan het effect van outsourcing, immigratie en financialisering op het welzijn van producenten. De elites die de mondialisering tot stand brachten, lieten niet alleen na iets te doen aan de ongelijkheid die deze teweegbracht, maar onderkenden ook niet welk schadelijk effect ze had op de waardigheid van werk.

Werk als erkenning

Beleidsvoorstellen om te compenseren voor de ongelijkheid door de koopkracht van gezinnen in de arbeiders- en middenklasse te vergroten of het vangnet te versterken, zullen weinig kunnen uitrichten tegen de woede en het ressentiment, die diep zitten. Dat komt doordat die woede gaat over het verlies aan erkenning en waardering. Hoewel de afgenomen koopkracht zeker ook een probleem vormt, is het onrecht dat het ressentiment onder arbeiders het sterkst aanwakkert dat ze worden miskend als producent. Dat onrecht is het gecombineerde effect van de meritocratische sortering en de door de markt gedreven mondialisering.

Alleen een politieke agenda die dat onrecht erkent en de waardigheid van werk wil vernieuwen, zal in staat zijn om in te spelen op de ontevredenheid die onze politiek zo op hol heeft doen slaan. Een dergelijke agenda moet voorzien in een rechtvaardige verdeling van zowel inkomen als erkenning.[37] Dit omdat de woede die nu door het land waart toch in elk geval voor een deel het gevolg is van een waarderingscrisis. Juist in onze rol als producenten, en niet als consumenten, dragen we bij aan het algemeen welzijn en krijgen we daarvoor erkenning.

Het contrast tussen onze identiteiten als consument en producent wijst ons op twee verschillende manieren om het algemeen welzijn te zien. Een benadering die we veel zien bij economische beleidsmakers definieert het algemeen welzijn als de som van alle voorkeuren en belangen. Volgens die visie bereiken we het algemeen welzijn door maximalisering van de welvaart van de consument, meestal door maximalisering van de economische groei. Als het algemeen welzijn simpelweg een kwestie is van de bevrediging van de voorkeuren van de consument, dan is het marktloon een goede maat van wie wat heeft bijgedragen. Wie het meeste geld verdient, heeft kennelijk de meest waardevolle bijdrage geleverd aan het algemeen welzijn, door de goederen en de diensten te produceren die consumenten wensen.

Een tweede benadering verwerpt deze consumentistische opvatting van het algemeen welzijn en kiest voor wat we een maatschappelijk solidaire opvatting zouden kunnen noemen. Volgens dit ideaal gaat het algemeen welzijn verder dan enkel het optellen van alle voorkeuren of de maximalisering van de welvaart van de consument. Het gaat om een kritische afweging van onze voorkeuren – idealiter om die te verheffen en te verbeteren – zodat we waardevolle, vruchtbare levens kunnen leiden. Dat is niet uitsluitend door economische activiteiten te bereiken. Daarvoor moeten we overleggen met onze medeburgers over hoe we een rechtvaardige en goede samenleving tot stand brengen, een die burgerlijke deugdzaamheid cultiveert en ons in staat stelt om samen te bediscussiëren welke doelstellingen onze politieke gemeenschap waardig zijn.[38]

Het burgerlijk ideaal van het algemeen welzijn vraagt dus om een bepaald type politiek, dat de ruimte en de gelegenheid biedt voor publiek debat. Het vraagt echter bovendien om een bepaalde manier van denken over arbeid. Vanuit het standpunt van het burgerlijk ideaal is de belangrijkste rol die we spelen in de economie niet die van consument, maar die van producent. Alleen als producenten ontwikkelen en beoefenen we onze vermogens om goederen en diensten te produceren die voorzien in de behoeften van onze medeburgers en die ons maatschappelijke waardering opleveren. De werkelijke waarde van onze bijdrage kan niet worden gemeten aan het loon dat we ontvangen, want lonen zijn, zoals econoom-filosoof Frank Knight al opmerkte (zie hoofdstuk 5), afhankelijk van de toevalligheden van aanbod en vraag. De waarde van onze bijdrage is in plaats daarvan afhankelijk van het morele en burgerlijke belang van de doelstellingen van onze inspanningen. Het bepalen van die waarde gaat echter gepaard met een onafhankelijk moreel oordeel dat de arbeidsmarkt, hoe efficiënt ook, niet kan vellen.

Het idee dat economisch beleid uiteindelijk ten dienste staat van de consumptie is tegenwoordig zo vanzelfsprekend dat het moeilijk is om het los te laten. 'Consumptie is het enige doel van alle productie,' schreef Adam Smith in zijn *The Wealth of Nations*, 'en aan het belang van de producent moet alleen in zoverre aandacht worden besteed als dat noodzakelijk is voor de bevordering van dat van de consument.'[39] John Maynard Keynes nam dit idee over van Smith, en verkondigde dat consumptie 'het enige doel is van alle economische activiteit'.[40] De meeste hedendaagse economen sluiten zich daarbij aan. Een oudere traditie van morele en politieke filosofie dacht daar echter anders over. Aristoteles stelde dat het floreren van de mens afhankelijk is van of we onze natuur kunnen verwezenlijken door onze vermogens te cultiveren en uit te oefenen. De Amerikaanse Republikeinse traditie leerde dat bepaalde beroepen – eerst de landbouw, dan de ambachten en vervolgens de vrije arbeid in de breedste zin van het woord – de deugden cultiveren die burgers in staat stellen tot zelfbestuur.[41]

In de twintigste eeuw maakte de producentenethiek van de Republikeinse traditie geleidelijk plaats voor consumentistische ideeën over vrijheid en een politieke economie van de economische groei.[42] Het idee dat, ook in een complexe samenleving, werk burgers samenbrengt in een geheel van bijdragen en wederzijdse erkenning, verdween echter niet helemaal. Soms heeft dat een inspirerende uitdrukking gevonden. In een toespraak tot medewerkers van de gemeentereiniging in Memphis, Tennessee, kort voordat hij werd vermoord, legde dominee Martin Luther King junior een verband tussen de waardigheid van die arbeiders en hun bijdrage aan het algemeen welzijn.

Op een dag zal onze samenleving het werk van de medewerkers van de gemeentereiniging leren waarderen als ze wil overleven, want de man die ons vuilnis ophaalt is uiteindelijk net zo belangrijk als de huisarts. Als hij zijn werk niet doet, verspreiden de ziekten zich net zo goed. Alle arbeid kent zijn waardigheid.[43]

In zijn encycliek *Laborem Exercens* uit 1981, stelde paus Johannes Paulus II dat de mens door te werken, 'zichzelf als mens vervolmaakt, zelfs in zekere zin "meer mens wordt"'. Daarnaast meende hij dat er een essentieel verband was tussen werk en gemeenschap. 'Hieruit volgt dat de mens zijn meest wezenlijke menselijke identiteit verbindt met zijn lidmaatschap van een natie en dat hij wil dat zijn arbeid ook een bijdrage zal zijn aan het gemeenschappelijke goed, de algemene welvaart, waarnaar hij samen met zijn landgenoten moet streven.'[44]

Een paar jaar later publiceerde de National Conference of Catholic Bishops een pastoraal schrijven waarin de katholieke sociale leer met betrekking tot de economie uiteen werd gezet, waarin ze een expliciete definitie gaf van rechtvaardigheid met betrekking tot ieders maatschappelijke bijdrage. Iedereen 'heeft de plicht op actieve en productieve wijze deel te nemen aan de samenleving', en de overheid heeft 'de plicht om economische en sociale instituties zo te organiseren dat mensen aan de samenleving kunnen bijdragen op een manier die hun vrijheid en de waardigheid van hun arbeid respecteert'.[45]

Sommige seculiere filosofen verkondigen vergelijkbare standpunten. De Duitse sociaal theoreticus Axel Honneth heeft al gesteld dat de hedendaagse conflicten over de verdeling van inkomen en vermogen het beste kunnen worden beschouwd als conflicten over erkenning en waardering.[46] Hoewel hij dit idee herleidt tot de filosofie van Hegel, een notoir complexe denker, moet het toch redelijk vanzelfsprekend lijken voor elke sportliefhebber die de discussie rond de salarissen van goedbetaalde sporters heeft gevolgd. Wanneer fans klagen over een speler die miljoenen verdient en vervolgens nog meer eist, is het standaardantwoord altijd weer: 'Het gaat me niet om het geld, maar om het respect.'

Dat is wat Hegel bedoelt met de strijd om erkenning. Meer dan alleen een systeem voor de effectieve bevrediging van behoeften is de arbeidsmarkt volgens Hegel een systeem van erkenning. Ze beloont niet alleen werk met een inkomen, maar verleent bovendien publiekelijke erkenning aan ieders werk als bijdrage aan het algemeen welzijn. Markten op zich geven de arbeiders geen vaardigheden en geen erkenning, en daarom stelde Hegel voor een orgaan op te richten, vergelijkbaar met een vakvereniging of een gilde, dat ervoor zou zorgen dat de vaardigheden van een arbeider zodanig waren dat hij een bijdrage kon leveren die de publieke waardering waardig zou zijn. Hegel stelde, kortom, dat de kapitalistische organisatie van het werk die in zijn tijd aan het ontstaan was slechts op twee voorwaarden ethisch te rechtvaardigen viel. Honneth vat die kernachtig samen: 'Allereerst moet ze voorzien in een minimumloon, vervolgens moet ze alle werkzaamheden een vorm verlenen waaruit blijkt dat ze een bijdrage vormen aan het algemeen welzijn.'[47]

Tachtig jaar later zou de Franse sociaal theoreticus Émile Durkheim Hegels concept van de arbeid verder uitwerken en stellen dat arbeidsdeling een bron kan zijn van sociale solidariteit, vooropgesteld dat eenieders bijdrage wordt beloond op basis van de reële waarde voor de gemeenschap.[48] In tegenstelling tot Smith, Keynes en veel hedendaagse economen, beschouwden Hegel en Durkheim de arbeid niet in de eerste plaats als een middel voor het doel van de consumptie. In plaats daarvan stelden ze dat werk idealiter een activiteit is die mensen integreert in de samenleving, iets waarvoor men erkenning krijgt, een manier om te voldoen aan onze verplichting om wat bij te dragen aan het algemeen welzijn.

Een rechtvaardige verdeling van de erkenning

In onze ten diepste gepolariseerde tijd, waarin grote aantallen werkende mensen zich genegeerd en niet gewaardeerd voelen, waarin we wanhopig op zoek zijn naar bronnen van sociale samenhang en solidariteit, zou je verwachten dat deze wat meer robuuste opvattingen over de waardigheid van werk wel terug te vinden zouden zijn in de algemene politieke discussie. Dat blijkt echter niet het geval. Waarom niet? Waarom verzet de heersende politieke agenda zich tegen het recht op het leveren van een betekenisvolle bijdrage en de producentgerichte ethiek die eraan ten grondslag ligt?

Het antwoord lijkt misschien simpelweg te liggen in onze voorliefde voor consumptie en onze aanname dat economische groei ons levert wat we nodig hebben. Er staat echter iets belangrijkers op het spel. Afgezien van de materiële voordelen die economische groei biedt, is groei tot het belangrijkste doel van openbaar beleid maken bijzonder aantrekkelijk voor pluralistische samenlevingen als de onze, waarin zo veel meningsverschillen bestaan. Het lijkt ons moeizame debatten over controversiële morele kwesties te besparen.

Mensen houden er uiteenlopende opvattingen op na over waar het in het leven om gaat. We zijn het niet eens over wat nu precies menselijk floreren is. Als consumenten hebben we verschillende voorkeuren en verlangens. Geconfronteerd met die verschillen lijkt maximalisering van de welvaart van de consument een waardevrije doelstelling van economisch beleid. Als de welvaart van de consument het doel is, dan is meer beter dan minder, ongeacht onze uiteenlopende voorkeuren. Er ontstaan onvermijdelijk meningsverschillen over de verdeling van de vruchten van de economische groei – vandaar dat het nodig is dat we over een eerlijke verdeling spreken. We kunnen het er echter allemaal over eens zijn, dat zou je althans denken, dat het beter is als we in economisch opzicht meer te verdelen hebben dan minder.

Gerechtigheid met betrekking tot ieders maatschappelijke bijdrage staat daarentegen niet neutraal tegenover het floreren van de mens of de beste manier om te leven. Van Aristoteles tot de Amerikaanse republikeinse traditie, van Hegel tot de katholieke sociale leer, leren rechtvaardigheidstheorieën ons dat we pas volledig mens zijn wanneer we bijdragen aan het algemeen welzijn en daarvoor van onze medeburgers waardering krijgen. Volgens die traditie is het gevoel dat de mensen met wie we het leven delen ons nodig hebben een fundamentele behoefte. De waardigheid van werk bestaat eruit dat we onze vaardigheden gebruiken om aan de behoefte van onze medeburgers te voldoen. Als dat is wat het inhoudt om een goed leven te leiden, dan is het een vergissing om consumptie te beschouwen als 'het enige doel van economische activiteit'.

Een politieke economie die zich alleen bezighoudt met de hoogte en de verdeling van het bbp ondermijnt de waardigheid van werk en leidt tot een verarmd burgerlijk bestaan. Robert F. Kennedy had dat begrepen: 'Broederschap, gemeenschap, gedeeld patriottisme – die essentiële waarden van onze beschaving ontstaan niet alleen omdat we samen goederen kopen en consumeren.' In plaats daarvan stammen ze van 'waardig werk tegen een fatsoenlijke beloning, het soort werk dat een man in staat stelt om tegen zijn gemeenschap, zijn gezin, zijn land en vooral ook tegen zichzelf, te zeggen: "Ik heb geholpen dit land op te bouwen. Ik neem ook deel aan de grote dingen die het onderneemt."'[49]

Vandaag de dag spreken nog maar weinig politici zo. In de decennia na Kennedy lieten de progressieven de politiek van de gemeenschap, het patriottisme en de waardigheid van werk grotendeels varen en kwamen ze in plaats daarvan met de retoriek van het opklimmen. Wie zich zorgen maakte over lonen die niet langer stegen, over het verdwijnen van banen naar lagelonenlanden, over de ongelijkheid en over immigranten en robots die banen zouden inpikken, kreeg van de bestuurlijke elite het volgende stimulerende advies: ga studeren. Rust jezelf uit om mee te komen in de concurrentiestrijd en te winnen in de mondiale economie. Wat je eet hangt af van wat je weet. Je zult het wel redden, als je maar je best doet.

Dat was een idealisme dat prima aansloot op een tijdperk waarin het mondiale, het meritocratische en de markt vooropstonden. Het vlijde de winnaars en beledigde de verliezers. In 2016 had het echter zijn langste tijd gehad. De Brexit en de verkiezing van Trump, en de opkomst van hypernationalistische anti-immigratiepartijen in Europa maakte duidelijk dat het project was mislukt. Nu is de vraag hoe een alternatief politiek project eruit zou kunnen zien.

De discussie over de waardigheid van werk

De waardigheid van werk is een goed thema om mee te beginnen. Op het eerste gezicht is dat nauwelijks een controversieel ideaal. Geen enkele politicus is ertegen. Maar een politieke agenda die werk serieus neemt – die het ziet als een plaats waar men erkenning krijgt – stelt enkele lastige vragen, zowel aan de *liberals* als aan de conservatieven van de hedendaagse politiek. Dat komt doordat ze een premisse ter discussie stelt die alle voorstanders van een op de markt gebaseerde mondialisering met elkaar delen, namelijk dat het resultaat op de markt een afspiegeling zou zijn van de werkelijke maatschappelijke waarde van de bijdragen die mensen leveren aan het algemeen welzijn.

Wanneer we over lonen komen te spreken, zullen de meeste mensen het er wel over eens zijn dat wat mensen verdienen in een bepaalde baan vaak te veel of juist te weinig maatschappelijke waarde toekent aan het werk dat ze doen. Alleen een overtuigd libertair zou durven volhouden dat de bijdrage van de rijke casinomagnaat aan de samenleving duizend keer waardevoller is dan die van een kinderarts. In een marktsamenleving is echter moeilijk te ontkomen aan de neiging om het geld dat we verdienen te verwarren met de waarde van onze bijdrage aan het algemeen welzijn.

Die verwarring is niet alleen het gevolg van slordig denken. Ze laat zich niet opklaren met filosofische argumenten die de onjuistheid ervan aantonen. Ze getuigt van de meritocratische hoop dat de wereld zo in elkaar zit dat wat we ontvangen automatisch is afgestemd op wat ons toekomt. Dit is de hoop die ten grondslag ligt aan het voorzienigheidsdenken, van het Oude Testament tot en met het hedendaagse idee 'dat de geschiedenis ons gelijk zal bewijzen'.

In een marktgedreven samenleving blijft het verleidelijk om materieel succes te interpreteren als een teken van morele verdienste. Toch is dat een verleiding die we steeds weer moeten weerstaan. Een manier om dat te bereiken is door maatregelen te bespreken en door te voeren die ons ertoe brengen om, bewust en op democratische wijze, na te denken over wat werkelijk een waardevolle bijdrage is aan het algemeen welzijn en waar de markt wat dat betreft de plank misslaat.

Het zou niet realistisch zijn om te verwachten dat een dergelijk debat ook tot overeenstemming leidt, want wat het algemeen welzijn is, staat nu eenmaal open voor discussie. Een hernieuwd debat over de waardigheid van werk zou echter wel een einde maken aan onze vanzelfsprekende partijstandpunten en het publieke debat een nieuw moreel elan geven, zodat we los kunnen komen van de gepolariseerde politiek waarmee vier decennia van vertrouwen op de markt en meritocratische hoogmoed ons hebben opgezadeld.

Overweeg, bij wijze van illustratie, eens twee versies van een politieke agenda die focust op de waardigheid van werk en de noodzaak om de resultaten op de markt ter discussie te stellen teneinde die waardigheid te bevestigen. De ene komt uit de conservatieve, de andere uit de progressieve hoek.

De hoogmoed van de 'open agenda'

De eerste stamt van een jonge conservatieve denker die ooit nog beleidsadviseur van de Republikeinse presidentskandidaat Mitt Romney was. In zijn zeer inzichtelijke boek, *The Once and Future Worker*, komt Oren Cass met een reeks voorstellen die ingaan op de grieven die Trump bespeelde maar niet heeft weggenomen. Cass stelt dat het voor de hernieuwing van werk in de Verenigde Staten nodig is dat Republikeinen hun orthodoxe keuze voor de vrije markt loslaten. In plaats van belastingkortingen voor bedrijven en een ongeremde vrijhandel door te drukken in de hoop het bbp te verhogen, zouden Republikeinen zich sterk moeten richten op beleid dat werkenden in staat stelt om banen te vinden die voldoende betalen om sterke gezinnen en gemeenschappen in stand te kunnen houden. Dat is van groter belang voor een goede samenleving, zo stelt Cass, dan economische groei.[50]

Een van zijn beleidsvoorstellen om dit doel te bereiken is een loonsubsidie voor arbeiders met een laag inkomen – niet bepaald een standpunt dat we normaal aantreffen bij de Republikeinen. Het idee is dan dat de overheid voorziet in een aanvullende betaling voor elk uur dat een laagbetaalde werknemer werkt, op basis van een nastrevenswaardig uurloon. Die loonsubsidie is in zekere zin het tegenovergestelde van een personeelsbelasting. In plaats van een bepaald bedrag op te eisen, zou de overheid juist een bepaald bedrag bijdragen, in de hoop zo arbeiders met een laag inkomen in staat te stellen om fatsoenlijk rond te komen, ook wanneer het hun ontbreekt aan de vaardigheden om een substantieel marktloon te verdienen.[51]

Een dramatische versie van deze loonsubsidie werd ingevoerd in een aantal Europese landen toen de coronaviruspandemie van 2020 een lockdown nodig maakte die de economie tot stilstand bracht. In plaats van werkloosheidsuitkeringen aan te bieden aan werknemers die hun baan hadden verloren als gevolg van de pandemie, zoals de Amerikaanse overheid deed, dekten de overheden in Groot-Brittannië, Denemarken en Nederland 75 tot 90 procent van de salarissen voor bedrijven die hun werknemers niet ontsloegen. Het voordeel van een loonsubsidie is dat deze werkgevers in staat stelt om werknemers op de loonlijst te houden tijdens een noodsituatie in plaats van hen te ontslaan en ze te dwingen om te leven van een werkloosheidsuitkering. De Amerikaanse benadering dempt weliswaar de klap die het inkomen van werknemers krijgt, maar bevestigt de waardigheid van hun werk niet door ervoor te zorgen dat ze het behouden.[52]

Andere voorstellen waarmee Cass komt zullen waarschijnlijk eerder conservatieven aanspreken, zoals het afbouwen van de milieuwetgeving die banen heeft gekost in de (mijnbouw)industrie.[53] Wat betreft de problematische onderwerpen immigratie en vrijhandel dringt Cass erop aan dat we die bekijken vanuit het standpunt van werknemers, niet dat van consumenten. Als ons doel een zo laag mogelijke prijs voor de consument is, merkt hij op, dan zijn vrijhandel, de verplaatsing van arbeid naar lagelonenlanden en een relatief open immigratiebeleid wenselijk. Als we echter voornamelijk willen inzetten op een arbeidsmarkt die laag en matig geschoolde Amerikaanse arbeiders in staat stelt om fatsoenlijk in hun levensonderhoud te kunnen voorzien, een gezin te onderhouden en gemeenschappen te vormen, dan zijn enkele beperkingen betreffende de handel, de verplaatsing van arbeid naar andere landen en immigratie gerechtvaardigd.[54]

Wat verder ook de verdienste van Cass' specifieke voorstellen is, het interessante van zijn project is dat het de implicaties uitwerkt van een focusverschuiving, van de maximalisering van het bbp naar de totstandbrenging van een arbeidsmarkt die bevorderlijk is voor de waardigheid van werk en de sociale samenhang. Daarbij komt hij met een felle kritiek op de voorstanders van de mondialisering, die als sinds de jaren negentig volhouden dat de belangrijkste politieke tegenstelling niet langer die tussen links en rechts is, maar die tussen 'open en gesloten'. Cass wijst er terecht op dat deze manier om het debat over de mondialisering te typeren de 'hooggekwalificeerde, universitair opgeleide "winnaars" van de moderne economie' afschildert als ruimdenkend en hun critici als kleingeestig, alsof vraagtekens plaatsen bij het vrije verkeer van goederen, kapitaal en mensen over landsgrenzen een vorm van onverdraagzaamheid zou zijn. Het is moeilijk je een neerbuigender manier voor te stellen om de neoliberale mondialisering te verdedigen tegenover diegenen die erdoor in de steek zijn gelaten.[55]

De voorstanders van de 'open agenda' houden vol dat de oplossing voor wie er niet wel bij vaart, gelegen is in betere scholing. 'Die visie zou mensen dan moeten inspireren en op weg moeten helpen naar betere kansen,' aldus Cass. 'De werkelijke implicaties zijn echter een stuk minder florissant: als de economie niet langer werkt voor de gemiddelde arbeider, is hij degene die moet veranderen in iets waar die economie wel waarde aan hecht.' Hij concludeert dat 'de open agenda onhoudbaar is in een democratie waarin de meerderheid moet vaststellen dat ze wordt achtergelaten. Dan verliezen haar argumenten aan kracht.'

Verwijzend naar het gevaar van 'onverantwoordelijk populisme' stelt Cass dat 'het niet de vraag is of de open agenda zal falen, maar wat ervoor in de plaats zal komen'.[56]

De financiële wereld, speculatie en het algemeen welzijn

Een tweede benadering van de hernieuwde waardigheid van werk, die waarschijnlijk eerder progressieven zal aanspreken, richt de aandacht op een aspect van de mondialiseringsagenda dat vaak over het hoofd wordt gezien door mainstream politici – de groeiende rol van de financiële wereld. De financiële dienstverlening kwam op dramatische wijze in beeld voor het grote publiek door de financiële crisis van 2008. Het debat dat vervolgens ontstond, ging voornamelijk over de voorwaarden voor een reddingspakket met het geld van de belastingbetaler en eventuele hervormingen van Wall Street om het risico op herhaling te verkleinen.

Er werd echter veel minder aandacht besteed aan de manier waarop de financiële wereld de economie in de afgelopen decennia heeft veranderd en op subtiele wijze de betekenis van verdienste en succes heeft getransformeerd. Die transformatie heeft ingrijpende gevolgen gehad voor de waardigheid van werk. Handel en immigratie zijn veel prominentere thema's in de populistische reactie tegen de mondialisering dan het gedrag van de financiële wereld, omdat de impact van die eerste factoren op de werkgelegenheid en de status van de arbeidersklasse veel voelbaarder is en nauwer aansluit op de intuïtie. De financialisering van de economie zou echter weleens veel schadelijker kunnen zijn voor de waardigheid van werk, en bovendien veel demoraliserender. Dat komt doordat ze in de moderne economie misschien wel het duidelijkste voorbeeld vormt van de kloof tussen wat de markt aan beloning toekent en wat werkelijk iets bijdraagt aan het algemeen welzijn.

De financiële dienstverlening speelt vandaag de dag een grote rol in de meer geavanceerde economieën, nadat ze in de afgelopen decennia dramatisch in omvang is toegenomen. In de Verenigde Staten is het aandeel dat ze heeft in het bbp sinds de jaren vijftig bijna verdrievoudigd, en tegen 2008 maakte ze aanspraak op meer dan dertig procent van de bedrijfswinsten. De werknemers van deze sector verdienen zeventig procent meer dan vergelijkbaar gekwalificeerde werknemers in andere sectoren.[57]

Dat zou geen probleem zijn als al deze financiële activiteit productief was geweest, als ze had bijgedragen aan het vermogen van de economie om waardevolle goederen en diensten te produceren. Dat is echter niet het geval. Zelfs wanneer ze op haar best functioneert, is de financiële dienstverlening op zich niet productief. Haar rol is het faciliteren van economische activiteit door kapitaal toe te wijzen aan maatschappelijk nuttige doelen – nieuwe bedrijven, fabrieken, wegen, vliegvelden, scholen, ziekenhuizen, huizenbouw. Maar naarmate het aandeel van de financiële wereld in de Amerikaanse economie in de afgelopen decennia explosief groeide, investeerde het relatief steeds minder in de reële economie. Steeds vaker gaat het over complexe financiële bewerkingen die reusachtige winsten opleveren voor wie zich ermee bezighoudt, maar de economie op geen enkele manier productiever maken.[58]

Zoals Adair Turner, voorzitter van de Financial Services Authority in Groot-Brittannië, uitlegde: 'Er is geen duidelijk bewijs dat de toename in de schaal en de complexiteit van het financiële systeem in de rijke, ontwikkelde wereld gedurende de afgelopen twintig tot dertig jaar heeft geleid tot grotere groei of stabiliteit, en financiële activiteit is in staat opbrengsten [onterechte meevallers] aan de reële economie te onttrekken in plaats van economische waarde te genereren.'[59]

Deze afgemeten inschatting is een vernietigend oordeel over de algemene opvatting die ertoe leidde dat de regering Clinton en haar Britse tegenhangers de financiële dienstverlening in de jaren negentig dereguleerden. Waar het simpel gezegd op neerkomt, is dat de complexe derivaten en andere financiële instrumenten die in de afgelopen decennia door Wall Street werden bedacht de

economie feitelijk meer hebben geschaad dan vooruitgeholpen.
Laten we eens een concreet voorbeeld bekijken. In zijn boek
Flash Boys vertelt Michael Lewis het verhaal van een bedrijf dat
een glasvezelkabel legde om de futureshandelaren van Chicago
rechtstreeks te verbinden met de aandelenmarkten van New York.
Dankzij die kabel konden de handel in *pork belly futures*, letterlijk
de handel in toekomstige partijen spek, en andere speculatieve
transacties, net een paar seconden sneller plaatsvinden. Dat mi-
nuscule verschil was honderden miljoenen dollars waard voor
high-speedhandelaren.[60] Toch valt moeilijk vol te houden dat het
versnellen van dergelijke transacties van een oogwenk tot nog
iets snellers ook maar enige waarde bijdraagt aan de economie.

Deze 'flitshandel' is niet de enige financiële innovatie van dubieuze economische waarde. De zogenoemde credit default swaps
die handelaren in staat stellen om te speculeren op toekomstige
prijzen zonder te investeren in enige productieve activiteit is
nauwelijks nog te onderscheiden van gokken in een casino. Eén
partij wint en de ander verliest, geld wisselt van handen, maar
ondertussen vindt er geen investering plaats. Wanneer bedrijven
winsten gebruiken om aandelen terug te kopen in plaats van
het te investeren in onderzoek en ontwikkeling of in nieuwe
apparatuur, worden de aandeelhouders daar beter van, maar de
productiecapaciteit van het bedrijf niet.

In 1984, toen de financialisering op gang kwam, kwam James
Tobin, de beroemde econoom van Yale, met een vooruitziende
waarschuwing betreffende het 'casino-aspect van onze financiële
markten'. Hij maakte zich zorgen 'dat we meer en meer van onze
middelen, waaronder ook de besten onder onze jeugd, inzetten
op financiële activiteiten die ver afstaan van de productie van goederen en diensten, op activiteiten die hoge private opbrengsten
genereren die in geen verhouding staan tot hun maatschappelijke
productiviteit'.[61]

Het is moeilijk vast te stellen welk deel van de financiële
activiteit bijdraagt aan de productiecapaciteit van de reële economie en welk deel onproductieve meevallers produceert voor de

financiële dienstverlening zelf. Maar Adair Turner, een autoriteit op dit gebied, schatte dat in geavanceerde economieën zoals die van de VS en het VK slechts vijftien procent van de financiële stromen terechtkomt bij nieuwe productieve ondernemingen in plaats van bij de speculatie met bestaande middelen of ingewikkelde derivaten.[62] Zelfs als dat een onderschatting zou zijn van het productieve aandeel en dat feitelijk twee keer zo hoog zou liggen, is het nog een ontnuchterend cijfer. Dat heeft niet alleen economische, maar ook morele en politieke implicaties.

In economisch opzicht suggereert het dat veel van de financiële activiteiten de economische groei eerder hinderen dan bevorderen. In moreel en politiek opzicht laat het zien welke enorme discrepantie er is tussen de beloningen die de markt geeft aan de financiële wereld en de werkelijke waarde van de bijdrage die deze levert aan het algemeen welzijn. Deze discrepantie en het buitenproportionele prestige dat wordt toegekend aan wie zich met dergelijke speculatie bezighoudt, spotten met de waardigheid van mensen die de kost verdienen met het produceren van nuttige goederen en diensten in de reële economie.

Mensen die zich zorgen maken over de nadelige economische effecten van de moderne financiële wereld hebben inmiddels al voorstellen tot hervormingen gedaan. Mij gaat het in dit geval echter vooral om de morele en de politieke implicaties. Een politieke agenda die de waardigheid van werk onderkent, zou gebruikmaken van het belastingstelsel om de economie van de waardering opnieuw in te richten, door speculatie te ontmoedigen en productieve arbeid te belonen.

Over het algemeen zou dat neerkomen op een verschuiving van de belastingdruk van het werk naar consumptie en speculatie. Een radicale manier om dat te bereiken is door de persoonlijke inkomstenbelasting en de loonheffing te verlagen en de overheidsinkomsten in plaats daarvan te halen uit belastingen op consumptie, vermogen en financiële transacties. Een bescheiden stap in die richting zou het verlagen van de loonheffing kunnen zijn (want die maakt werken duur, zowel voor werkgevers als voor werknemers), om vervolgens de inkomsten die daardoor verloren gaan te compenseren met een belasting op financiële flitstransacties, die maar weinig bijdragen aan de reële economie.

Deze en andere maatregelen om de belastingdruk te verleggen van arbeid naar consumptie en speculatie kunnen worden uitgevoerd op manieren die het belastingstelsel efficiënter en minder regressief zouden maken dan het nu is. Maar deze overwegingen, hoe belangrijk ook, zijn niet de enige die ertoe doen. Daarnaast zouden we ook het expressieve belang van belastingen moeten overwegen. Daarmee bedoel ik de attitude ten opzichte van succes en mislukking, eer en erkenning die geïmpliceerd is in de manier waarop we ons openbare leven financieren. Belastingen zijn niet alleen een manier om als overheid inkomsten te verkrijgen, maar ook om uitdrukking te geven aan het oordeel van de samenleving over wat een waardevolle bijdrage aan het algemeen welzijn is.

Makers en graaiers

Op een bepaald niveau is het morele aspect van belastingen bekend. We zijn gewend te discussiëren over de rechtvaardigheid van belastingen – of een bepaalde belasting de rijken of juist de armen zwaarder zal treffen. De expressieve dimensie van belastingen gaat echter over meer dan alleen de discussie over rechtvaardigheid, namelijk ook over het morele oordeel dat een samenleving velt over welke activiteiten eer en erkenning waardig zijn en welke moeten worden ontmoedigd. Soms zijn die oordelen expliciet. Accijnzen op tabak, alcohol en casino's worden ook wel *sin taxes*, belastingen op zonden, genoemd, omdat ze tot doel hebben activiteiten te ontmoedigen die schadelijk of ongewenst worden geacht (roken, drinken, gokken). Dergelijke belastingen zijn uitdrukking van de afkeuring van deze activiteiten door de kosten ervan te verhogen. Voorstellen om accijns te gaan heffen op suikerhoudende limonade (om obesitas tegen te gaan) of op koolstofuitstoot (om iets tegen de klimaatverandering te doen) zijn eveneens bedoeld om normen te veranderen en gedrag te beïnvloeden.

Niet alleen belastingen hebben echter een dergelijk doel. We heffen geen belasting op inkomens om uitdrukking te geven aan onze afkeuring van de betaalde arbeid of om mensen te ontmoedigen om te werken. En een algemene belasting over de toegevoegde waarde is al evenmin bedoeld om het kopen van dingen te ontmoedigen. Het zijn gewoon manieren voor een overheid om inkomen te verwerven.

Vaak is er echter toch een moreel oordeel geïmpliceerd in een ogenschijnlijk waardenneutraal beleid. Dat is met name het geval wanneer het gaat om belastingen op arbeid en de verschillende manieren waarop mensen geld verdienen. Zo kunnen we ons bijvoorbeeld afvragen waarom inkomen uit kapitaalwinst minder zwaar moet worden belast dan inkomen uit werk. Warren Buffett stelde die vraag toen hij erop wees dat hijzelf, investeerder met een miljardenvermogen, een lager belastingpercentage betaalde dan zijn secretaresse.[63]

Volgens sommigen maakt het minder zwaar belasten van investeringen dan van werk dat men gaat investeren en wordt zo de economische groei bevorderd. In zekere zin is dit een puur praktisch, utilitair argument: het streeft naar een vergroting van het bbp, en niet naar een speciaal eerbetoon aan rijke investeerders die de winsten uit kapitaal opstrijken. Maar op politiek niveau ontleent deze ogenschijnlijk praktische bewering een deel van haar overtuigingskracht aan een morele veronderstelling – een redenering over verdienste – die net onder het oppervlak schuilgaat. Dat is de veronderstelling dat investeerders voor werkgelegenheid zorgen en daarvoor moeten worden beloond met lagere belastingen.

Een extreme versie van die redenering werd verwoord door het Republikeinse Congreslid Paul Ryan, de voormalige speaker van het Amerikaanse Huis van Afgevaardigden en fervent aanhanger van de libertaire schrijfster Ayn Rand. Ryan, een criticus van de welvaartsstaat, maakte onderscheid tussen 'makers' (diegenen die het meest bijdragen aan de economie) en 'graaiers' (die meer krijgen in de vorm van steun van de overheid dan ze betalen aan belastingen). Hij maakte zich zorgen dat naarmate de welvaartsstaat zou groeien, er meer zogenaamde 'graaiers' zouden komen dan 'makers'.[64]

Sommigen maakten bezwaar tegen Ryans uiterst moraliserende toon wanneer hij over economische bijdrage sprak. Anderen accepteerden het onderscheid dat hij maakte tussen makers en graaiers wel, maar stelden dat hij de verkeerde mensen had aangewezen. Het scherpzinnige boek *Makers and Takers: The Rise of Finance and the Fall of American Business* van Rana Foroohar, zakelijk columniste van de *Financial Times* en CNN, is een krachtig voorbeeld van de laatste opvatting. Foroohar citeert Adair Turner, Warren Buffett en andere critici van de onproductieve financialisering, om te stellen dat de belangrijkste 'graaiers' in de economie van nu degenen in de financiële branche zijn die enorme winsten opstrijken zonder iets bij te dragen aan de reële economie:

Al die financialisering heeft ons niet welvarender gemaakt. In plaats daarvan heeft het de ongelijkheid vergroot en tot meer financiële crises geleid, waarin steeds weer enorme economisch waarde wordt vernietigd. In plaats van onze economie te helpen, hindert de financiële sector nu alleen nog maar. Financialisering leidt niet tot economische groei – maar juist tot een vertraging van de groei.[65]

Foroohar concludeert dat de zogenaamde 'makers' degenen zijn die 'het meest graaien in de samenleving: ze betalen de laagste belastingen, pikken een onevenredig groot stuk van de economische taart in en komen vaak met businessmodellen die groei juist belemmeren'. De werkelijke 'makers', stelt ze, zijn de mensen die werken in de reële economie, om te voorzien in nuttige goederen en diensten, en degenen die investeren in deze productieve activiteiten.[66]

Het debat over wie er nu precies een 'maker' is in de economie van nu en wie een 'graaier', gaat uiteindelijk over een rechtvaardige verdeling van de waardering voor ieders maatschappelijke bijdrage, over de economische rollen die het waard zijn om te eren en te erkennen. Om dit goed te kunnen doordenken moet er een publiek debat worden gevoerd over wat er nu precies telt als een waardevolle bijdrage aan het algemeen welzijn. Mijn voorstel om loonheffingen geheel of gedeeltelijk te vervangen door een belasting op financiële transacties – feitelijk een *sin tax* op die casino-achtige vorm van speculatie die de reële economie niet helpt – is bedoeld als een aanzet tot dat debat. Er zijn ongetwijfeld nog andere aanzetten mogelijk. Mijn meer algemene punt is dat een hernieuwing van de waardigheid van werk van ons vraagt dat we ons bezighouden met de morele vragen die ten grondslag liggen aan onze economische orde, vragen die door de technocratische politiek van de afgelopen decennia uit het zicht zijn geraakt.

Een van die vragen is welke soorten werk erkenning en achting waardig zijn. Een andere is wat we elkaar verschuldigd zijn als burgers. Die vragen houden verband met elkaar. We kunnen namelijk niet bepalen wat telt als een bijdrage die erkenning waard is, als we niet eerst discussiëren over de betekenissen en de doelen van het leven dat we met elkaar delen. En we kunnen niet praten over die gezamenlijke doelen, als we niet het gevoel hebben ergens thuis te horen, als we onszelf niet kunnen zien als leden van een gemeenschap waaraan we iets verschuldigd zijn. Alleen voor zover we afhankelijk zijn van anderen en onze afhankelijkheid van hen erkennen, hebben we redenen om hun bijdragen aan het algemeen welzijn te waarderen. Daarvoor is een gemeenschapsgevoel nodig dat voldoende robuust is om burgers in staat te stellen om te zeggen en te geloven dat 'we dit samen moeten doen' – niet als een mantra in tijden van crisis, maar als een geloofwaardige beschrijving van onze dagelijkse levens. In de afgelopen vier decennia hebben de door de markt ge-

dreven mondialisering en de meritocratische opvatting van succes samen deze morele banden uiteengereten. De wereldwijde
toeleveringsketens en kapitaalstromen, en de kosmopolitische
identiteiten die daarvan het gevolg waren, hebben ervoor gezorgd
dat we minder vertrouwen op onze medeburgers, minder dankbaar zijn voor het werk dat ze doen en minder openstaan voor
aanspraken op solidariteit. De meritocratische sortering heeft ons
geleerd dat we ons succes aan onszelf te danken hebben en is zo
ten koste gegaan van ons besef anderen iets verschuldigd te zijn.
Momenteel bevinden we ons midden in de razende wervelstorm
die dit uiteenvallen heeft veroorzaakt. Als we de waardigheid
van werk willen hernieuwen, moeten we de sociale verbanden
repareren die het tijdperk van de verdienste heeft kapotgemaakt.

Conclusie

Verdienste en het algemeen welzijn

Henry Aaron, een van de beste honkballers ooit, groeide op in het gesegregeerde zuiden van de Verenigde Staten. Zijn biograaf, Howard Bryant, beschrijft hoe hij als jongen 'moest toezien hoe zijn vader gedwongen was zijn plaats in de wachtrij in de winkel op te geven voor elke witte die binnenkwam'. Toen Jackie Robinson als eerste zwarte honkballer werd opgesteld, dacht Henry, die op dat moment dertien was, dat ook hij op een dag in de Major Leagues zou kunnen spelen. Omdat hij geen bal en geen knuppel had, oefende hij met wat hij wel had: een stok waarmee hij naar flessendoppen sloeg die zijn broer hem toewierp. Uiteindelijk zou hij Babe Ruths record voor homeruns breken.[1]

Bryant merkt scherpzinnig op: 'Slaan stond dus eigenlijk voor de eerste meritocratie in Henry's leven.'[2]

Het is moeilijk dit te lezen zonder iets in meritocratie te zien, zonder die te beschouwen als het ultieme antwoord op onrecht – een rehabilitatie van het talent ten opzichte van het vooroordeel, racisme en oneerlijk verdeelde kansen. En dan is het vervolgens nog maar een kleine stap naar de conclusie dat een rechtvaardige samenleving een meritocratische is, waarin iedereen een gelijke kans heeft om zover op te klimmen als zijn talent en harde werken hem toestaan.

Dat is echter een vergissing. De moraal van Henry Aarons verhaal is niet dat we van de meritocratie moeten houden, maar dat we een hekel moeten hebben aan een racistisch systeem waaraan je alleen kunt ontkomen door homeruns te slaan. Gelijke kansen zijn een moreel noodzakelijke correctie op onrecht. Toch is dit een principe om iets te herstellen, en geen geschikt ideaal voor een goede samenleving.

Meer dan gelijke kansen

Het is niet eenvoudig om dit onderscheid te handhaven. Geïnspireerd door de heroïsche successen van enkelen, vragen we ons af hoe anderen ook in staat kunnen worden gesteld om aan de omstandigheden te ontsnappen die hen tegenhouden. In plaats van de omstandigheden te herstellen waaraan mensen willen ontsnappen, ontwerpen we een beleid dat mobiliteit tot het antwoord maakt op ongelijkheid.

Barrières afbreken is goed. Niemand zou moeten worden gehinderd door armoede of vooroordelen. Een goede samenleving kan echter niet alleen uitgaan van de belofte van een ontsnappingsmogelijkheid.

Een zware of zelfs exclusieve focus op opklimmen draagt niet veel bij aan de sociale samenhang en het burgerlijk engagement dat een democratie nodig heeft. Zelfs een samenleving die succesvoller is dan de onze in het bieden van opwaartse mobiliteit zou manieren moeten vinden om iedereen die niet weet op te klimmen toch te laten floreren en hun het gevoel te geven onderdeel te zijn van een gezamenlijk project. Dat we daar niet in slagen, maakt het leven zwaar voor wie het ontbreekt aan meritocratische geloofsbrieven en brengt hen aan het twijfelen of ze er wel bij horen.

Er wordt vaak van uitgegaan dat het enige alternatief voor

gelijke kansen bestaat uit een steriele, onderdrukkende gelijkheid van resultaten. Er is echter nog een goed alternatief: een algemene gelijkheid van omstandigheden die iedereen die er niet in slaagt grote rijkdommen of een prestigieuze positie te verwerven toch in staat stelt om een fatsoenlijk en waardig leven te leiden – de vaardigheden in hun werk te ontwikkelen die maatschappelijke waardering oogsten, te delen in een algemene cultuur van leren en met medeburgers te discussiëren over publieke zaken.

Twee van de beste beschrijvingen van dit soort gelijke omstandigheden verschenen terwijl de Depressie op haar hoogtepunt was. In een boek getiteld *Equality* (1931) stelde R.H. Tawney, een Britse economiehistoricus en maatschappijcriticus, dat gelijke kansen hooguit en deelideaal kunnen vormen. 'Kansen om op te klimmen,' schreef hij, 'zijn geen vervanging voor een grote mate aan praktische gelijkheid, en ze maken de grote ongelijkheid in inkomen en maatschappelijke positie al evenmin beter te verdragen.'[3]

> Maatschappelijk welzijn (…) is afhankelijk van samenhang en solidariteit. Het gaat niet alleen uit van kansen om op te klimmen, maar ook van een hoog niveau van de cultuur in het algemeen en een sterk besef van gedeelde belangen. (…) Individueel geluk vraagt niet alleen dat mensen in staat moeten zijn op te klimmen naar nieuwe, prettige posities waarin ze aanzien genieten, maar ook dat ze in staat moeten zijn om een leven van waardigheid en cultuur te leven, of ze nu opklimmen of niet.[4]

In datzelfde jaar, aan de overkant van de Atlantische Oceaan, schreef James Truslow Adams een lofzang op zijn land genaamd *The Epic of America*. Slechts een enkeling zal zich dit boek herinneren, maar iedereen kent de term die hij op de laatste pagina's introduceerde: de Amerikaanse droom. Terugkijkend zouden we kunnen denken dat zijn versie van de Amerikaanse droom hetzelfde is als onze retoriek van het opklimmen. Amerika's 'bijzondere en unieke gave aan de mensheid', aldus Adams, was de droom 'van een land waarin het leven beter, rijker en completer zou moeten zijn voor iedereen, met kansen voor iedereen, naargelang van zijn vermogens en prestaties'.[5]

> Die droom gaat niet alleen over auto's en hoge salarissen, maar over een maatschappelijke orde waarin elke man en elke vrouw de beste positie weet te bereiken waartoe hij of zij van nature in staat is, en wordt erkend door anderen om wat ze zijn, ongeacht het geluk of ongeluk van hun geboorte of positie.[6]

Nader onderzoek leert echter dat de droom die Adams beschrijft niet alleen ging over opwaartse sociale mobiliteit, maar ook over het bereiken van een algemene democratische gelijkheid van omstandigheden. Een concreet voorbeeld was volgens hem de Amerikaanse Library of Congress, 'een symbool van wat een democratie voor zichzelf kan bereiken', een plek waar Amerikanen uit alle rangen en standen terechtkonden om iets te leren:

> Wanneer we uitkijken over de grote leeszaal, die alleen al tienduizenden werken bevat die iedereen kan lezen zonder er zelfs om te hoeven vragen, zien we overal stille lezers, oud en jong, rijk en arm, zwart en wit, de directeur en de arbeider, de generaal en de soldaat, de bekende geleerde en de schooljongen, die allemaal lezen in hun eigen bibliotheek, die werd gebouwd door hun eigen democratie.[7]

Volgens Adams was dat beeld 'de perfecte concrete uitwerking van de Amerikaanse droom – mogelijk gemaakt vanuit de gezamenlijke middelen van het volk zelf, [en] een publiek dat intelligent genoeg is om het te gebruiken'. Als dit voorbeeld 'zou worden gevolgd in alle aspecten van het leven van onze natie', schreef Adams, dan zou de Amerikaanse droom 'een blijvende realiteit' worden.[8]

Democratie en bescheidenheid

Vandaag de dag is er van gelijke toestanden nauwelijks sprake. De publieke ruimten waarin mensen van verschillende klassen, rassen, etniciteiten en geloven bijeen zouden kunnen komen, zijn schaars. Vier decennia van marktgedreven mondialisering hebben geleid tot een zo grote ongelijkheid in inkomen en vermogen dat we totaal afgezonderde levens leiden. Rijken en mensen met een bescheiden inkomen komen elkaar maar zelden tegen in de loop van de dag. We leven, werken, winkelen en spelen op andere plekken, onze kinderen gaan naar andere scholen. En wanneer de meritocratische sorteermachine haar werk heeft gedaan, is het voor wie komt bovendrijven moeilijk om aan de gedachte te ontkomen dat ze hun succes hebben verdiend, en dat wie onderaan de ladder staat dat ook aan zichzelf te danken heeft. Dat leidt tot een politiek die zo giftig is en een partijdigheid die zo hevig is dat menigeen een huwelijk tussen een Democraat en een Republikein inmiddels lastiger voorstelbaar vindt dan tussen mensen uit verschillende geloven. Het is niet zo vreemd dat we het vermogen hebben verloren om samen over belangrijke publieke kwesties te discussiëren of zelfs ook maar naar elkaar te luisteren.

De verdienste begon haar carrière als het bemoedigende idee dat we door hard werken en vertrouwen in staat zijn om de Goddelijke genade in ons voordeel te beïnvloeden. De seculiere versie van dit idee vormt een spannende belofte van de individuele vrijheid: we hebben ons lot zelf in handen. Als we ons best doen, kunnen we slagen.

Maar die visie op de vrijheid leidt ons af van de verplichtingen van een gedeeld democratisch project. Denk eens terug aan de twee opvattingen van het algemeen welzijn die we hebben overwogen in hoofdstuk 7, de consumentistische en de burgerlijke. Als het algemeen welzijn simpelweg bestaat uit het maximaliseren van de welvaart van consumenten, dan doet het bereiken van een gelijkwaardige toestand er uiteindelijk niet toe. Als democratie gewoon een andere vorm van economie is, een kwestie van het optellen van onze individuele belangen en voorkeuren, dan is het lot ervan niet afhankelijk van de morele verbanden tussen burgers. Of we nu een krachtig gezamenlijk leven leiden of ons terugtrekken in geprivatiseerde enclaves in het gezelschap van ons eigen soort mensen, een consumentistische opvatting van de democratie kan haar bescheiden werk doen.

Maar als het algemeen welzijn alleen te bereiken is door te discussiëren met onze medeburgers over de doelstellingen die onze politieke gemeenschap waardig zijn, dan moet de democratie zich wel iets aantrekken van het karakter van dat gezamenlijke leven. Ze vraagt geen perfecte gelijkwaardigheid. Maar ze verlangt wel dat burgers met verschillende achtergronden elkaar tegenkomen in gedeelde en openbare ruimten. Alleen zo leren we namelijk te onderhandelen over en te leven met onze verschillen. En zo leren we ook iets te geven om het algemeen welzijn.[9]

Het meritocratische idee dat mensen alle rijkdom verdienen die de markt hun doet toekomen vanwege hun talenten, maakt solidariteit welhaast een onmogelijk streven. Waarom zouden succesvolle mensen immers wat verschuldigd zijn aan de minder succesvollen in de samenleving? Het antwoord op die vraag is afhankelijk van de erkenning dat we, ondanks al ons streven, onszelf niet hebben gemaakt en ons ook niet volledig zelf kunnen redden. Dat we in een maatschappij leven die waarde hecht aan onze talenten is een geluk dat we hebben, en niet iets wat ons toekomt. Een sterk besef van de contingentie van ons lot zou ons tot een zekere bescheidenheid kunnen brengen: 'Daar sta ik dan, door de genade Gods, het toeval van mijn geboorte of de mysteriën van het lot.' Een dergelijke bescheidenheid is het begin van een weg terug van de wrede moraal van het succes die ons verdeelt. Ze wijst voorbij de tirannie van verdienste, naar een minder rancuneus en vrijgeviger openbaar leven.

Noten

Als rechtstreeks wordt geciteerd uit een bron waarvan een recente Nederlandse vertaling beschikbaar is, dan wordt in de bronvermelding verwezen naar de vertaling. Bij rechtstreeks vertaalde passages wordt verwezen naar de in de brontekst vermelde Britse of Amerikaanse uitgave.

Proloog

1 Farhad Manjoo, 'How the World's Richest Country Ran Out of a 75-Cent Face Mask', *The New York Times*, 25 maart 2020: nytimes.com/2020/03/25/opinion/coronavirus-face-mask.html.
2 Kaiser Family Foundation (KFF) Coronavirus Poll, Tabel 6, maart 2020: kff.org/global-health-policy/poll-finding/kff-coronavirus-poll-march-2020.

Inleiding

1 Jennifer Medina, Katie Benner en Kate Taylor, 'Actresses, Business Leaders and Other Wealthy Parents Charged in U.S. College Entry Fraud', *The New York Times*, 12 maart 2019: nytimes.com/2019/03/12/us/college-admissions-cheating-scandal.html.
2 Ibid. Zie ook 'Here's How the F.B.I. Says Parents Cheated to Get Their Kids into Elite Colleges', *The New York Times*, 12 maart 2019: nytimes.com/2019/03/12/us/admissions-scandal.html; Affidavit in

Support of Criminal Complaint, 11 maart 2019, U.S. Department of Justice: justice.gov/file/1142876/download.

3   Lara Trump op *Fox News at Night*, 12 maart 2019: facebook.com/FoxNews/videos/lara-trump-weighs-in-on-college-admissions-scandal/2334404040124820.

4   Andrew Lelling, U.S. Attorney, District of Massachusetts, 12 maart 2019, door CNN gemaakte transcriptie: edition.cnn.com/TRANSCRIPTS/1903/12/ath.02.html.

5   Frank Bruni, 'Bribes to Get into Yale and Stanford? What Else Is New?', *The New York Times*, 12 maart 2019: nytimes.com/2019/03/12/opinion/college-bribery-admissions.html; Eugene Scott, 'Why Trump Jr. Mocked the Parents Caught Up in the College Admissions Scandal', *The Washington Post*, 13 maart 2019: washingtonpost.com/politics/2019/03/13/why-trump-jr-mocked-parents-caught-up-college-admissions-scandal. Voor oorspronkelijke verslaggeving over Jared Kushners geval en de rol van geld in het universitaire toelatingsbeleid, zie Daniel Golden, *The Price of Admission* (New York: Broadway Books, 2006), p. 44-46. Over Trumps vermeende schenkingen aan de Wharton School, zie Luis Ferre Sadurni, 'Donald Trump May Have Donated over $1.4 Million to Penn', *Daily Pennsylvanian*, 3 november 2016: thedp.com/article/2016/11/trumps-history-of-donating-to-penn.

6   Singer geciteerd in 'Affidavit in Support of Criminal Complaint, March 11, 2019', U.S. Department of Justice: justice.gov/file/1142876/download, p. 13.

7   Andrew Lelling, U.S. Attorney, District of Massachusetts, 12 maart 2019, door CNN gemaakte transcriptie: edition.cnn.com/TRANSCRIPTS/1903/12/ath.02.html.

8   Andre Perry, 'Students Need a Boost in Wealth More Than a Boost in SAT Scores', *The Hechinger Report*, 17 mei 2019: hechingerreport.org/students-need-a-boost-in-wealth-more-than-a-boost-in-sat-scores.

9   Ron Lieber, 'One More College Edge', *The New York Times*, 16 maart 2019; Paul Tough, *The Years That Matter Most: How College Makes or Breaks Us* (Boston: Houghton Mifflin Harcourt, 2019), p. 153-167.

10 'Some Colleges Have More Students from the Top 1 Procent Than the Bottom 60', *The New York Times*, 18 januari 2017: nytimes.com/

interactive/2017/01/18/upshot/some-colleges-have-more-students-from-the-top-1-procent-than-the-bottom-60.html. Deze gegevens zijn ontleend aan Raj Chetty, John Friedman, Emmanuel Saez, Nicholas Turner en Danny Yagan, 'Mobility Report Cards: The Role of Colleges in Intergenerational Mobility', NBER Working Paper No. 23618, herziene versie, december 2017: opportunityinsights.org/paper/mobilityreportcards.

11 Progressieven worden in Amerika vaak aangeduid als liberals. Omdat de auteur in dit boek zowel de termen liberals als de termen *progressives* hanteert, en het geen goed idee leek om liberals te vertalen als 'liberalen' omdat de politieke stroming die hiermee in Nederland wordt aangeduid over het algemeen in economisch en maatschappelijk opzicht juist vrij conservatief is, is deze term hier vaak onvertaald gelaten. Het bijvoeglijk naamwoord is om praktische redenen wél vertaald als 'liberaal'. *Vert.*

12 Caroline M. Hoxby, 'The Changing Selectivity of American Colleges', *Journal of Economic Perspectives* 23, nr. 4 (herfst 2009), p. 95-118.

13 Ibid., p. 95-100; Paul Tough, *The Years That Matter Most*, p. 39.

14 Matthias Doepke en Fabrizio Zilibotti, *Love, Money & Parenting: How Economics Explains the Way We Raise Our Kids* (Princeton: Princeton University Press, 2019), p. 8-11, 51-84.

Hoofdstuk 1

1 Een hoofdartikel in *The Economist* is kenmerkend voor deze zienswijze. Zie 'Drawbridges Up: The New Divide in Rich Countries Is Not Between Left and Right but Between Open and Closed', *The Economist*, 30 juli 2016: economist.com/briefing/2016/07/30/drawbridges-up. Voor een genuanceerdere zienswijze, zie Bagehot, 'Some Thoughts on the Open v Closed Divide', *The Economist*, 16 maart 2018: economist.com/bagehots-notebook/2018/03/16/some-thoughts-on-the-open-v-closed-divide.

2 Hier en in de volgende alinea's maak ik gebruik van Michael Sandel, 'Right-Wing Populism Is Rising as Progressive Politics Fails: Is It Too Late to Save Democracy?' *New Statesman*, 21 mei 2018: new-

statesman.com/2018/05/right-wing-populism-rising-progressive-politics-fails-it-too-late-save-democracy; en Michael J. Sandel, 'Populism, Trump, and the Future of Democracy', openDemocracy.net, 9 mei 2018: opendemocracy.net/en/populism-trump-and-future-of-democracy.

3 Het grootste deel van de economische groei sinds 1980 is in de Verenigde Staten naar de bovenste 10 procent gegaan, die zijn inkomen met 121 procent zag stijgen, en vrijwel niets daarvan is bij de minst verdienende helft van de bevolking terechtgekomen, die met een gemiddeld inkomen van ongeveer 16.000 dollar in 2014 in reële termen ongeveer hetzelfde verdiende als in 1980. Voor mannen in de werkzame leeftijd was het mediane inkomen 'in 2014 hetzelfde als in 1964, namelijk ongeveer 35.000 dollar. In meer dan een halve eeuw is er voor de mediane mannelijke werker geen groei geweest.' Thomas Piketty, Emmauel Saez en Gabriel Zucman, 'Distributional National Accounts: Methods and Estimates for the United States, *Quarterly Journal of Economics* 133, nr. 2 (mei 2018), p. 557, 578, 592-593, beschikbaar op eml.berkeley.edu/~saez/PSZ2018QJE.pdf; Facundo Alvaredo, Lucas Chancel, Thomas Piketty, Emmanuel Saez en Gabriel Zucman, *World Inequality Report 2018* (Cambridge, MA: Harvard University Press, 2018), p. 3, 83-84. Nederlandse vertaling verschenen als: Facundo Alvaredo, Lucas Chancel, Thomas Piketty, Emmanuel Saez en Gabriel Zucman, *Rapport over de ongelijkheid in de wereld 2018*, vertaald door Olaf Brenninkmeijer en Fred Hendriks (Amsterdam: De Bezige Bij, 2018). Gegevens over de inkomensverdeling in de Verenigde Staten en andere landen zijn ook beschikbaar in de online World Inequality Database, wid.world. Zie ook Thomas Piketty, *Capital in the Twenty-First Century* (Cambridge, MA: Harvard University Press, 2014), p. 297, waar Piketty verklaart dat van 1977 tot 2007 de rijkste 10 procent ongeveer driekwart van de volledige economische groei van de Verenigde Staten heeft geabsorbeerd. De Nederlandse versie van dit boek is verschenen als: Thomas Piketty, *Kapitaal en ideologie*. Vertaald uit het Frans door Ilse Barendregt, Marianne Gaasbeek, Reintje Ghoos, Alexander van Kesteren, Jan Pieter van der Sterre en Nele Ysebaert (Amsterdam: De Geus, 2020).

In de Verenigde Staten ontvangt de bovenste 1 procent 20,2 procent van het nationale inkomen, en de onderste helft 12,5 procent. In de Verenigde Staten haalt de bovenste 10 procent bijna de helft (47 procent) van het nationale inkomen binnen, vergeleken met 37 procent in West-Europa, 41 procent in China en 55 procent in Brazilië en India. Zie Piketty, Saez en Zucman, 'Distributional National Accounts', p. 575, beschikbaar op eml.berkeley.edu/~saez/PSZ2018QJE.pdf; Alvaredo, Chancel, Piketty, Saez en Zucman, *World Inequality Report 2018*, p. 3, 83-84.

4 Zoekopdrachten van de auteur in het doorzoekbare archief met redevoeringen en openbare documenten van Amerikaanse presidenten van het American Presidency Project, op U.C. Santa Barbara, presidency.ucsb.edu.

5 Een onderzoek van de Pew Charitable Trusts heeft uitgewezen dat 4 procent van alle Amerikanen die in het onderste kwintiel geboren zijn het bovenste kwintiel weet te bereiken, dat 30 procent opklimt naar het middelste kwintiel of hoger, en dat 43 procent blijft steken in het onderste kwintiel. 'Pursuing the American Dream: Economic Mobility Across Generations', Pew Charitable Trusts, juli 2012, p. 6, Figuur 3, beschikbaar op pewtrusts.org/~/media/legacy/uploadedfiles/www-pewtrustsorg/reports/economic_mobility/pursuingamericandreampdf.pdf. Een onderzoek door de aan Harvard verbonden econoom Raj Chetty en collega's heeft uitgewezen dat 7,5 procent van alle Amerikanen die in het onderste kwintiel geboren zijn het bovenste kwintiel bereikt, dat 38 procent opklimt naar het middelste kwintiel of hoger, en dat 34 procent blijft steken in het onderste kwintiel. Raj Chetty, Nathaniel Hendren, Patrick Kline en Emmanuel Saez, 'Where Is the Land of Opportunity? The Geography of Intergenerational Mobility in the United States', *Quarterly Journal of Economics* 129, nr. 4, 2014, p. 1553-1623; beschikbaar op rajchetty.com/chettyfiles/mobility_geo.pdf (mobiliteitscijfers op p. 16 en in Tabel ii). Een onderzoek door Scott Winship van het Archbridge Institute heeft uitgewezen dat slechts 3 procent van alle Amerikanen die in het onderste kwintiel geboren zijn het bovenste kwintiel bereikt, dat 26 procent opklimt naar het middelste kwintiel of hoger, en dat 46 procent blijft steken

in het onderste kwintiel. Scott Winship, 'Economic Mobility in America', Archbridge Institute, maart 2017, p. 18, Figuur 3, beschikbaar op archbridgeinst.wpengine.com/wp-content/uploads/2017/04/Contemporary-levels-of-mobility-digital-version_Winship.pdf.

6 Miles Corak, 'Income Inequality, Equality of Opportunity, and Intergenerational Mobility', *Journal of Economic Perspectives* 27, nr. 3 (Summer 2013), p. 79-102 (Zie Figuur 1, p. 82), online beschikbaar op pubs.aeaweb.org/doi/pdfplus/10.1257/jep.27.3.79; Miles Corak, 'Do Poor Children Become Poor Adults? Lessons from a Cross Country Comparison of Generational Earnings Mobility', IZA Discussion Paper No. 1993, maart 2006 (zie Tabel 1, p. 42), op ftp.iza.org/dp1993.pdf; *A Broken Social Elevator? How to Promote Social Mobility* (Parijs: OECD Publishing, 2018), online beschikbaar op doi.org/10.1787/9789264301085-en. Het onderzoek van de OECD (OESO) komt tot uitslagen die sterk lijken op die van Corak, met uitzondering van de gegevens over Duitsland, dat volgens het onderzoek van de OESO een lagere sociale mobiliteit heeft dan de Verenigde Staten. Zie de landenvergelijkingen in Figuur 4.8, p. 195.

7 Stefanie Stantcheva, 'Prisoners of the American Dream', *Project Syndicate*, 22 februari 2018: scholar.harvard.edu/files/stantcheva/files/prisoners_of_the_american_dream_by_stefanie_stantcheva_-_project_syndicate_0.pdf.

8 Raj Chetty, John Friedman, Emmanuel Saez, Nicholas Turner en Danny Yagan, 'Mobility Report Cards: The Role of Colleges in Intergenerational Mobility', NBER Working Paper Nr. 23618, herziene versie, juli 2017: equality-of-opportunity.org/papers/coll_mrc paper.pdf.

9 fivethirtyeight.com/features/even-among-the-wealthy-education-predicts-trump-support/; jrf.org.uk/report/brexit-vote-explained-poverty-low-skills-and-lack-opportunities.

10 Aaron Blake, 'Hillary Clinton Takes Her "Deplorables" Argument for Another Spin', *The Washington Post*, 13 maart 2018, washingtonpost.com/news/the-fix/wp/2018/03/12/hillary-clinton-takes-her-deplorables-argument-for-another-spin. Trump heeft onder kiezers met hoge inkomens met niet meer dan een kleine meerderheid gewonnen van

Clinton, maar een overtuigende meerderheid behaald onder de kiezers op het platteland en in de kleine steden (62-34 procent), onder witte kiezers zonder universitaire opleiding (67-28 procent) en onder kiezers die geloven dat handel met andere landen banen kost in plaats van banen oplevert (65-31 procent). Zie 'Election 2016: Exit Polls', *The New York Times*, 8 november 2016: nytimes.com/interactive/2016/11/08/us/politics/election-exit-polls.html.

11 Donald J. Trump, 'Remarks Announcing United States Withdrawal from the United Nations Framework Convention on Climate Change Paris Agreement', 1 juni 2017, American Presidency Project: presidency.ucsb.edu/node/328739.

12 Daniel A. Bell en Chenyang Li (red.), *The East Asian Challenge for Democracy: Political Meritocracy in Comparative Perspective* (New York: Cambridge University Press, 2013); over Plato, zie *The Republic of Plato*, vertaald door Allan Bloom (New York: Basic Books, 1968), Boek VI. Over Aristoteles, zie *The Politics of Aristotle*, vertaald door Ernest Barker (Oxford: Oxford University Press, 1946), Boek III, en *The Nicomachean Ethics of Aristotle*, vertaald door Sir David Ross (Oxford: Oxford University Press, 1925), Boek I en VI.

13 Joseph F. Kett, *Merit: The History of a Founding Idea from the American Revolution to the 21st Century* (Ithaca: Cornell University Press, 2013), p. 1-10, 33-44. Thomas Jefferson aan John Adams, 28 oktober 1813, in Lester J. Cappon (red.), *The Adams-Jefferson Letters: The Complete Correspondence Between Thomas Jefferson and Abigail and John Adams* (Chapel Hill: University of North Carolina, 1959), vol. 2, p. 387-392.

14 Michael Young, *The Rise of the Meritocracy* (Harmondsworth: Penguin Books, 1958). Dit boek is in vertaling verschenen onder de titels *De juiste man op de juiste plaats* (1959) en *De opkomst van de meritocratie 1870-2033: essays over opleiding en gelijkheid* (Amsterdam: Meulenhoff, 1976).

15 Ibid., p. 106.

Hoofdstuk 2

1   Zie 'lot, n.' OED Online, Oxford University Press, juni 2019: oed. com/view/Entry/110425. Ingezien op 16 juli 2019. Zie ook *Van Dale Groot Woordenboek der Nederlandse Taal*: 'Lot'.

2   Bijvoorbeeld in het boek Jona 1:4-16.

3   Job 4:7. Hier en in de hierop volgende verhandeling over Job heb ik gebruikgemaakt van Moshe Halbertals fraaie essay 'Job, the Mourner', in Leora Batnitzky en Ilana Pardes (red.), *The Book of Job: Aesthetics, Ethics, and Hermeneutics* (Berlijn: De Gruyter, 2015), p. 37-46.

4   Ibid., p. 39, 44-45. Halbertal schrijft deze interpretatie van Job toe aan Maimonides. Over regen die valt op plekken waar niemand woont, zie Job 38:25-26.

5   Ibid., p. 39, 45.

6   Hier en in de volgende alinea's maak ik gebruik van de verhelderende bespreking van dit thema door Anthony T. Kronman, *Confessions of a Born-Again Pagan* (New Haven: Yale University Press, 2016), en dan vooral van p. 88-98, 240-271 en 363-393.

7   Halbertal, 'Job, the Mourner', p. 37.

8   Kronman, *Confessions of a Born-Again Pagan*, p. 240-259; J. B. Schneewind, *The Invention of Autonomy* (Cambridge: Cambridge University Press, 1998), p. 29-30.

9   Eric Nelson, *The Theology of Liberalism: Political Philosophy and the Justice of God* (Cambridge, MA: Harvard University Press, 2019); Michael Axworthy, 'The Revenge of Pelagius', *New Statesman*, 7 december 2018, p. 18; Joshua Hawley, 'The Age of Pelagius', *Christianity Today*, juni 2019, ingezien op christianitytoday.com/ct/2019/june-web-only/age-of-pelagius-joshua-hawley.html.

10 Kronman, *Confessions of a Born-Again Pagan*, p. 256-271; Schneewind, *The Invention of Autonomy*, p. 272.

11 Kronman, *Confessions of a Born-Again Pagan*, p. 363-381.

12 Max Weber, *De protestantse ethiek en de geest van het kapitalisme*, vertaald door Mark Wildschut (Amsterdam: Boom, 2012).

13 Ibid., p. 78.

14 Ibid., p. 82.

15 Ibid., p. 82.

16 Ibid., p. 86.

17 Ibid., p. 120.

18 Ibid., p. 91.

19 Ibid., p. 91.

20 Max Weber, 'The Social Psychology of the World Religions', in H.H. Gerth en C. Wright Mills (red.), *From Max Weber: Essays in Sociology* (New York: Oxford University Press, 1946), p. 271. Cursivering in origineel.

21 Jackson Lears, *Something for Nothing: Luck in America* (New York: Viking, 2003), p. 34.

22 Ibid.

23 Ibid., p. 57-62; Prediker 9:11 NBG-vertaling 1951.

24 Ibid., p. 60.

25 Ibid., p. 76.

26 Ibid.

27 Ibid., p. 22.

28 Ibid.

29 John Arlidge en Philip Beresford, 'Inside the Goldmine' *The Sunday Times* (Londen), November 8, 2009.

30 Robertson quoted in Dan Fletcher, 'Why Is Pat Robertson Blaming Haiti?', *Time*, 14 januari 2010.

31 Falwell wordt geciteerd in Laurie Goodstein, 'After the Attacks: Finding Fault', *The New York Times*, 15 september 2001.

32 Kenyon wordt geciteerd in Kate Bowler, 'Death, the Prosperity Gospel and Me', *The New York Times*, 13 februari 2016. Zie ook Kate Bowler, *Blessed: A History of the American Prosperity Gospel* (New York: Oxford University Press, 2013).

33 Bowler, 'Death, the Prosperity Gospel and Me'.

34 Osteen geciteerd in Bowler, ibid.

35 David Van Biema en Jeff Chu, 'Does God Want You to Be Rich?', *Time*, 10 september 2006.

36 Bowler, 'Death, the Prosperity Gospel and Me'.

37 Bowler, Blessed, p. 181; uitslagen van een opiniepeiling in Biema en Chu, 'Does God Want You to Be Rich?'.

38 Bowler, *Blessed*, p. 226.

39 Ibid.

40 Bowler, 'Death, the Prosperity Gospel and Me'.

41 Zie Vann R. Newkirk II, 'The American Health Care Act's Prosperity Gospel', *The Atlantic*, 5 mei 2017.

42 Brooks geciteerd in Newkirk, ibid., en in Jonathan Chait, 'Republican Blurts Out That Sick People Don't Deserve Affordable Care', *New York*, 1 mei 2017.

43 John Mackey, 'The Whole Foods Alternative to ObamaCare', *The Wall Street Journal*, 11 augustus 2009. See also Chait, ibid.

44 Mackey, ibid.

45 Hillary Clinton, 'Address Accepting the Presidential Nomination at the Democratic Convention in Philadelphia, Pennsylvania', 28 juli 2016: presidency.ucsb.edu/documents/address-accepting-the-presidential-nomination-the-democratic-national-convention.

46 President Dwight D. Eisenhower, 'Address at the New England "Forward to '54'" Dinner', Boston, Massachusetts, 21 september 1953: presidency.ucsb.edu/documents/address-the-new-england-forward-54-dinner-boston-massachusetts.

47 Zie John Pitney, 'The Tocqueville Fraud', *The Weekly Standard*, 12 november 1995: weeklystandard.com/john-j-pitney/the-tocqueville-fraud.

48 Als we verschillende variaties op dit citaat meerekenen, heeft Gerald R. Ford die tijdens zijn presidentschap zes keer gebruikt, Ronald Reagan tien keer en George H.W. Bush zes keer. Deze telling is afkomstig uit het doorzoekbare archief van het American Presidency Project, University of California Santa Barbara, op presidency.ucsb.edu/advanced-search.

49 President Ronald Reagan, 'Remarks at the Annual Convention of the National Association of Evangelicals in Columbus, Ohio', 6 maart 1984: presidency.ucsb.edu/documents/remarks-the-annual-convention-the-national-association-evangelicals-columbus-Ohio.

50 Deze telling is afkomstig uit het doorzoekbare archief van het American Presidency Project, University of California Santa Barbara, op presidency.ucsb.edu/advanced-search. Het archief bevat alle presiden-

tiële redevoeringen, opmerkingen en enkele tijdens verkiezingscampagnes gehouden redevoeringen van niet-verkozen presidentskandidaten. Een zoekopdracht heeft uitgewezen dat John Kerry deze slogan minstens één keer heeft gebruikt tijdens zijn campagne van 2004 en dat Hillary Clinton die tijdens haar campagne van 2016 minstens zeven keer heeft gebruikt.

51 Zie Yascha Mounk, *The Age of Responsibility: Luck, Choice, and the Welfare State* (Cambridge, MA: Harvard University Press, 2017).

52 De eerste president die deze uitdrukking gebruikte, was Ronald Reagan in 1988, en hij had het over een vrijhandelsverdrag met Canada: presidency.ucsb.edu/documents/remarks-the-american-coalition-for-trade-expansion-with-canada. Maar een paar maanden later, tijdens een rede voor het American Enterprise Institute bekritiseerde hij 'de goede kant van de geschiedenis' als 'die onprettige marxistische frase' die in de jaren zeventig gebruikt was door mensen die de sovjet-russische overheersing van Oost-Europa wilden goedpraten: presidency.ucsb.edu/documents/remarks-the-american-enterprise-institute-for-public-policy-research. Zie over deze kwestie in het algemeen Jay Nordlinger, 'The Right Side of History', *National Review*, 31 maart 2011, en David A. Graham, 'The Wrong Side of "the Right Side of History"', *The Atlantic*, 21 december 2015.

53 President George W. Bush, 'Remarks to Military Personnel at Fort Hood, Texas', 12 april 2005, op presidency.ucsb.edu/documents/remarks-military-personnel-fort-hood-texas. Vice-president Richard B. Cheney, 'Vice President's Remarks at a Rally for Expeditionary Strike Group One', 23 mei 2006, op presidency.ucsb.edu/documents/vice-presidents-remarks-rally-for-expeditionary-strike-group-one.

54 Deze telling is afkomstig uit het doorzoekbare archief van het American Presidency Project, University of California Santa Barbara, op presidency.ucsb.edu/advanced-search.

55 President Barack Obama, 'Commencement Address at the United States Military Academy in West Point, New York', 22 mei 2010, op presidency.ucsb.edu/documents/commencement-address-the-united-states-military-academy-west-point-new-york-2; Obama, 'Commencement Address at the United States Air Force Academy in Colorado

Springs, Colorado', 2 juni 2016, op presidency.ucsb.edu/documents/commencement-address-the-united-states-air-force-academy-colorado-springs-colorado-1.

56 President William J. Clinton, 'Interview with Larry King', 20 januari 1994, op presidency.ucsb.edu/documents/interview-with-larry-king-1; President Barack Obama, 'Inaugural Address', 20 januari 2009, op presidency.ucsb.edu/documents/inaugural-address-5.

57 President Barack Obama, 'The President's News Conference', 23 juni 2009, op presidency.ucsb.edu/documents/the-presidents-news-conference-1122; Obama, 'The President's News Conference, 11 maart 2011', op presidency.ucsb.edu/documents/the-presidents-news-conference-1112; Obama, 'The President's News Conference', 15 februari 2011, op presidency.ucsb.edu/documents/the-presidents-news-conference-1113.

58 Deze telling is afkomstig uit het doorzoekbare archief van het American Presidency Project, University of California Santa Barbara, op presidency.ucsb.edu/advanced-search.

Over het tapijt, zie Chris Hayes, 'The Idea That the Moral Universe Inherently Bends Toward Justice Is Inspiring. It's Also Wrong', op nbcnews.com/think/opinion/idea-moral-universe-inherently-bends-towards-justice-inspiring-it-s-ncna859661; en David A. Graham, 'The Wrong Side of "the Right Side of History"'.

59 Theodore Parker, *Ten Sermons of Religion*, 2e editie (Boston: Little, Brown and Company, 1855), p. 84-85.

60 Google books Ngram op <iframe name=' ngram_chart' src=' https://books.google.com/ngrams/interactive_chart?content=right+-side+of+history&year_start=1980&year_end=2010&corpus=15&smoothing=3&share=&direct_url=t1%3B%2Cright%20side%20of%20history%3B%2Cco' width=900 height=500 marginwidth=0 marginheight=0 hspace=0 vspace=0 frameborder=0 scrolling=no></iframe>.

61 President William J. Clinton, 'Media Roundtable Interview on NAFTA', 12 november 1993, op presidency.ucsb.edu/documents/media-roundtable-interview-nafta; Clinton, 'Remarks to the People of Germany in Berlin', 13 mei 1998, op presidency.ucsb.edu/documents/remarks-the-people-germany-berlin.

62 President William J. Clinton, 'Remarks at a Campaign Concert for Se-

nator John F. Kerry in Boston', 28 september 1996, op presidency.ucsb.
edu/documents/remarks-campaign-concert-for-senator-john-f-kerry-
boston; President Barack Obama, 'Remarks at a Democratic National
Committee Reception in San Jose, California', 8 mei 2014, op presi-
dency.ucsb.edu/documents/remarks-democratic-national-committee-
reception-san-jose-california; Obama, 'Remarks on Signing an Executive Order on Lesbian, Gay, Bisexual, and Transgender Employment
Discrimination', 21 juli 2014, op presidency.ucsb.edu/documents/
remarks-signing-executive-order-lesbian-gay-bisexual-and-transgen-
der-employment; Clinton, 'Address at the Democratic National Convention in Denver, Colorado', 27 augustus 2008, op presidency.ucsb.
edu/documents/address-the-democratic-national-convention-denver-
colorado.

63 President Barack Obama, 'Remarks at a Reception Celebrating Lesbian, Gay, Bisexual, and Transgender Pride Month', 13 juni 2013, op
presidency.ucsb.edu/documents/remarks-reception-celebrating-lesbi-
an-gay-bisexual-and-transgender-pride-month.

64 President Barack Obama, 'Remarks at an Obama Victory Fund 2012
Fundraiser in Beverly Hills, California', 6 juni 2012, op presidency.
ucsb.edu/documents/remarks-obama-victory-fund-2012-fundrai-
ser-beverly-hills-california.

65 Eric Westervelt, 'Greatness Is Not a Given: "America The Beautiful"
Asks How We Can Do Better', National Public Radio, 4 april 2019:
npr.org/2019/04/04/709531017/america-the-beautiful-american-an-
them.

66 'Amerika! Amerika!/God tone u genade (of: heeft u genade betoond)/
En bekrone uw goedheid met broederschap/Van zee tot fonkelende
zee!'

67 Katharine Lee Bates, America the Beautiful and Other Poems (New
York: Thomas Y. Crowell Co., 1911), p. 3-4.

68 Zie Mark Krikorian, 'God Shed His Grace on Thee', National Review,
6 juli 2011.

69 'Amerika! Amerika!/God heeft u genade betoond. O reken maar./En
uw goede – dat weten jullie vast niet meer – reddende broederschap
bekroond/Van zee tot fonkelende zee!'

Hoofdstuk 3

1   Evan Osnos, *Age of Ambition: Chasing Fortune, Truth, and Faith in the New China* (New York: Farrar, Straus and Giroux, 2014), p. 308-310.

2   Als president heeft Bill Clinton deze frase eenentwintig keer gebruikt. Bijvoorbeeld: '[O]p ons rust de zware verantwoordelijkheid om te verzekeren dat geen enkel kind kansen mist omdat het toevallig arm is of in een omgeving geboren is waar weinig economische kansen worden geboden, of het toevallig tot een raciale minderheid behoort, of omdat het op welke andere wijze dan ook op achterstand staat, want we kunnen het ons niet veroorloven om ook maar iemand te verspillen. Dit is een wereld met stevige concurrentie, en die wereld draait op menselijk kapitaal, dus we hebben alle mensen nodig die we maar krijgen kunnen.' William J. Clinton, 'Remarks in San Jose, California', 7 augustus 1996, op het American Presidency Project: presidency.ucsb.edu/node/223422.

3   Zie Yascha Mounk, *The Age of Responsibility: Luck, Choice, and the Welfare State* (Cambridge, MA: Harvard University Press, 2017); en Jacob S. Hacker, *The Great Risk Shift* (New York: Oxford University Press, 2006).

4   Ronald Reagan, 'Address Before a Joint Session of Congress on the State of the Union', 27 januari 1987, het American Presidency Project: presidency.ucsb.edu/node/252758.

5   De wijzen waarop Coolidge, Hoover en FDR deze uitdrukking gebruikt hebben, is te vinden op het American Presidency Project: presidency.ucsb.edu/advanced-search.

6   Als president heeft Reagan de uitdrukking 'buiten hun schuld' zesentwintig keer gebruikt, Clinton tweeënzeventig keer en Obama zesenvijftig keer. Deze telling is afkomstig uit het doorzoekbare archief van het American Presidency Project: presidency.ucsb.edu/advanced-search.

7   William J. Clinton, 'Inaugural Address', 20 januari 1993, het American Presidency Project: presidency.ucsb.edu/node/219347.

8   William J. Clinton, 'Address Before a Joint Session of the Congress

on the State of the Union', 24 januari 1995, het American Presidency Project: presidency.ucsb.edu/node/221902.

9 William J. Clinton, 'Remarks on Arrival at McClellan Air Force Base, Sacramento, California', 7 april 1995, op het American Presidency Project: presidency.ucsb.edu/node/220655.

10 William J. Clinton, 'Statement on Signing the Personal Responsibility and Work Opportunity Reconciliation Act of 1996', 22 augustus 1996, op het American Presidency Project: presidency.ucsb.edu/node/222686.

11 Tony Blair, *New Britain: My Vision of a Young Country* (Londen: Fourth Estate, 1996), p. 19, 173. Zie ook p. 273, 292.

12 Gerhard Schröder, 31 december 2002, geciteerd in Yascha Mounk, *The Age of Responsibility: Luck, Choice, and the Welfare State* (Cambridge, MA: Harvard University Press, 2017), p. 220-21. Zie ook p. 1-6.

13 Mounk, ibid., citaat op p. 30; zie voor algemene achtergrond p. 28-37.

14 Ronald Reagan, 'Remarks at a White House Briefing for Black Administration Appointees', 25 juni 1984, het American Presidency Project, op presidency.ucsb.edu/node/260916; Ronald Reagan, 'Radio Address to the Nation on Tax Reform', 25 mei 1985, het American Presidency Project, op presidency.ucsb.edu/node/259932.

15 William J. Clinton, 'Remarks to the Democratic Leadership Council', 3 december 1993, het American Presidency Project, op presidency.ucsb.edu/node/218963; Obama heeft de een of andere versie van deze slogan in de loop van zijn presidentschap vijftig keer gebruikt, Reagan vijftien keer, Clinton veertien keer, George W. Bush drie keer, George H.W. Bush twee keer, Gerald Ford één keer, en Richard Nixon eveneens één keer. Ze komt voor in drie schriftelijke verklaringen van Nixon en in twee van Lyndon Johnson, en komt niet voor bij eerdere presidenten. Tellingen door de auteur, in het doorzoekbare archief van het American Presidency Project: presidency.ucsb.edu/advanced-search.

16 Barack Obama, 'Remarks at the White House College Opportunity Summit', 4 december 2014, het American Presidency Project: presidency.ucsb.edu/node/308043.

17 Barack Obama, 'Remarks at a Campaign Rally in Austin, Texas',

17 juli 2012, het American Presidency Project: presidency.ucsb.edu/node/301979.

18 Google Ngram zoekopdracht op books.google.com/ngrams/graph?content=you+deserve&yearstart =1970& year _end =2008&corpus =15&smoothing =3&share =&direct url=t1%3B%2Cyou%20deserve%3B%2Cco. Volgens het doorzoekbare doorzoekbare archief van *The New York Times*, is 'you deserve' in 1981 14 keer gebruikt, en 69 keer in 2018. Het gebruik blijkt bovendien elk decennium te zijn toegenomen: van 111 keer in de jaren zeventig naar 75 in de jaren tachtig, 228 keer in de jaren negentig, 480 keer in het eerste decennium van de eenentwintigste eeuw en 475 keer in de jaren tien (tot en met 31 juli 2019).

19 John Lofflin, 'What's New in Subliminal Messages: "I Deserve to Succeed. I Deserve to Reach My Goals. I Deserve to Be Rich"', *The New York Times*, 20 maart 1988: nytimes.com/1988/03/20/business/what-s-new-subliminal-messages-deserve-succeed-deserve-reach-my-goals-deserve-be.html?searchResultPosition=1; David Tanis, 'You Deserve "More Succulent Chicken"', *The New York Times*, 29 maart 2019: nytimes.com/2019/03/29/dining/chicken-paillard-recipe.html?searchResultPosition=1.

20 Zie de verhandeling over Friedrich Hayek, John Rawls en de *luck egalitarians* in hoofdstuk 3.

21 Reagan heeft 'you deserve' eenendertig keer gebruikt, en de presidenten Kennedy, Johnson, Nixon, Ford en Carter samen in totaal zevenentwintig keer. Deze telling is afkomstig uit het doorzoekbare archief met redevoeringen door Amerikaanse presidenten op presidency.ucsb.edu/advanced-search.

22 Ronald Reagan, 'Remarks and a Question-and-Answer Session with Members of the Commonwealth Club of California in San Francisco', 4 maart 1983, op het American Presidency Project: presidency.ucsb.edu/node/262792.

23 Reagan heeft 'you deserve' eenendertig keer gebruikt, Clinton achtenzestig keer en Obama 104 keer. Deze telling is afkomstig uit het doorzoekbare archief met redevoeringen door Amerikaanse presidenten op presidency.ucsb.edu/advanced-search.

William J. Clinton, 'Remarks to the Community in San Bernardino, California', 20 mei 1994, het American Presidency Project, op presidency.ucsb.edu/node/220148; Barack Obama, 'Remarks at the Costco Wholesale Corporation Warehouse in Lanham, Maryland', 29 januari 2014, het American Presidency Project, op presidency.ucsb. edu/node/305268; Barack Obama, 'Remarks at Cuyahoga Community College Western Campus in Parma, Ohio', 8 september 2010, het American Presidency Project, op presidency.ucsb.edu/node/288117.

24 Theresa May, 'Britain, the Great Meritocracy: Prime Minister's Speech', 9 september 2016: gov.uk/government/speeches/britain-the-great-meritocracy-prime-ministers-speech.

25 Ibid.

26 Barack Obama, 'Interview with Bill Simmons of ESPN', 1 maart 2012, het American Presidency Project: presidency.ucsb.edu/node/327087.

27 Erin A. Cech, 'Rugged Meritocratists: The Role of Overt Bias and the Meritocratic Ideology in Trump Supporters' Opposition to Social Justice Efforts', *Socius: Sociological Research for a Dynamic World* 3 (1 januari 2017), p. 1-20, journals.sagepub.com/doi/full/10.1177/2378023117712395.

28 Ibid., p. 7-12.

29 In de Verenigde Staten gaat 20,2 procent van het nationale inkomen naar de bovenste 1 procent, terwijl de onderste helft van de bevolking genoegen moet nemen met 12,5 procent. In de Verenigde Staten haalt de bovenste 10 procent bijna de helft (47 procent) van het nationale inkomen binnen, vergeleken met 37 procent in West-Europa, 41 procent in China en 55 procent in Brazilië en India. Thomas Piketty, Emmanuel Saez en Gabriel Zucman, 'Distributional National Accounts: Methods and Estimates for the United States', *Quarterly Journal of Economics* 133, nr. 2 (mei 2018), p. 575, verkrijgbaar op eml.berkeley.edu/~saez/PSZ2018QJE.pdf; Alvaredo, Chancel, Piketty, Saez en Zucman, *World Inequality Report 2018*, p. 3, 83-84. De inkomensverdeling voor de Verenigde Staten en andere landen is ook te vinden in de online World Inequality Database, wid.world.

30 In de Verenigde Staten is het grootste deel van de economische groei sinds 1980 naar de bovenste 10 procent gegaan, die zijn inkomen zag

groeien met 121 procent; de onderste helft deelde vrijwel niet mee in de winst, want het gemiddelde inkomen van deze groep (ongeveer 16.000 dollar) was in 2014 in koopkracht ongeveer hetzelfde als in 1980. Voor mannen in de werkzame leeftijd was het mediane inkomen 'in 2014 hetzelfde als in 1964, ongeveer 35.000 dollar. Voor de mediane mannelijke arbeiders is er de afgelopen halve eeuw geen inkomensstijging geweest.' Piketty, Saez en Zucman, 'Distributional National Accounts', p. 557, 578, 592-593. Zie ook Thomas Piketty, *Capital in the Twenty-First Century* (Cambridge, MA: Harvard University Press, 2014), p. 297, waar Piketty verklaart dat driekwart van de gehele economische groei in de Verenigde Staten in de periode 1977-2007 naar de bovenste 10 procent is gegaan.

31 Van de Amerikanen gelooft 77 procent wel en 20 procent niet dat 'de meeste mensen kunnen slagen als ze maar bereid zijn om hard te werken'. Bij de Duitsers is dit respectievelijk 51 en 48 procent. In Frankrijk en Japan, is de meerderheid het ermee eens dat 'hard werken voor de meeste mensen niet gegarandeerd tot succes leidt'. In Frankrijk geldt dat 54 procent het daarmee eens en 46 procent niet, en in Japan geldt dat voor respectievelijk 59 en 40 procent. Pew Global Attitudes Project, 12 juli 2012: pewresearch.org/global/2012/07/12/chapter4-the-casualties-faith-in-hard-work-and-capitalism.

32 Van de Amerikanen verklaart 73 procent dat hard werken 'heel belangrijk is als je vooruit wilt komen in de wereld'. Van de Duitse en Franse respondenten dacht respectievelijk 49 en 25 procent er zo over, en bij de Zuid-Koreanen en de Japanners was dat respectievelijk 34 en 42 procent. Pew Research Center, 'Spring 2014 Global Attitudes survey', 7 oktober 2014: pewre-search.org/global/2014/10/09/emerging-and-developing-economies-much-more-optimistic-than-rich-countries-about-the-future/inequality-05.

33 Als hun wordt gevraagd waarom mensen rijk zijn, zegt 43 procent dat ze harder gewerkt hebben en 42 procent dat ze allerlei privileges genoten hebben. Als hun wordt gevraagd waarom mensen arm zijn, zegt 52 procent dat dat te maken heeft met omstandigheden buiten hen en noemt 31 procent dit een gevolg van een gebrek aan inspanning. Democraten en Republikeinen geven verschillende antwoorden. Amina Dunn, 'Par-

tisans Are Divided over the Fairness of the U.S. Economy and Why People Are Rich or Poor', Pew Research Center, 4 oktober 2018: pewresearch.org/fact-tank/2018/10/04/partisans-are-divided-over-the-fairness-of-the-u-s-economy-and-why-people-are-rich-or-poor.

34 Als hun wordt gevraagd of 'of iemand wel of niet slaagt in het leven grotendeels afhangt van omstandigheden buiten onze macht', is 74 procent van de Zuid-Koreanen, 67 procent van de Duitsers en 66 procent van de Italianen het daarmee eens, maar van de Amerikanen denkt slechts 40 procent er zo over. Pew Research Center, 'Spring 2014 Global Attitudes survey', 9 oktober 2014: pewresearch.org/global/2014/10/09/emerging-and-developing-economies-much-more-optimistic-than-rich-countries-about-the-future.

35 Raj Chetty, David Grusky, Maximilian Hell, Nathaniel Hendren, Robert Manduca en Jimmy Narang, 'The Fading American Dream: Trends in Absolute Income Mobility Since 1940', *Science* 356 (6336), 2017, p. 398-406, beschikbaar op opportunityinsights.org/paper/the-fading-american-dream. Wanneer we de inkomens van vaders en zoons vergelijken, is het contrast nog veel uitgesprokener: 95 procent van alle mannen geboren in 1940 verdienden meer dan hun vader; van alle mannen geboren in 1984 verdiende slechts 41 procent meer dan hun vader.

36 Miles Corak, 'Income Inequality, Equality of Opportunity en Intergenerational Mobility', *Journal of Economic Perspectives* 27, nr. 3 (Summer 2013), p. 79-102 (zie Figuur 1, p. 82), online op pubs.aeaweb.org/doi/pdfplus/10.1257/jep.27.3.79; Miles Corak, 'Do Poor Children Become Poor Adults? Lessons from a Cross Country Comparison of Generational Earnings Mobility', IZA Discussion Paper No. 1993, maart 2006 (zie Tabel 1, p. 42), ftp.iza.org/dp1993.pdf; *A Broken Social Elevator? How to Promote Social Mobility* (Parijs: OECD Publishing, 2018), online op doi.org/10.1787/9789264301085-en. De uitslagen van dit OESO-onderzoek komen sterk overeen met die van Corak, behalve in het geval van Duitsland, dat volgens dit onderzoek minder mobiel is dan de Verenigde Staten. Zie de landenvergelijkingen in Figuur 4.8, p. 195.

37 Chetty et al., 'Where Is the Land of Opportunity?', p. 16. Zie ook

Julia B. Isaacs, Isabel Sawhill en Ron Haskins, *Getting Ahead or Losing Ground: Economic Mobility in America* (Economic Mobility Project: An Initiative of the Pew Charitable Trusts, 2008), op pewtrusts. org//media/legacy/uploadedfiles/wwwpewtrustsorg/reports/economic_mobility/economicmobilityinamericafullpdf.pdf. Mobiliteitsgegevens voor de Verenigde Staten en Denemarken zijn te vinden in Figuur 1, p. 40.

38 Ibid.

39 Ibid. De gegevens van de Wereldbank over intergenerationele mobiliteit in China en de Verenigde Staten zijn afkomstig van Ambar Narayan et al., *Fair Progress? Economic Mobility Across Generations Around the World* (Washington, DC: World Bank, 2018), p. 107 (Figuur 3.6), 140 (Kaart 4.1) en 141 (Figuur 4.2). Het onderzoek van de Wereldbank is beschikbaar op openknowledge.worldbank.org/handle/10986/28428. Het onderzoek van de OESO verwijst naar gegevens die uitwijzen dat de sociale mobiliteit in China iets lager ligt dan in de Verenigde Staten. Zie *A Broken Social Elevator? How to Promote Social Mobility* (Parijs: OECD Publishing, 2018), Figuur 4.8, p. 195, op doi. org/10.1787/9789264301085-en.

40 *The Republic of Plato*, Book III, 414b-417b, vertaald door Allan Bloom (New York: Basic Books, 1968), p. 93-96.

41 Alberto Alesina, Stefanie Stantcheva en Edoardo Teso, 'Intergenerational Mobility and Preferences for Redistribution', *American Economic Review* 108, nr. 2 (februari 2018), p. 521-554. Online op pubs.aeaweb. org/doi/pdfplus/10.1257/aer.20162015.

42 Summers, geciteerd in Ron Suskind, *Confidence Men: Wall Street, Washington, and the Education of a President* (New York: Harper, 2011), p. 197.

43 President Barack Obama, 'The President's Weekly Address', 18 augustus 2012; het American Presidency Project: presidency.ucsb.edu/ node/302249.

44 Ibid.

Hoofdstuk 4

1   Grace Ashford, 'Michael Cohen Says Trump Told Him to Threaten Schools Not to Release Grades', *The New York Times*, 27 februari 2019: nytimes.com/2019/02/27/us/politics/trump.

2   Maggie Haberman, 'Trump: How'd Obama Get into Ivies?', *Politico*, 25 april 2011: politico.com/story/2011/04/trump-howd-obama-get-in-to-ivies-053694.

3   Nina Burleigh, 'Trump Speaks at Fourth-Grade Level, Lowest of Last 15 Presidents, New Analysis Finds', *Newsweek*, 8 januari 2018, news-week.com/trump-fire-and-fury-smart-genius-obama-774169 (data en methodologieop blog.factba.se/2018/01/08/); Rebecca Morin, '"Idiot", "Dope", "Moron": How Trump's Aides Have Insulted the Boss', *Politico*, 4 september 2018, politico.com/story/2018/09/04/trumps-insults-idiot-woodward-806455; Valerie Strauss, 'President Trump Is Smarter than You. Just Ask Him', *The Washington Post*, 9 februari 2017, washingtonpost.com/news/answer-sheet/wp/2017/02/09/president-trump-is-smarter-than-you-just-ask-him/; Andrew Restuccia, 'Trump Fixates on IQ as a Measure of Worth', *Politico*, 30 mei 2019, politico.com/story/2019/05/30/donald-trump-iq-intelligence-1347149; David Smith, 'Trump's Tactic to Attack Black People and Women: Insult Their Intelligence', *The Guardian*, 10 augustus 2018, theguardian.com/us-news/2018/aug/10/trump-attacks-twitter-black-people-women.

4   Valerie Strauss, 'President Trump Is Smarter Than You. Just Ask Him', *The Washington Post*, 9 februari 2017; Donald J. Trump, 'Remarks at the Central Intelligence Agency in Langley, Virginia', 21 januari 2017, het American Presidency Project: presidency.ucsb.edu/node/323537.

5   Trump geciteerd in Michael Kranish, 'Trump Has Referred to His Wharton Degree as "Super Genius Stuff"', *The Washington Post*, 8 juli 2019: washingtonpost.com/politics/trump-who-often-boasts-of-his-wharton-degree-says-he-was-admitted-to-the-hardest-school-to-get-in-to-the-college-official-who-reviewed-his-application-recalls-it-differently/2019/07/08/0a4eb414-977a-11e9-830a-21b9b36b64ad_story.html.

6   Strauss, 'President Trump Is Smarter Than You. Just Ask Him', *The Washington Post*, 9 februari 2017.

7   Donald J. Trump, 'Remarks at a "Make America Great Again" Rally in Phoenix, Arizona', 22 augustus 2017, het American Presidency Project: presidency.ucsb.edu/node/331393.

8   Video van opmerkingen door Biden op youtube.com/watch?v=QW-M6EuKxz5A; een vergelijking tussen Trump en Biden is te vinden in Meghan Kruger, 'Who's the Smartest of Them All? Trump and Biden Both Say "Me"', *The Washington Post*, 17 juli 2019, washingtonpost.com/opinions/whos-the-smartest-of-them-all-trump-and-biden-both-say-me/2019/07/17/30221c46 -a8cb-11e9-9214-246e594de5d5_story.html.

9   James R. Dickenson, 'Biden Academic Claims "Inaccurate", *The Washington Post*, 22 september 1987: washingtonpost.com/archive/politics/1987/09/22/biden-academic-claims-inaccurate/932eae-ed-9071-47a1-aeac-c94a51b668e1.

10 Kavanaugh-verhoor: transcript, *The Washington Post*, 27 september 2018: washingtonpost.com/news/national/wp/2018/09/27/kavanaugh-hearing-transcript.

11 George H.W. Bush, 'Address to the Nation on the National Education Strategy', 18 april 1991, het American Presidency Project, op presidency.ucsb.edu/node/266128; Blair geciteerd in Ewen Macaskill, 'Blair's Promise: Everyone Can Be a Winner', *The Guardian*, 2 oktober 1996: theguardian.com/education/1996/oct/02/schools.uk.

12 William J. Clinton, 'Remarks at a Democratic National Committee Dinner', 8 mei 1996, het American Presidency Project, op presidency.ucsb.edu/node/222520. Een zoekopdracht in het doorzoekbare archief van het American Presidency Project, op presidency.ucsb.edu/advanced-search, heeft uitgewezen dat Clinton de een of andere versie van deze zinsnede ('what you learn' of 'what you can learn') tweeëndertig keer heeft gebruikt. John McCain kwam met een versie waarin de versregels van Clintons couplet in omgekeerde volgorde waren geplaatst: 'In the global economy, what you learn is what you earn.' Zie bijvoorbeeld, McCain, 'Address at Episcopal High School in Alexandria, Virginia', 1 april 2008, het American Presidency Project: presidency.ucsb.edu/node/277705.

13 Barack Obama, 'Remarks at Pathways in Technology Early College

High School in New York City', 25 oktober 2013, het American Presidency Project: presidency.ucsb.edu/node/305195.

14 Ibid.

15 Ibid.

16 Christopher Hayes, *The Twilight of the Elites: America After Meritocracy* (New York: Crown Publishers, 2012), p. 48.

17 Ibid.

18 Thomas Frank, *Listen, Liberal or What Ever Happened to the Party of the People?* (New York: Metropolitan Books, 2016), p. 34-35.

19 Ibid., p. 72-73. Voor gegevens over de sinds 1979 steeds breder geworden kloof tussen arbeidsproductiviteit en inkomen, zie 'Productivity-Pay Gap', Economic Policy Institute, juli 2019: epi.org/productivity-pay-gap.

20 In 2018 had 35 procent van alle Amerikanen van vijfentwintig jaar en ouder een vierjarige universitaire opleiding afgerond. In 1999 was dat nog 25 procent, en in 1988 20 procent. United States Census Bureau, CPS Historical Time Series Tables, 2018, Tabel A-2: census.gov/data/tables/time-series21/demo/educational-attainment/cps-historical-time-series.html.

21 Jonathan Alter, *The Promise: President Obama, Year One* (New York: Simon and Schuster, 2010), p. 64.

22 Ibid.

23 Ibid.

24 Patrick J. Egan, 'Ashton Carter and the Astoundingly Elite Educational Credentials of Obama's Cabinet Appointees', *The Washington Post*, 5 december 2014, op washingtonpost.com/news/monkey-cage/wp/2014/12/05/ashton-carter-and-the-astoundingly-elite-educational-credentials-of-obamas-cabinet-appointees. Geciteerd in Frank, *Listen, Liberal*, p. 164.

25 Alter, *The Promise*, p. 63.

26 Frank, *Listen, Liberal*, p. 40.

27 Ibid., p. 165-66.

28 Ibid., p. 166; Neil Barofsky, *Bailout: An Inside Account of How Washington Abandoned Main Street While Rescuing Wall Street* (New York: Free Press, 2012).

29 Barofsky, *Bailout*, p. 139.

30 Zoekopdracht van de auteur in het doorzoekbare archief van presidentiële redevoeringen van het American Presidency Project: presidency.ucsb.edu/advanced-search.

31 Woordfrequentie in door Google Ngram doorzochte boeken, op books.google.com/ngrams. In *The New York Times* is het woord 'smart' in 1980 620 keer gebruikt. In 2000 lag dat cijfer op 2.672. Aantal woorden per jaar opgezocht op nytimes.com/search?query=smart.

32 William J. Clinton, 'The President's Radio Address', 19 augustus 2000, het American Presidency Project, op presidency.ucsb.edu/node/218332; 'Remarks on Proposed Medicare Prescription Drug Benefit Legislation and an Exchange with Reporters', 14 juni 2000, het American Presidency Project, op presidency.ucsb.edu/node/226899; 'The President's Radio Address', 2 september 2000, het American Presidency Project, op presidency.ucsb.edu/node/218133.

33 Barack Obama, 'Statement on International Women's Day', 8 maart 2013, het American Presidency Project, op presidency.ucsb.edu/node/303937; 'Remarks to the United Nations General Assembly in New York City', 20 september 2016, het American Presidency Project, op presidency.ucsb.edu/node/318949; 'Remarks on Immigration Reform', 24 oktober 2013, het American Presidency Project, op presidency.ucsb.edu/node/305189; 'Remarks at Forsyth Technical Community College in Winston-Salem, North Carolina', 6 december 2010, het American Presidency Project, op presidency.ucsb.edu/node/288963.

34 Hillary Clinton geciteerd in 'Press Release: President Obama Announces Key State Department Appointments', 6 maart 2009, het American Presidency Project: presidency.ucsb.edu/node/322243.

35 Transcriptie van Obama's redevoering uit 2002: npr.org/templates/story/story.php?storyId=99591469.

36 Obama geciteerd in David Rothkopf, *Foreign Policy*, 4 juni 2014: foreignpolicy.com/2014/06/04/obamas-dont-do-stupid-shit-foreign-policy.

37 Barack Obama, 'Remarks at Newport News Shipbuilding in Newport News, Virginia', 26 februari 2013, het American Presidency Project,

op presidency.ucsb.edu/node/303848; 'The President's News Conference', 1 maart 2013, het American Presidency Project, op presidency.ucsb.edu/node/303955.

38 Barack Obama, 'The President's News Conference', 1 maart 2013.

39 Toon Kuppens, Russell Spears, Antony S.R. Manstead, Bram Spruyt en Matthew J. Easterbrook, 'Educationism and the Irony of Meritocracy: Negative Attitudes of Higher Educated People Towards the Less Educated', *Journal of Experimental Social Psychology* 76 (mei 2018), p. 429-447.

40 Ibid., p. 441-442.

41 Ibid., p. 437, 444.

42 Ibid., p. 438-439, 441-443.

43 Ibid., p. 444.

44 Ibid., p. 441, 445.

45 Jennifer E. Manning, 'Membership of the 116th Congress: A Profile', Congressional Research Service, 7 juni 2019, p. 5, op crsreports.congress.gov/product/pdf/R/R45583; A.W. Geiger, Kristen Bialik en John Gramlich, 'The Changing Face of Congress in 6 Charts', Pew Research Center, 15 februari 2019, op pewresearch.org/fact-tank/2019/02/15/the-changing-face-of-congress.

46 Nicholas Carnes, *The Cash Ceiling: Why Only the Rich Run for Office and What We Can Do About It* (Princeton: Princeton University Press, 2018), p. 5-6.

47 De cijfers over Britse parlementsleden zijn afkomstig van Rebecca Montacute en Tim Carr, 'Parliamentary Privilege: the MPs in 2017', Research Brief, the Sutton Trust, juni 2017, p. 1-3, op suttontrust.com/research-paper/parliamentary-privilege-the-mps-2017-education-background. Zie ook Lukas Audickas en Richard Cracknell, 'Social Background of MPs 1979–2017', House of Commons Library, 12 november 2018, op researchbriefings.parliament.uk/ResearchBriefing/Summary/CBP-7483#fullreport, dat een iets lager cijfer geeft (82 procent) voor parlementsleden met een universitaire graad. Het cijfer voor de bevolking als geheel (70 procent zonder academische graad) is afkomstig uit Bagehot, 'People Without Degrees Are the Most Under-represented Group', *The Economist*, 12 mei 2018.

48 Ibid., 'Social Background of MPs 1979-2017', House of Commons Library, p. 11-12; Ashley Cowburn, 'Long Read: How Political Parties Lost the Working Class', *New Statesman*, 2 juni 2017, op newstatesman.com/2017/06/long-read-how-political-parties-lost-working-class; Oliver Heath, 'Policy Alienation, Social Alienation and Working-Class Abstention in Britain, 1964-2010', *British Journal of Political Science* 48, nr. 4 (oktober 2018), p. 1063, op doi.org/10.1017/S0007123416000272.

49 Mark Bovens en Anchrit Wille, *Diploma Democracy: The Rise of Political Meritocracy* (Oxford: Oxford University Press, 2017), p. 1-2, 5.

50 Noot vertaler: In Nederland had 8 procent van alle Kamerleden in 1960 niet meer dan lager onderwijs genoten, en 20 procent niet meer dan voortgezet onderwijs. Sinds 2000 zijn er geen Kamerleden meer met alleen lager onderwijs, en in 2015 beschikte niet meer dan 4 procent van alle parlementsleden over niet meer dan een diploma van het voortgezet onderwijs. Bron: https://www.parlement.com/id/vk6bd3xy9nl2/opleidingsniveau_tweede_kamerleden.

51 Ibid., p. 112-116, 120; Conor Dillon, 'Tempting PhDs Lead Politicians into Plagiarism', *DW*, 13 februari 2013: p.dw.com/p/17dJu.

52 Bovens en Wille, *Diploma Democracy*, p. 113-116.

53 Ibid.

54 Jackie Bischof, 'The Best US Presidents, as Ranked by Presidential Historians', *Quartz*, 19 februari 2017, op qz.com/914825/presidents-day-the-best-us-presidents-in-history-as-ranked-by-presidential-historians/; Brandon Rottinghaus en Justin S. Vaughn, 'How Does Trump Stack Up Against the Best and Worst Presidents?', *The New York Times*, 19 februari 2018, op nytimes.com/interactive/2018/02/19/opinion/how-does-trump-stack-up-against-the-best-and-worst-presidents.html.

55 Zie Binyamin Appelbaum, *The Economists' Hour: False Prophets, Free Markets, and the Fracture of Society* (New York: Little, Brown and Company, 2019), p. 3-18.

56 Frank, *Listen, Liberal*, p. 39.

57 De cijfers over het deel van de bevolking dat een privéschool (7 procent) en Oxford of Cambridge (1 procent) heeft bezocht, zijn afkomstig uit *Elitist Britain 2019: The Educational Backgrounds of Britain's Leading*

People (The Sutton Trust and Social Mobility Commission, 2019), p. 4, op suttontrust.com/wp-content/uploads/2019/06/Elitist-Britain-2019. pdf; de cijfers over het percentage leden van Boris Johnsons kabinet die een privéschool hebben bezocht zijn afkomstig uit Rebecca Montacute en Ruby Nightingale, 'Sutton Trust Cabinet Analysis 2019', op suttontrust.com/research-paper/sutton-trust-cabinet-analysis-2019.

58 'Sutton Trust Cabinet Analysis 2019'; Adam Gopnik, 'Never Mind Churchill, Clement Attlee Is a Model for These Times', *The New Yorker*, 2 januari 2018, op newyorker.com/news/daily-comment/never-mind-churchill-clement-attlee-is-a-model-for-these-times.

59 Gopnik, 'Never Mind Churchill, Clement Attlee is a Model for These Times'; over het feit dat Bevin en Morrison beiden afkomstig waren uit de arbeidersklasse, zie Michael Young, 'Down with Meritocracy', *The Guardian*, 28 juni 2001, op theguardian.com/politics/2001/jun/29/comment. Over Bevans achtergrond, zie de BBC, 'Aneurin Bevan (1897-1960)', op bbc.co.uk/history/historic_figures/bevan_aneurin.shtml. De gunstige oordelen over Attlees regering zijn afkomstig van de BBC, 'Clement Attlee (1883-1967)', op bbc.co.uk/history/historic_figures/attlee_clement.shtml en John Bew, *Clement Attlee: The Man Who Made Modern Britain* (New York: Oxford University Press, 2017), geciteerd in Gopnik.

60 Over het deel van de laagopgeleide witte kiezers dat Trump gestemd heeft, zie de exitpolls van 2016, CNN, op cnn.com/election/2016/results/exit-polls; gegevens over het deel van de Clinton-stemmers die minstens over een master beschikten, is ontleend aan Thomas Piketty, 'Brahmin Left vs. Merchant Right: Rising Inequality & the Changing Structure of Political Conflict', wid.world, Working Paper Series, maart 2018, op piketty.pse.ens.fr/files/Piketty2018.pdf, Figuur 3.3b; over onderwijs versus inkomen zie Nate Silver, 'Education, Not Income, Predicted Who Would Vote for Trump', 22 november 2016, *FiveThirtyEight.com*, op fivethirtyeight.com/features/education-not-income-predicted-who-would-vote-for-trump.

61 Silver, 'Education, Not Income, Predicted Who Would Vote for Trump.' Trump-citaat afkomstig uit Susan Page, 'Trump Does the Impossible Again', *USA Today*, 25 februari 2016, op usatoday.com/story/

news/politics/elections/2016/02/24/analysis-donald-trump-does-im-possible-again/80843932.

62 Thomas Piketty, 'Brahmin Left vs. Merchant Right: Rising Inequality & the Changing Structure of Political Conflict'.

63 Ibid., Figuren 1.2c en 1.2d.

64 Ibid., p. 3; 2018 exit polls, CNN: cnn.com/election/2018/exit-polls.

65 Bron: de exitpolls van 2018, CNN, op cnn.com/election/2018/exit-polls; Aaron Zitner en Anthony DeBarros, 'The New Divide in Politics: Education', *The Wall Street Journal,* 10 november 2018, op wsj.com/articles/midterm-results-point-to-a-new-divide-in-politics-education-1541865601.

66 Oliver Heath, 'Policy Alienation, Social Alienation and Working-Class Abstention in Britain, 1964-2010', p. 1064, Figuur 4; Oliver Heath, 'Has the Rise of Middle Class Politicians Led to the Decline of Class Voting in Britain?', 12 februari 2015, LSE blogs, op blogs.lse.ac.uk/politicsandpolicy/the-rise-of-middle-class-politicians-and-the-decline-of-class-voting-in-britain.

67 'People Without Degrees Are the Most Under-Represented Group', *The Economist,* 12 mei 2018, op economist.com/britain/2018/05/12/people-without-degrees-are-the-most-under-represented-group; Matthew Goodwin en Oliver Heath, 'Brexit Vote Explained: Poverty, Low Skills and Lack of Opportunities', Joseph Rowntree Foundation, 31 augustus 2016, op jrf.org.uk/report/brexit-vote-explained-poverty-low-skills-and-lack-opportunities.

68 Goodwin en Heath, 'Brexit Vote Explained: Poverty, Low Skills and Lack of Opportunities'.

69 Thomas Piketty, 'Brahmin Left vs. Merchant Right: Rising Inequality & the Changing Structure of Political Conflict', p. 13, Figuren 2.3a-2.3e.

70 Ibid., p. 2, 61.

71 Jérôme Fourquet, 'Qui sont les Français qui soutiennent Emmanuel Macron?', *Slate,* 7 februari 2017: slate.fr/story/136919/francais-marchent-macron.

72 Pascal-Emmanuel Gobry, 'The Failure of the French Elite', *The Wall Street Journal,* 22 februari 2019. Zie ook Christopher Caldwell, 'The People's Emergency', *The New Republic,* 22 april 2019, op newrepu-

blic.com/article/153507/france-yellow-vests-uprising-emmanuel-ma-cron-technocratic-insiders.

73 Kim Parker, 'The Growing Partisan Divide in Views of Higher Education', Pew Research Center, 19 augustus 2019: pewsocialtrends.org/essay/the-growing-partisan-divide-in-views-of-higher-education.

74 Obama geciteerd in Adam J. White, 'Google.gov', *The New Atlantis*, Spring 2018, p. 15, op thenewatlantis.com/publications/googlegov. De video van Obama's voordracht bij Google is te zien op youtube.com/watch?v=m4yVlPqeZwo&feature=youtu.be&t=1h1m42s.

75 Ibid. Zie ook Steven Levy, *In the Plex: How Google Thinks, Works, and Shapes Our Lives* (New York: Simon & Schuster, 2011), p. 317.

76 Zoekopdracht van de auteur naar Obama's gebruik van de term 'cost curve', in het doorzoekbare archief van het American Presidency Project: presidency.ucsb.edu/advanced-search.

77 Zoekopdracht van de auteur naar Obama's gebruik van het werkwoord 'incentivize' in het doorzoekbare archief van presidentiële redevoeringen van het American Presidency Project: presidency.ucsb.edu/advanced-search.

78 Zoekopdracht van de auteur naar Obama's gebruik van het woord 'smart' in het doorzoekbare archief van presidentiële redevoeringen van het American Presidency Project: presidency.ucsb.edu/advanced-search.

79 Henry Mance, 'Britain Has Had Enough of Experts, says Gove', 3 juni 2016, *Financial Times*: ft.com/content/3be49734–29cb-11e6–83e4-abc22d5d108c/content/3be49734–29cb-11e6–83e4-abc22d5d108c.

80 Peter Baker, 'From Obama and Baker, a Lament for a Lost Consensus', *The New York Times*, 28 november 2018: nytimes.com/2018/11/28/us/politics/obama-baker-consensus.html.

81 Citaten uit Obama's rede tijdens MIT's Sloan Sports Analytics Conference op 23 februari 2018. Hoewel deze rede off the record was, is er een audio-opname van Obama's speech geplaatst op de website van *Reason*, een libertarisch tijdschrift, te vinden op reason.com/2018/02/26/barack-obama-mit-sloan-sports.

82 Obama geciteerd in Baker, 'From Obama and Baker, a Lament for a Lost Consensus'. Het exacte citaat is afkomstig uit de C-SPAN-vi-

deo van president Obama op Rice University, 27 november 2018, op c-span.org/video/?455056–1/president-obama-secretary-state-james-baker-discuss-bipartisanship.

83 Hillary Clinton, 'Address Accepting the Presidential Nomination at the Democratic National Convention in Philadelphia, Pennsylvania', 28 juli 2016, het American Presidency Project, op presidency.ucsb.edu/node/317862; Barack Obama, 'Remarks to the Illinois General Assembly in Springfield, Illinois', 10 februari 2016, het American Presidency Project, op presidency.ucsb.edu/node/312502; Katie M. Palmer, 'Cool Catchphrase, Hillary, but Science Isn't about Belief', *Wired*, 29 juli 2016, op wired.com/2016/07/cool-catchphrase-hillary-science-isnt-belief.

84 Obama heeft Moynihan bij verschillende gelegenheden geciteerd, waaronder in Barack Obama, *De herovering van de Amerikaanse droom*, vertaald door Amy Bais en Peter de Jong (Amsterdam: Atlas Contact, 2017), toen hij tijdens zijn verkiezingscampagne in 2007 een rede hield voor Google-medewerkers (geciteerd in Adam J. White, 'Google.gov', *The New Atlantis*, Spring 2018, p. 16), en in zijn in 2018 gehouden rede 2018 aan MIT, waarin hij aan het citaat de opmerking toevoegde dat Moynihan slim was, zie reason.com/2018/02/26/barack-obama-mit-sloan-sports.

85 Frank Newport en Andrew Dugan, 'College-Educated Republicans Most Skeptical of Global Warming', *Gallup*, 26 maart 2015, op news.gallup.com/poll/182159/college-educated; Frank Newport en Andrew Dugan, 'College-Educated Republicans Most Skeptical of Global Warming', *Gallup*, 26 maart 2015, op news.gallup.com/poll/182159/college-educated-republicans-skeptical-global-warming.aspx. In 2018 beschouwde 69 procent van alle Republikeinen en slechts 4 procent van alle Democraten berichten over opwarming van de aarde als over het algemeen overdreven; 89 procent van de Democraten en slechts 35 procent van de Republikeinen geloofde dat de opwarming wordt veroorzaakt door de mens. Zie Megan Brenan en Lydia Saad, 'Global Warming Concern Steady Despite Some Partisan Shifts', *Gallup*, 28 maart 2018, op news.gallup.com/poll/231530/global-warming-concern-steady-despite-partisan-shifts.aspx.

86 Ibid.

87 Caitlin Drummond en Baruch Fischhoff, 'Individuals with Greater Science Literacy and Education Have More Polarized Beliefs on Controversial Science Topics', *Proceedings of the National Academy of Sciences* 114, nr. 36 (5 september 2017), p. 9587-92: doi.org/10.1073/pnas.1704882114.

88 Obama, geciteerd in Robby Soave, '5 Things Barack Obama Said in His Weirdly Off-theRecord MIT Speech', 27 februari 2018, *Reason*, op reason.com/2018/02/26/barack-obama-mit-sloan-sports, waar ook een audio-opname van de speech te vinden is.

89 Ibid.

90 *Encycliek 'Laudato Si': 'Wees geprezen' over de zorg voor het gemeenschappelijke huis*, 24 mei 2015, paragraaf 22, op https://www.rkdocumenten.nl/rkdocs/index.php?mi=600&doc=5000&id=10190

Hoofdstuk 5

1 Dit is de ongelijkheid zoals die momenteel heerst in de Verenigde Staten. De cijfers over de inkomensverdeling zijn overgenomen uit Thomas Piketty, Emmanuel Saez en Gabriel Zucman, 'Distributional National Accounts: Methods and Estimates for the United States', *Quarterly Journal of Economics* 133, nr. 2 (mei 2018), p. 575. Het vermogen is nog ongelijker verdeeld. Het grootste vermogen (77 procent) is in handen van de top 10 procent, en het vermogen van de bovenste 1 procent is inmiddels veel groter dan het gecombineerde vermogen van de onderste 90 procent van de bevolking. Zie Alvardo et al. (red.), *World Inequality Report*, 2018, p. 237. Een waardevolle online bron, de World Inequality Database, voorziet in updates voor de VS en andere landen: wid.world.

2 Piketty, Saez en Zucman, 'Distributional National Accounts', p. 575.

3 Michael Young, *The Rise of the Meritocracy* (Harmondsworth: Penguin Books, 1958).

4 Ibid., p. 104.

5 Ibid., p. 104-105.

6 Ibid., p. 105.

7   Ibid., p. 106.

8   Ibid.

9   Ibid., p. 106-107.

10   Ibid., p. 107.

11   Young, *The Rise of the Meritocracy*, p. 108-109.

12   Piketty, Saez en Zucman, 'Distributional National Accounts', p. 575.

13   De consolidatie van het meritocratisch privilege is uitgebreid gedocumenteerd en die documentatie neemt nog steeds toe in omvang. Voorbeelden zijn Matthew Stewart, 'The Birth of a New American Aristocracy', *The Atlantic*, juni 2018, p. 48-63; 'An Hereditary Meritocracy', *The Economist*, 22 januari 2015; Richard V. Reeves, *Dream Hoarders* (Washington, DC: Brookings Institution Press, 2017); Robert D. Putnam, *Our Kids: The American Dream in Crisis* (New York: Simon & Schuster, 2015); Samuel Bowles, Herbert Gintis en Melissa Osborne Groves (red.), *Unequal Chances: Family Background and Economic Success* (Princeton: Princeton University Press, 2005); Stephen J. McNamee en Robert K. Miller Jr., *The Meritocracy Myth* (Lanham, MD: Rowman & Littlefield, 3e editie, 2014).

14   Het kijkerspubliek en de financiële vooruitzichten lijken wel wat te verbeteren voor armworstelaars en de beoefenaars van andere, minder voor de hand liggende sporten. Zie Paul Newberry, 'Arm Wrestling Looks to Climb Beyond Barroom Bragging Rights', Associated Press, 6 september 2018, te vinden op apnews.com/ 842425dc6ed44c6886f-9b3aedaac9141; Kevin Draper, 'The Era of Streaming Niche Sports Dawns', *The New York Times*, 17 juli 2018.

15   Justin Palmer, 'Blake Trains Harder Than Me, but Won't Take 200 Title: Bolt', Reuters, 12 november 2011, te vinden op reuters.com/article/us-athletics-bolt/blake-works-harder-than-me-but-wont-take-200-title-bolt-idUSTRE7AB0DE20111112; Allan Massie, 'Can a Beast Ever Prevail Against a Bolt?', *The Telegraph*, 6 augustus 2012, te vinden op telegraph.co.uk/sport/olympics/athletics/9455910/Can-a-Beast-ever-prevail-against-a-Bolt.html.

16   In deze paragraaf maak ik gebruik van mijn eerdere boek *The Case Against Perfection: Ethics in the Age of Genetic Engineering* (Harvard University Press, 2007), p. 28-29.

17 'Global Attitudes Project', Pew Research Center, 12 juli 2012: pewglo-
    bal.org/2012/07/12/chapter-4-the-casualties-faith-in-hard-work-and-
    capitalism.

18 Friedrich A. Hayek, *The Constitution of Liberty* (Chicago: University
    of Chicago Press, 1960), p. 92-93.

19 Ibid., p. 85-102.

20 Ibid., p. 93.

21 Ibid., p. 94.

22 John Rawls, *Een theorie van rechtvaardigheid* (Rotterdam: Lemniscaat,
    2009).

23 Ibid., p. 112.

24 Ibid., p. 113.

25 Kurt Vonnegut Jr., 'Harrison Bergeron' (1961) in Vonnegut, *Welkom
    op de apenrots* (Amsterdam: Meulenhoff, 1971). Zie mijn bespreking
    hiervan in Michael J. Sandel, *Rechtvaardigheid: Wat is de juiste keuze?*
    (Utrecht: Ten Have, 2015), Hoofdstuk 6.

26 Rawls, *Een theorie van rechtvaardigheid*, p. 137.

27 Ibid., p. 136-137.

28 Ibid., p. 112.

29 Zie voor een verdere uitwerking van dat idee Michael J. Sandel, *Libe-
    ralism and the Limits of Justice* (Cambridge, VK: Cambridge University
    Press, 1982), p. 96-103, 147-154.

30 Ibid.

31 Zie voor een ander voorbeeld van deze opvatting T.M. Scanlon, *Why
    Does Inequality Matter?* (Oxford: Oxford University Press, 2018), p.
    117-132.

32 Hayek, *The Constitution of Liberty*, p. 94, 97.

33 Rawls, *Een theorie van rechtvaardigheid*, p. 328; Hayek, *The Constituti-
    on of Liberty*, p. 94.

34 Zie voor een verhelderende bespreking van de kloof tussen liberale
    filosofie en de publieke opinie over de rol van de verdienste Samu-
    el Scheffler, 'Responsibility, Reactive Attitudes, and Liberalism in
    Philosophy and Politics', *Philosophy & Public Affairs* 21, nr. 4 (najaar
    1992), p. 299-323.

35 Hayek, *The Constitution of Liberty*, p. 98.

36 C.A.R. Crosland, *The Future of Socialism* (Londen: Jonathan Cape, 1956), p. 235, geciteerd in Hayek, *The Constitution of Liberty*, p. 440.

37 N. Gregory Mankiw, 'Spreading the Wealth Around: Reflections Inspired by Joe the Plumber', *Eastern Economic Journal* 36 (2010), p. 295.

38 Ibid.

39 Frank Hyneman Knight, *The Ethics of Competition* (New Brunswick, NJ: Transaction Publishers, 1997), p. 46. Hierin is Knights artikel 'The Ethics of Competition' opnieuw opgenomen. Dat verscheen oorspronkelijk in *The Quarterly Journal of Economics* xxxvii (1923), p. 579-624. Zie voor meer over Knight in het algemeen de inleiding op de editie van *Transaction* door Richard Boyd.

40 Zie voor een goed overzicht van hoeveel Rawls verschuldigd is aan Knight, Andrew Lister, 'Markets, Desert, and Reciprocity', *Politics, Philosophy & Economics* 16 (2017), p. 47-69.

41 Ibid., p. 48-49.

42 Ibid., p. 34.

43 Ibid., p. 38.

44 Ibid., p. 41.

45 Ibid., p. 47.

46 Ibid., p. 43-44.

47 Rawls, *Een theorie van rechtvaardigheid*, p. 328.

48 Ibid., p. 328.

49 Ibid., p. 329.

50 Ibid., p. 329-330.

51 Ibid., p. 330.

52 Die verklaring van de inkomensverschillen is in bepaalde opzichten vergelijkbaar met de brieven die een universiteit naar mijn idee zou kunnen sturen aan afgewezen kandidaten waarin de redenen van de afwijzing worden uitgelegd, zie *Liberalism and the Limits of Justice*, p. 141-142.

53 Scanlon lijkt te erkennen hoe lastig het is om het 'rechtvaardige' te onderscheiden van het 'goede' wanneer het de houding ten opzicht van succes en mislukken betreft. Zie Scanlon, *Why Does Inequality Matter?*, p. 29, 32-35.

54 Thomas Nagel, 'The Policy of Preference', *Philosophy & Public Affairs*

2, nr. 4 (Summer 1973), herdrukt in Nagel, *Mortal Questions* (Cambridge, VK: Cambridge University Press, 1979), p. 104.

55 Rawls, *A Theory of Justice*, p. 102.

56 Richard Arneson, 'Rawls, Responsibility, and Distributive Justice', in Marc Fleurbaey, Maurice Salles en John Weymark (red.), *Justice, Political Liberalism, and Utilitarianism: Themes from Harsanyi and Rawls* (Cambridge, VK: Cambridge University Press, 2008), p. 80.

57 De term 'luck egalitarianism' stamt van Elizabeth Anderson. In mijn bespreking van deze leer steun ik in belangrijke mate op de krachtige kritiek die zij formuleerde. Zie Elizabeth S. Anderson, 'What Is the Point of Equality?', *Ethics* 109, nr. 2 (januari 1999), p. 287-337.

58 Ibid., p. 311.

59 Ibid., p. 292, 299-96. Voor het voorbeeld van de onverzekerde chauffeur citeert Anderson Eric Rakowski, *Equal Justice* (New York: Oxford University Press, 1991).

60 Anderson, 'What Is the Point of Equality?', p. 302-311.

61 Zie Yascha Mounk, *The Age of Responsibility: Luck, Choice, and the Welfare State* (Cambridge, MA: Harvard University Press, 2017), p. 14-21.

62 Ibid.

63 Ibid., p. 308, 311.

64 Ibid., p. 297-298.

65 Zoals Samuel Scheffler opmerkt, veronderstelt de nadruk die het toevalsegalitarisme legt op het onderscheid tussen keuze en omstandigheid impliciet dat 'mensen *wel degelijk* de gevolgen van hun keuzes verdienen. Dat betekent dat het toevalsegalitarisme een veel fundamentelere rol wil toekennen aan verdienste dan de voorstanders ervan toegeven.' Scheffler, 'Justice and Desert in Liberal Theory', *California Law Review* 88, nr. 3 (mei 2000), p. 967, n. 2.

66 G.A. Cohen, 'On the Currency of Egalitarian Justice', *Ethics* 99, nr. 4 (juli 1989), p. 933.

67 Nagel, 'The Policy of Preference', p. 104.

68 Anderson, 'What Is the Point of Equality?', p. 325.

69 Joseph Fishkin stelt dat 'er helemaal niet zoiets bestaat als "natuurlijk" talent dat volledig losstaat van de kansen die de wereld ons heeft geboden, waaronder ook die van onze geboorte'. Het trekt het idee

in twijfel dat 'genen en omgeving optreden als afzonderlijke, onafhankelijke causale krachten', een idee dat volgens hem is ontstaan als gevolg van een 'genetische wetenschap van de koude grond'. De menselijke ontwikkeling gaat gepaard met 'een interactie tussen genetische activiteit, de persoon en haar omgeving' die niet kan worden onderscheiden in 'natuurlijke' en 'sociaal geproduceerde' delen, zoals de meeste theorieën van de gelijke kansen veronderstellen. Zie Joseph Fishkin, *Bottlenecks: A New Theory of Equal Opportunity* (New York: Oxford University Press, 2014), p. 83-99.

70 Blair geciteerd in David Kynaston, 'The Road to Meritocracy Is Blocked by Private Schools', *The Guardian*, 22 februari 2008.

71 Tony Blair, 'I Want a Meritocracy, Not Survival of the Fittest', *Independent*, 9 februari 2001: independent.co.uk/voices/commentators/i-want-a-meritocracy-not-survival-of-the -fittest-5365602.html.

72 Michael Young, 'Down with Meritocracy', *The Guardian*, 28 juni 2001.

73 Ibid.

74 Ibid.

Hoofdstuk 6

1 Jerome Karabel, The Chosen: The Hidden History of Admission and Exclusion at Harvard, Yale, and Princeton (Boston: Houghton Mifflin, 2005), p. 21-23, 39-76, 232-236.

2 Nicholas Lemann, *The Big Test: The Secret History of the American Meritocracy* (New York: Farrar, Straus and Giroux, 1999), p. 7.

3 Ibid., p. 8.

4 Ibid., p. 5-6.

5 Ibid.

6 Ibid., p. 28.

7 James Bryant Conant, 'Education for a Classless Society: The Jeffersonian Tradition', *The Atlantic*, mei 1940, op theatlantic.com/past/docs/issues/95sep/ets/edcla.htm. Conants citaat van Turner met betrekking tot sociale mobiliteit stamt uit 'Contributions of the West to American Democracy', *The Atlantic*, januari 1903, opnieuw opgenomen

in Frederick Jackson Turner, *The Frontier in American History* (New York: Henry Holt and Co., 1921), p. 266.

8 Zie voor meer over Turner als de eerste die de term 'sociale mobiliteit' gebruikte, Christopher Lasch, *The Revolt of the Elites and the Betrayal of Democracy* (New York: W.W. Norton, 1995), p. 73. Zie ook Lemann, *The Big Test*, p. 48. Charles W. Eliot, president van Harvard van 1869 tot 1909, gebruikte de term 'sociale mobiliteit' in zijn essay uit 1897, getiteld 'The Function of Education in a Democratic Society', dat wordt geciteerd in Karabel, *The Chosen*, p. 41.

9 James Bryant Conant, 'Education for a Classless Society'.

10 Ibid.

11 Ibid.

12 Ibid.

13 Ibid. Conant citeert Jefferson, *Notes on the State of Virginia* (1784), red. William Peden (Chapel Hill: University of North Carolina Press, 1954), Queries 14 en 19.

14 Ibid.

15 Thomas Jefferson aan John Adams, 28 oktober 1813, in Lester J. Cappon (red.), *The Adams-Jefferson Letters: The Complete Correspondence between Thomas Jefferson and Abigail and John Adams* (University of North Carolina Press, 1959).

16 Jefferson, *Notes on the State of Virginia* (1784).

17 Ibid.

18 Conant geciteerd in Lemann, *The Big Test*, p. 47. Lemann citeerde uit een ongepubliceerd boek van Conant uit de vroege jaren veertig: James Bryant Conant, *What We Are Fighting to Defend*, nooit gepubliceerd manuscript, uit de papieren van James B. Conant, Box 30, Harvard University Archives.

19 Karabel, *The Chosen*, p. 152; Lemann, *The Big Test*, p. 59.

20 Karabel, *The Chosen*, p. 174, 189.

21 Ibid., p. 188.

22 Ibid., p. 172, 193-97.

23 Zie Andrew H. Delbanco, 'What's Happening in Our Colleges: Thoughts on the New Meritocracy', *Proceedings of the American Philosophical Society* 156, nr. 3 (september 2012), p. 306-307.

24 Andre M. Perry, 'Students Need More Than an SAT Adversity Score, They Need a Boost in Wealth', *The Hechinger Report*, 17 mei 2019, op brookings.edu/blog/the-avenue/2019/05/17/students-need-more-than-an-sat-adversity-score-they-need-a-boost-in-wealth/, Figuur 1; Zachary A. Goldfarb, 'These Four Charts Show How the SAT Favors Rich, Educated Families', *The Washington Post*, 5 maart 2014, op washingtonpost.com/news/wonk/wp/2014/03/05/these-four-charts-show-how-the-sat-favors-the-rich-educated-families. Het College Board publiceerde in 2016 voor het laatst gegevens over de gemiddelde SAT-scores gerelateerd aan gezinsinkomen. Zie 'College-Bound Seniors, Total Group Profile Report, 2016', op secure-media.college-board.org/digitalServices/pdf/sat/total-group-2016.pdf, Tabel 10.

25 Paul Tough, *The Years That Matter Most: How College Makes or Breaks Us* (Boston: Houghton Mifflin Harcourt, 2019), p. 171, citeert uit een ongepubliceerde analyse uit 2017 van gegevens van het College Board door James Murphy, docent, testconsultant en schrijver.

26 Daniel Markovits, *The Meritocracy Trap* (New York: Penguin Press, 2019), p. 133, die citeert uit Charles Murray, *Coming Apart* (New York: Crown Forum, 2012), p. 60, die meldt dat van de eindexamenkandidaten die in 2010 de SAT deden, 87 procent met scores hoger dan 700 in de wiskunde- en verbale tests minstens één ouder had met een universitaire graad, en dat 56 procent een ouder had die was gedoctoreerd. Murray verklaart (p. 363) dat deze percentages ongepubliceerde cijfers zijn die hij van het College Board heeft ontvangen. Op basis van gegevens uit de periode 1988 tot in de jaren negentig stelden Anthony P. Carnevale en Stephen J. Rose vast dat van alle studenten met SAT-scores hoger dan 1300 (de hoogste 8 procent), 66 procent stamt uit families met een hoge sociaaleconomische status (het hoogste kwartiel gezinsinkomen en opleidingsniveau), en slechts 3 procent uit families met een lagere sociaaleconomisch status (laagste kwartiel). Zie Carnevale en Rose, 'Socioeconomic Status, Race/Ethnicity, and Selective College Admission', in Richard B. Kahlenberg (red.), *America's Untapped Resource: Low-Income Students in Higher Education* (New York: Century Foundation, 2004), p. 130, Tabel 3.14.

27 Douglas Belkin, 'The Legitimate World of High-End College Ad-

missions', *The Wall Street Journal*, 13 maart 2019, op wsj.com/articles/
the-legitimate-world-of-high-end-college-admissions-11552506381;
Dana Goldstein en Jack Healy, 'Inside the Pricey, Totally Legal World
of College Consultants', *The New York Times*, 13 maart 2019, op ny-
times.com/2019/03/13/us/admissions-cheating-scandal-consultants.
html; James Wellemeyer, 'Wealthy Parents Spend up to $10,000 on
SAT Prep for Their Kids', *MarketWatch*, 7 juli 2019, op market-watch.
com/story/some-wealthy-parents-are-dropping-up-to-10000-on-sat-
test-prep-for-their-kids-2019-06-21; Markovitz, *The Meritocracy Trap*,
p. 128-129.

28 Tough, *The Years that Matter Most*, p. 86-92.

29 Ibid., p. 172-182.

30 Ibid.

31 Zo geeft bijvoorbeeld aan Princeton 56 procent van de klas van 2023
aan zichzelf als student van kleur te beschouwen. Zie Princeton
University Office of Communications, 'Princeton Is Pleased to Offer Admission to 1,895 Students for Class of 2023', 28 maart 2019,
op   princeton.edu/news/2019/03/28/princeton-pleased-offer-admis-
sion-1895-students-class-2023. Op Harvard bedraagt het cijfer voor
de klas van 2023 54 procent. Zie voor statistieken over toelatingen,
Harvard College Admissions and Financial Aid, op college.harvard.
edu/admissions/admissions-statistics. Zie voor percentages aan andere Ivy League-universiteiten Amy Kaplan, 'A Breakdown of Admission Rates Across the Ivy League for the Class of 2023', *The Daily
Pennsylvanian*, 1 april 2019, op thedp.com/article/2019/04/ivy-le-
ague-admission-rates-penn-cornell-harvard-yale-columbia-dart-
mouth-brown-princeton.

32 Tijdens een onderzoek aan de top 146 uiterst selectieve universiteiten
bleek dat 74 procent van alle studenten uit het hoogste kwart van
de sociaaleconomische statusschaal stamde. Carnevale en Rose, 'Socioeconomic Status, Race/Ethnicity, and Selective College Admissions',
p. 106, Tabel 3.1. Een vergelijkbaar onderzoek aan de 91 meest concurrerende universiteiten stelde vast dat 72 procent van de studenten
uit het hoogste kwart stamde. Jennifer Giancola en Richard D. Kahlenberg, 'True Merit: Ensuring Our Brightest Students Have Access

to Our Best Colleges and Universities', Jack Kent Cooke Foundation, januari 2016, Figuur 1, op jkcf.org/research/true-merit-ensuring-our-brightest-students-have-access-to-our-best-colleges-and-universities.

33 Raj Chetty, John N. Friedman, Emmanuel Saez, Nicholas Turner en Danny Yagan, 'Mobility Report Cards: The Role of Colleges in Intergenerational Mobility', NBER Working Paper nr. 23618, juli 2017, p. 1, op opportunityinsights.org/wp-content/uploads/2018/03/coll_mrc_paper.pdf. Zie ook 'Some Colleges Have More Students from the Top 1 Percent Than the Bottom 60. Find Yours', *The New York Times*, 18 januari 2017, op nytimes.com/interactive/2017/01/18/upshot/some-colleges-have-more-students-from-the-top-1-percent-than-the-bottom-60.html. Het online interactieve artikel in *The New York Times* maakt gebruik van gegevens van het onderzoek van Chetty om het economische profiel van elk van de tweeduizend instellingen te laten zien. Zie voor Yale nytimes.com/interactive/projects/college-mobility/yale-university; voor Princeton nytimes.com/interactive/projects/college-mobility/princeton-university.

34 Chetty et al., 'Mobility Report Card', p. 1. De percentages toegelaten kandidaten aan universiteiten verdeeld per inkomensgroep, zijn te vinden op nytimes.com/interactive/2017/01/18/upshot/some-colleges-have-more-students-from-the-top-1-percent-than-the-bottom-60.html.

35 Jerome Karabel, *The Chosen*, p. 547.

36 Chetty et al., 'Mobility Report Cards', en 'Mobility Report Cards', Executive Summary, op opportunityinsights.org/wp-content/uploads/2018/03/coll_mrc_summary.pdf.

37 Ibid. Voor de mobiliteitscijfers van Harvard en Princeton zie respectievelijk nytimes.com/interactive/projects/college-mobility/harvard-university en nytimes.com/interactive/projects/college-mobility/princeton-university.

38 Ibid. Voor de mobiliteitscijfers van de University of Michigan en de University of Virginia zie respectievelijk nytimes.com/interactive/projects/college-mobility/university-of-michigan-ann-arbor en nytimes.com/interactive/projects/college-mobility/university-of-virginia.

39 Chetty et al., 'Mobility Report Cards', Table IV; Chetty et al., 'Mobility Report Cards', Executive Summary, op opportunityinsights.org/wp-content/uploads/2018/03/coll_mrc_summary.pdf.

40 Chetty et al., 'Mobility Report Cards', Tabel ii.

41 Het percentage studenten aan elke universiteit dat minstens twee kwintielen wist op te klimmen, is te vinden in het online interactieve artikel van *The New York Times*, dat werd gebaseerd op gegevens van Chetty et al. Bijvoorbeeld aan Harvard klimt 11 procent van de studenten twee kwintielen, aan Yale 10 procent en aan Princeton 8,7 procent. Zie nytimes.com/interactive/projects/college-mobility/harvard-university. De 'totale mobiliteitsindex' voor elke universiteit toont hoe waarschijnlijk het is dat men twee of meer kwintielen opklimt.

42 Voor meer over het toelaten van de kinderen van alumni, zie William G. Bowen, Martin A. Kurzweil en Eugene M. Tobin, *Equity and Excellence in American Higher Education* (Charlottesville, VA: University of Virginia Press, 2005), p. 103-108, 167-171; Karabel, *The Chosen: The Hidden History of Admission and Exclusion at Harvard, Yale, and Princeton*, p. 266-272, 283, 359-363, 506, 550-551; Daniel Golden, *The Price of Admission* (New York: Broadway Books, 2006), p. 117-144. De schatting 'zes keer waarschijnlijker' is te vinden in Daniel Golden, 'How Wealthy Families Manipulate Admissions at Elite Universities', *Town & Country*, 21 november 2016, op town-andcountrymag.com/society/money-and-power/news/a8718/daniel-golden-college-admission. Het cijfer voor de toegelaten *legacies* aan Harvard stamt uit gegevens die vrijkwamen tijdens een rechtszaak in 2018, en waarvan verslag wordt gedaan in Peter Arcidiacono, Josh Kinsler en Tyler Ransom, 'Legacy and Athlete Preferences at Harvard', 6 december 2019, p. 14 en 40 (Tabel 1), op public.econ.duke.edu/~psarcidi/legacyathlete.pdf; en Delano R. Franklin en Samuel W. Zwickel, 'Legacy Admit Rate Five Times That of Non-Legacies, Court Docs Show', *The Harvard Crimson*, 20 juni 2018, op thecrimson.com/article/2018/6/20/admissions-docs-legacy.

43 Daniel Golden, 'Many Colleges Bend Rules to Admit Rich Applicants', *The Wall Street Journal*, 20 februari 2003, op online.wsj.com/public/resources/documents/golden2.htm; zie ook Golden, *The Price of Admission*, p. 51-82.

44 Documenten die tevoorschijn kwamen tijdens de rechtszaak in 2018,

waarin het gebruik van positieve discriminatie aan Harvard ter discussie werd gesteld, lieten zien dat meer dan 10 procent van de klas van 2019 aan Harvard werd toegelaten op basis van een lijst kandidaten met connecties met donateurs, bijgehouden door de bestuurders van Harvard. Voor de zes jaar van de klas van 2014 tot en met die van 2019, kwam 9,34 procent van de toegelaten studenten van de lijst met connecties met donateurs. Van die studenten werd 42 procent toegelaten, ongeveer zeven keer het algemene toelatingspercentage tot Harvard in die tijd. Delano R. Franklin en Samuel W. Zwickel, 'In Admissions, Harvard Favors Those Who Fund It, Internal Emails Show', *The Harvard Crimson*, 18 oktober 2018, op thecrimson.com/article/2018/10/18/ day-three-harvard-admissions-trial. Het algemene toelatingspercentage voor Harvard gedurende deze periode bedroeg ongeveer 6 procent; zie Daphne C. Thompson, 'Harvard Acceptance Rate Will Continue to Drop, Experts Say', *The Harvard Crimson*, 16 april 2015, op thecrimson.com/article/2015/4/16/admissions-downward-trend-experts.

45 Golden, *The Price of Admission*, p. 147-176.

46 David Leonhardt, 'The Admissions Scandal Is Really a Sports Scandal', *The New York Times*, 13 maart 2019, op nytimes.com/2019/03/13/opinion/college-sports-bribery-admissions.html; Katherine Hatfield, 'Let's Lose the Directors' Cup: A Call to End Athletic Recruitment', *The Williams Record*, 20 november 2019, op williamsrecord.com/2019/11/lets-lose-the-directors-cup-a-call-to-end-athletic-recruitment.

47 Bowen, Kurzweil en Tobin, *Equity and Excellence in American Higher Education*, p. 105-106 (Tabel 5.1).

48 Tough, *The Years That Matter Most*, p. 172-182.

49 Daniel Golden, 'Bill Would Make Colleges Report Legacies and Early Admissions', *The Wall Street Journal*, 29 oktober 2003, op online.wsj.com/public/resources/documents/golden9.htm; Daniel Markovitz, *The Meritocracy Trap* (New York: Penguin Press, 2019), p. 276-277.

50 Zie Lemann, *The Big Test*, p. 47, en de passage die ik hierboven heb geciteerd (noot 18) uit een ongepubliceerd manuscript van Conant uit de vroege jaren veertig: James Bryant Conant, *What We Are Fighting to Defend*, nooit gepubliceerd manuscript, uit de papieren van James B. Conant, Box 30, Harvard University Archives.

51 John W. Gardner, *Excellence: Can We Be Equal and Excellent Too?* (New York: Harper & Brothers, 1961), p. 33, 35-36.

52 Ibid., p. 65-66.

53 Ibid., p. 71-72.

54 Ibid., p. 80-81.

55 Ibid., p. 82.

56 Brewster, geciteerd in Geoffrey Kabaservice, 'The Birth of a New Institution', *Yale Alumni Magazine*, december 1999: archives.yalealumnimagazine.com/issues/99_12/admissions.html.

57 Caroline M. Hoxby, 'The Changing Selectivity of American Colleges', *Journal of Economic Perspectives* 23, nr. 4 (najaar 2009), p. 95-118.

58 Ibid. Voor meer over de hoge toelatingscijfers aan de meeste universiteiten, zie Drew Desilver, 'A Majority of U.S. Colleges Admit Most Students Who Apply', Pew Research Center, 9 april 2019, op pewresearch.org/fact-tank/2019/04/09/a-majority-of-u-s-colleges-admit-most-students-who-apply/; Alia Wong, 'College-Admissions Hysteria Is Not the Norm', *The Atlantic*, 10 april 2019, op theatlantic.com/education/archive/2019/04/harvard-uchicago-elite-colleges-are-anomaly/586627.

59 Het toelatingsprecentage van Stanford bedroeg in 1972 32 procent. Zie Doyle McManus, 'Report Shows Admission Preference', *Stanford Daily*, 23 oktober 1973, op archives.stanforddaily.com/1973/10/23?-page=1&section=MODSMD_ARTICLE4#article; Camryn Pak, 'Stanford Admit Rate Falls to Record-Low 4.34% for class of 2023', *Stanford Daily*, 18 december 2019, op stanforddaily.com/2019/12/17/stanford-admit-rate-falls-to-record-low-4-34-for-class-of-2023/; toelatingscijfer Johns Hopkins 1988 stamt uit Jeffrey J. Selingo, 'The Science Behind Selective Colleges', *The Washington Post*, 13 oktober 2017, op washingtonpost.com/news/grade-point/wp/2017/10/13/the-science-behind-selective-colleges/; Meagan Peoples, 'University Admits 2,309 Students for the Class of 2023', *Johns Hopkins NewsLetter*, 16 maart 2019, op jhunewsletter.com/article/2019/03/university-admits-2309-students-for-the-class-of -2023; toelatingscijfer University of Chicago 1993 stamt uit Dennis Rodkin, 'College Comeback: The University of Chicago Finds Its Groove', *Chicago Magazine*, 16 maart

2001, op chicago-mag.com/Chicago-Magazine/March-2011/Colle-ge-Comeback-The-University-of-Chicago-Finds-Its-Groove/; Justin Smith, 'Acceptance Rate Drops to Record Low 5.9 Percent for Class of 2023', *The Chicago Maroon*, 1 april 2019, op chicagomaroon.com/article/2019/4/1/uchicago-acceptance-rate-drops-record-low.

60 Drew Desilver, 'A Majority of U.S. Colleges Admit Most Students Who Apply', Pew Research Center.

61 Hoxby, 'The Changing Selectivity of American Colleges'.

62 Tough, *The Years That Matter Most*, p. 138-142, maakt gebruik van Lauren A. Rivera, *Pedigree: How Elite Students Get Elite Jobs* (Princeton: Princeton University Press, 2015).

63 Dana Goldstein en Jugal K. Patel, 'Extra Time on Tests? It Helps to Have Cash', *The New York Times*, 30 juli 2019, op nytimes.com/2019/07/30/us/extra-time-504-sat-act.html; Jenny Anderson, 'For a Standout College Essay, Applicants Fill Their Summers', *The New York Times*, 5 augustus 2011, op nytimes.com/2011/08/06/nyre-gion/planning-summer-breaks-with-eye-on-college-essays.html. Zie voor een toonaangevende aanbieder van dit soort zomervakanties, af-gestemd op toelatingsessays, everythingsummer.com/pre-college-and-beyond.

64 "parent, v." OED Online, Oxford University Press, december 2019, oed.com/view/Entry /137819. Bezocht op 24 januari 2020; Claire Cain Miller, 'The Relentlessness of Modern Parenting', *The New York Times*, 25 december 2018, op nytimes.com/2018/12/25/upshot/the-re-lentlessness-of-modern-parenting.html.

65 Matthias Doepke en Fabrizio Zilibotti, *Love, Money & Parenting: How Economics Explains the Way We Raise Our Kids* (Princeton: Princeton University Press, 2019), p. 57.

66 Nancy Gibbs, 'Can These Parents Be Saved?', *Time*, 10 november 2009.

67 Doepke en Zilibotti, *Love, Money & Parenting*, p. 51, 54-58, 67-104.

68 Madeline Levine, *The Price of Privilege: How Parental Pressure and Material Advantage Are Creating a Generation of Disconnected and Un-happy Kids* (New York: HarperCollins, 2006), p. 5-7.

69 Ibid., p. 16-17.

70 Ibid., met een verwijzing naar onderzoek door Suniya S. Luthar.

71 Suniya S. Luthar, Samuel H. Barkin en Elizabeth J. Crossman, '"I Can, Therefore I Must": Fragility in the Upper Middle Classes', *Development & Psychopathology* 25, november 2013, p. 1529-1549: ncbi.nlm. nih.gov/pubmed/24342854.

72 Ibid. Zie ook Levine, *The Price of Privilege*, p. 21, 28-29.

73 Laura Krantz, '1-in-5 College Students Say They Thought of Suicide', *The Boston Globe*, 7 september 2018, waarin melding wordt gemaakt van de resultaten op basis van Cindy H. Liu, Courtney Stevens, Sylvia H. M. Wong, Miwa Yasui en Justin A. Chen, 'The Prevalence and Predictors of Mental Health Diagnoses and Suicide Among U.S. College Students: Implications for Addressing Disparities in Service Use', *Depression & Anxiety*, 6 september 2018, doi.org/10.1002/da.22830.

74 Sally C. Curtin en Melonie Heron, 'Death Rates Due to Suicide and Homicide Among Persons Aged 10-24: United States, 2000-2017', NCHS Data Brief, No. 352, oktober 2019: cdc.gov/nchs/data/databriefs/db352-h.pdf.

75 Thomas Curran en Andrew P. Hill, 'Perfectionism Is Increasing Over Time: A MetaAnalysis of Birth Cohort Differences from 1989 to 2016', *Psychological Bulletin* 145 (2019), p. 410-429, op apa.org/pubs/journals/releases/bul-bul0000138.pdf; Thomas Curran en Andrew P. Hill, 'How Perfectionism Became a Hidden Epidemic Among Young People', *The Conversation*, 3 januari 2018, op theconversation.com/how-perfectionism-became-a-hidden-epidemic-among-young-people-89405; Sophie McBain, 'The New Cult of Perfectionism', *New Statesman*, 4-10 mei 2018.

76 Curran en Hill, 'Perfectionism Is Increasing Over Time', p. 413.

77 Zie college.harvard.edu/admissions/apply/first-year-applicants/considering-gap-year.

78 Lucy Wang, 'Comping Harvard', *The Harvard Crimson*, 2 november 2017, op thecrimson.com/article/2017/11/2/comping-harvard/; Jenna M. Wong, 'Acing Rejection 10a', *The Harvard Crimson*, 17 oktober 2017, op thecrimson.com/article/2017/10/17/wong-acing-rejection-10a.

79 Wang, 'Comping Harvard'.

80 Richard Perez-Pena, 'Students Disciplined in Harvard Scandal', *The*

New York Times, 1 februari 2013, op nytimes.com/2013/02/02/education/harvard-forced-dozens-to-leave-in-cheating-scandal.html; Rebecca D. Robbins, 'Harvard Investigates "Unprecedented" Academic Dishonesty Case', *The Harvard Crimson*, 30 augustus 2012, op thecrimson.com/article/2012/8/30 /academic-dishonesty-ad-board.

81 Hannah Natanson, 'More Than 60 Fall CS50 Enrollees Faced Academic Dishonesty Charges', *The Harvard Crimson*, 3 mei 2017, op thecrimson.com/article/2017/5/3/cs50-cheating-cases-2017.

82 Johns Hopkins maakte in 2014 een einde aan de voorkeursbehandeling van de kinderen van alumni. Zie Ronald J. Daniels, 'Why We Ended Legacy Admissions at Johns Hopkins', *The Atlantic*, 18 januari 2020, op theatlantic.com/ideas/archive/2020/01/why-we-ended-legacy-admissions-johns-hopkins/605131.

83 Berekend aan de hand van gegevens gepresenteerd in Desilver, 'A Majority of U.S. Colleges Admit Most Students Who Apply', Pew Research Center.

84 Katharine T. Kinkead, *How an Ivy League College Decides on Admissions* (New York: W.W. Norton, 1961), p. 69.

85 Dergelijke lotingen zijn in de afgelopen decennia al door verschillende mensen voorgesteld. Een van de eersten was Robert Paul Wolff, die 1964 voorstelde om middelbare scholieren willekeurig aan universiteiten toe te wijzen. Wolff, 'The College as Rat-Race: Admissions and Anxieties', *Dissent*, winter 1964; Barry Schwartz, 'Top Colleges Should Select Randomly from a Pool of "Good Enough"', *The Chronicle of Higher Education*, 25 februari 2005; Peter Stone, 'Access to Higher Education by the Luck of the Draw', *Comparative Education Review* 57, augustus 2013; Lani Guinier, 'Admissions Rituals as Political Acts: Guardians at the Gates of Our Democratic Ideals', *Harvard Law Review* 117 (november 2003), p. 218-19; Ik ben dank verschuldigd aan de bespreking van willekeurige selectie in Charles Petersen, 'Meritocracy in America, 1930-2000' (PhD-dissertatie, Harvard University, 2020).

86 Voor het idee van de verdienste als drempelwaarde ben ik dank verschuldigd aan Daniel Markovits en de studenten in mijn college Meritocracy and Its Critics.

87 Andrew Simon, 'These Are the Best Late-Round Picks in Draft History', *MLB News*, 8 juni 2016: mlb.com/news/best-late-round-picks-in-
draft-history-c182980276.

88 National Football League draft, 2000: nfl.com/draft/history/full-
draft?season=2000.

89 Een beschrijving, gebaseerd op archiefonderzoek, van hoe het experiment aan Stanford eruit had moeten zien, is te vinden in Petersen,
'Meritocracy in America, 1930-2000'.

90 Sarah Waldeck, 'A New Tax on Big College and University Endowments Is Sending Higher Education a Message', *The Conversation*,
27 augustus 2019: theconversation.com/a-new-tax-on-big-college-
and-university-endowments-is-sending-higher-education-a-message-120063.

91 Zoals ik hierboven al heb besproken, stelt Daniel Markovits voor om
de eventuele belastingvrijstelling van het inkomen op vermogen van
de private universiteiten afhankelijk te maken van een vergroting van
de klassendiversiteit van hun studentenpopulaties, idealiter door het
aantal inschrijvingen te vergroten. Zie Markovits, *The Meritocracy
Trap* (New York: Penguin Press, 2019), p. 277-278.

92 Michael Mitchell, Michael Leachman en Matt Saenz, 'State Higher
Education Funding Cuts Have Pushed Costs to Students, Worsened
Inequality', Center on Budget and Policy Priorities, 24 oktober 2019:
cbp.org/research/state-budget-and-tax/state-higher-education-funding-cuts-have-pushed-costs-to-students.

93 Jillian Berman, 'State Colleges Receive the Same Amount of Funding from Tuition as from State Governments', *MarketWatch*, 25
maart 2017, waarin een analyse wordt geciteerd van Peter Hinrichs,
een econoom van de Federal Reserve Bank of Cleveland, op marketwatch.com/story/state-colleges-receive-the-same-amount-of-funding-from-tuition-as-from-state-governments-2017-03-24.

94 Zie Andrew Delbanco, *College: What It Was, Is, and Should Be* (Princeton: Princeton University Press, 2012), p. 114.

95 'Budget in Brief: Budget Report 2018-2019', University of Wisconsin-Madison, p. 3: budget.wisc.edu/content/uploads/Budget-in-Brief
-20-18-19-Revised_web_V2.pdf.

96 'The State of the University: Q&A with President Teresa Sullivan', *Virginia*, zomer 2011: uvamagazine.org/articles/the_state_of_the_university.

97 'UT Tuition: Sources of Revenue', op tuition.utexas.edu/learn-more/sources-of-revenue. Deze cijfers omvatten niet het inkomen uit een schenking die olie- en gasbaten oplevert. Het aandeel van de collegegelden steeg van 5 procent in 1984-1985 naar 22 procent in 2018-2019.

98 Nigel Chiwaya, 'The Five Charts Show How Bad the Student Loan Debt Situation Is', NBC News, 24 april 2019, op nbcnews.com/news/us-news/student-loan-statistics-2019-n997836; Zack Friedman, 'Student Loan Debt Statistics in 2020: A Record $1.6 Trillion', *Forbes*, 3 februari 2020, op forbes.com/sites/zackfriedman/2020/02/03/student-loan-debt-statistics/#d164e05281fe.

99 Isabel Sawhill, *The Forgotten Americans: An Economic Agenda for a Divided Nation* (New Haven: Yale University Press, 2018), p. 114.

100 Ibid.

101 Ibid., p. 111-113. Gegevens voor OESO-landen.

102 Ibid., p. 113.

103 Hoewel ik hier mijn persoonlijke indrukken geef, ben ik niet bepaald de eerste die dit zegt. Zie bijvoorbeeld Delbanco, *College: What It Was, Is, and Should Be*; Anthony T. Kronman, *Education's End: Why Our Colleges and Universities Have Given Up on the Meaning of Life* (New Haven: Yale University Press, 2008); William Deresiewicz, *Excellent Sheep: The Miseducation of the American Elite and the Way to a Meaningful Life* (New York: Free Press, 2014).

104 Michael J. Sandel, *Democracy's Discontent: America in Search of a Public Philosophy* (Cambridge, MA: The Belknap Press of Harvard University Press, 1996), p. 168-200.

105 Christopher Lasch, *The Revolt of the Elites and the Betrayal of Democracy* (New York: W.W. Norton & Company, 1995), p. 59-60.

106 Ibid., p. 55-79.

Hoofdstuk 7

1   Anne Case en Angus Deaton, *Deaths of Despair and the Future of Capitalism* (Princeton: Princeton University Press, 2020), p. 51. Zie ook Sawhill, *The Forgotten Americans*, p. 60; Oren Cass, *The Once and Future Worker* (New York: Encounter Books, 2018), p. 103-104.

2   Case en Deaton, *Deaths of Despair and the Future of Capitalism*, p. 161; Sawhill, *The Forgotten Americans*, p. 86.

3   Sawhill, *The Forgotten Americans*, p. 140-141; Case en Deaton, *Deaths of Despair and the Future of Capitalism*, p. 152.

4   Sawhill, *The Forgotten Americans*, p. 141.

5   Case en Deaton, *Deaths of Despair and the Future of Capitalism*, p. 7; Sawhill, *The Forgotten Americans*, p. 19.

6   Sawhill, *The Forgotten Americans*, p. 18; Case en Deaton, *Deaths of Despair and the Future of Capitalism*, p. 51. Zie ook Nicholas Eberstadt, *Men Without Work: America's Invisible Crisis* (West Conshohocken, PA: Templeton Press, 2016).

7   Case en Deaton, *Deaths of Despair and the Future of Capitalism*, p. 2, 37-46; Associated Press, 'For 1st Time in 4 Years, U.S. Life Expectancy Rises – a Little', *The New York Times*, 30 januari 2020, op nytimes.com/aponline/2020/01/30/health/ap-us-med-us-life-expectancy-1st-ld-writethru.html; Nicholas D. Kristof en Sheryl WuDunn, *Tightrope: Americans Reaching for Hope* (New York: Alfred A. Knopf, 2020).

8   Case en Deaton, *Deaths of Despair and the Future of Capitalism*.

9   Ibid., p. 40, 45.

10 Ibid., p. 143.

11 In 2016, stierven 64.000 Amerikanen aan een overdosis drugs of medicijnen volgens het National Center for Health Statistics van de Centers for Disease Control and Prevention, op cdc.gov/nchs/nvss/vsrr/drug-overdose-data.htm. 58.220 Amerikanen kwamen om het leven in Vietnam: 'Vietnam War U.S. Military Fatal Casualty Statistics, National Archives', op archives.gov/research/military/vietnam-war/casualty-statistics.

12 Nicholas Kristof, 'The Hidden Depression Trump Isn't Helping', *The New York Times*, 8 februari 2020, op nytimes.com/2020/02/08/

opinion/sunday/trump-economy.html. Zie ook Kristof en WuDunn, *Tightrope*, p. 10.

13 Case en Deaton, *Deaths of Despair and the Future of Capitalism*, p. 3.

14 Ibid., p. 57.

15 Ibid., p. 57-58.

16 Ibid., p. 133, 146.

17 Ibid., p. 3.

18 Michael Young, 'Down with Meritocracy', *The Guardian*, 28 juni 2001: theguardian.com/politics/2001/jun/29/comment.

19 John W. Gardner, *Excellence: Can We Be Equal and Excellent Too?*, p. 66.

20 Jeff Guo, 'Death Predicts Whether People Vote for Donald Trump', *The Washington Post*, 4 maart 2016: washingtonpost.com/news/wonk/wp/2016/03/04/death-predicts-whether-people-vote-for-donald-trump.

21 Richard Butsch, 'Ralph, Fred, Archie and Homer: Why Television Keeps Re-creating the White Male Working Class Buffoon', in Gail Dines en Jean Humez (red.), *Gender, Race and Class in Media: A Text-Reader*, 2e editie (Sage, 2003), p. 575-585; Jessica Troilo, 'Stay Tuned: Portrayals of Fatherhood to Come', *Psychology of Popular Media Culture* 6, nr. 1 (2017), p. 82-94; Erica Scharrer, 'From Wise to Foolish: The Portrayal of the Sitcom Father, 1950s-1990s', *Journal of Broadcasting & Electronic Media* 45, nr. 1 (2001), p. 23-40.

22 Joan C. Williams, *White Working Class: Overcoming Class Cluelessness in America* (Boston: Harvard Business Review Press, 2017).

23 Joan C. Williams, 'The Dumb Politics of Elite Condescension', *The New York Times*, 27 mei 2017: nytimes.com/2017/05/27/opinion/sunday/the-dumb-politics-of-elite-condescension.html.

24 Joan C. Williams, 'What So Many People Don't Get About the U.S. Working Class', *Harvard Business Review*, 10 november 2016: hbr.org/2016/11/what-so-many-people-dont-get-about-the-u-s-working-class.

25 Barbara Ehrenreich, 'Dead, White, and Blue', TomDispatch.com, 1 december 2015, op http://www.tomdispatch.com/post/176075/tomgram:barbaraehrenreich,_america_to_working_class_whites:_drop_

dead!/; het citaat van W.E.B. Du Bois stamt uit Black Reconstruction in America (1935).

26 Ibid.

27 Katherine J. Cramer, *The Politics of Resentment: Rural Consciousness in Wisconsin and the Rise of Scott Walker* (Chicago: The University of Chicago Press, 2016).

28 Katherine J. Cramer, 'For Years, I've Been Watching Anti-Elite Fury Build in Wisconsin. Then Came Trump', *Vox*, 16 november 2016: vox.com/the-big-idea/2016/11/16/13645116/rural-resentment-elites-trump.

29 Arlie Russell Hochschild, *Strangers in Their Own Land: Anger and Mourning on the American Right* (New York: The New Press, 2016), p. 135.

30 Ibid., p. 141.

31 Ibid., p. 136-140.

32 Ibid., p. 144.

33 Eigen zoekbewerking naar 'dignity of labor' in het online archief van het American Presidency Project: presidency.ucsb.edu/advanced-search.

34 Jenna Johnson, 'The Trailer: Why Democrats Are Preaching About "the Dignity of Work"', *The Washington Post*, 21 februari 2019, op washingtonpost.com/politics/paloma/the-trailer/2019/02/21/the-trailer-why-democrats-are-preaching-about-the-dignity-of-work/5c6ed0181b326b-71858c6bff/; Sarah Jones, 'Joe Biden Should Retire the Phrase "Dignity of Work"', *New York*, 1 mei 2019, op nymag.com/intelligencer/2019/05/joe-biden-should-retire-the-phrase-dignity-of-work.html; Marco Rubio, 'America Needs to Restore the Dignity of Work', *The Atlantic*, 13 december 2018, op theatlantic.com/ideas/archive/2018/12/help-working-class-voters-us-must-value-work/578032/; Sherrod Brown, 'When Work Loses Its Dignity', *The New York Times*, 17 november 2016, op nytimes.com/2016/11/17/opinion/when-work-loses-its-dignity.html; Arthur Delaney en Maxwell Strachan, 'Sherrod Brown Wants to Reclaim "The Dignity of Work" from Republicans', *Huffington Post*, 27 februari 2019, op dignityofwork.com/news/in-the-news/huffpost-sherrod-brown-wants-to-reclaim-the-dignity-of-work-from-republicans/; Tal Axelrod, 'Brown, Rubio Trade Barbs over "Dignity of Work" as

Brown Mulls Presidential Bid', *The Hill*, 22 februari 2019, op thehill. com/homenews/campaign/431152-brown-and-rubio-trade-barbs-over-dignity-of-work-as-brown-mulls.

35 Minister van Landbouw Sonny Perdue, geciteerd in Johnson, 'Why Democrats Are Preaching about "The Dignity of Work"'; Donald J. Trump, 'Remarks on Tax Reform Legislation', 13 december 2017, het American Presidency Project, op presidency.ucsb.edu/node/331762; over het nivellerende effect van belastingreducties, zie Danielle Kurtzleben, 'Charts: See How Much of GOP Tax Cuts Will Go to the Middle Class', NPR, 19 december 2017, op npr.org/2017/12/19/571754894/charts-see-how-much-of-gop-tax-cuts-will-go-to-the-middle-class.

36 Robert F. Kennedy, Press Release, Los Angeles, 19 mei 1968, in Edwin O. Guthman en C. Richard Allen (red.), RFK: Collected Speeches (New York: Viking, 1993), p. 385.

37 Zie voor een bespreking van contributive justice, een eerlijke verdeling van de erkenning, Paul Gomberg, 'Why Distributive Justice Is Impossible but Contributive Justice Would Work', *Science & Society* 80, nr. 1 (januari 2016), p. 31-55; Andrew Sayer, 'Contributive Justice and Meaningful Work', *Res Publica* 15, 2009, p. 1-16; Cristian Timmermann, 'Contributive Justice: An Exploration of a Wider Provision of Meaningful Work', *Social Justice Research* 31, nr. 1, p. 85-111; en United States Conference of Catholic Bishops, 'Economic Justice for All: Pastoral Letter on Catholic Social Teaching and the U.S. Economy', 1986, p. 17, op usccb.org/upload /economic_justice_for_all.pdf.

38 Zie voor een uitgebreidere bespreking van het verschil tussen deze burgerlijke en de consumentistische opvatting van de politiek, Sandel, *Democracy's Discontent*, p. 4-7, 124-67, 201-249; Sandel, *Justice: What's the Right Thing to Do?* (New York: Farrar, Straus and Giroux, 2009), p. 192-199.

39 Adam Smith, *The Wealth of Nations*, Boek IV, Hoofdstuk 8 (1776; reprint, New York: Modern Library, 1994), p. 715.

40 John Maynard Keynes, *The General Theory of Employment, Interest, and Money* (1936; herdruk, Londen: Macmillan, St. Martin's Press, 1973), p. 104.

41 Zie Sandel, *Democracy's Discontent*, p. 124-200.

42 Ik heb deze verschuiving besproken in ibid., p. 250-315.

43 Martin Luther King Jr., 18 maart 1968, Memphis, Tennessee: king-institute.stanford.edu/king-papers/publications/autobiography-martin-luther-king-jr-contents/chapter-31-poor-peoples.

44 Johannes Paulus II, Laborem Exercens, 14 september 1981: https://www.rkdocumenten.nl/rkdocs/index.php?mi=600&doc=712&id=4302, artikelen 9 en 10.

45 United States Conference of Catholic Bishops, 'Economic Justice for All: Pastoral Letter on Catholic Social Teaching and the U.S. Economy', 1986, p. 17: usccb.org/upload/economic_justice_for_all.pdf.

46 Axel Honneth, 'Recognition or Redistribution? Changing Perspectives on the Moral Order of Society', *Theory, Culture & Society* 18, issue 2-3 (2001), p. 43-55.

47 Axel Honneth, 'Work and Recognition: A Redefinition', in Hans-Christoph Schmidt am Busch en Christopher F. Zurn (red.), *The Philosophy of Recognition: Historical and Contemporary Perspectives* (Lanham: Lexington Books, 2010), p. 229-233. Zie voor de relevante passages uit Hegels werk, G.W.F. Hegel, *Elements of the Philosophy of Right*, red. Allen W. Wood, Engelse vertaling H.B. Nisbet (Cambridge: Cambridge University Press, 1991), paragrafen 199-201, 207, 235-256 (Wood edition, p. 233-234, 238-239, 261-274). Zie ook Nicholas H. Smith en Jean-Philippe Deranty (red.), *New Philosophies of Labour: Work and the Social Bond* (Leiden: Brill, 2012); en Adam Adatto Sandel, 'Putting Work in Its Place', *American Affairs* 1, nr. 1 (voorjaar 2017), p. 152-162, op americanaffairsjournal.org/2017/02/putting-work-place. Mijn begrip van Hegels werk is in belangrijke mate te danken aan gesprekken met Adam Sandel.

48 Axel Honneth, 'Work and Recognition', p. 234-236. Zie Emile Durkheim, *The Division of Labor in Society* (1902), red. Steven Lukes, Engelse vertaling W.D. Halls (New York: Free Press, 2014).

49 Robert F. Kennedy, Press Release, Los Angeles, 19 mei 1968, in Guthman en Allen (red.), RFK: Collected Speeches, p. 385-386.

50 Oren Cass, *The Once and Future Worker: A Vision for the Renewal of Work in America* (New York: Encounter Books, 2018).

51 Ibid., p. 161-174.

52 Peter S. Goodman, 'The Nordic Way to Economic Rescue', *The New York Times*, 28 maart 2020, op nytimes.com/2020/03/28/business/nordic-way-economic-rescue-virus.html; Richard Partington, 'UK Government to Pay 80% of Wages for Those Not Working in Coronavirus Crisis', *The Guardian*, 20 maart 2020, op theguardian.com/uk-news/2020/mar/20/government-pay-wages-jobs-coronavirus-rishi-sunak; Emmanuel Saez en Gabriel Zucman, 'Jobs Aren't Being Destroyed This Fast Elsewhere. Why Is That?', *The New York Times*, 30 maart 2020, op nytimes.com/2020/03/30/opinion/coronavirus-economy-saez-zucman.html.

53 Ibid., p. 79-99.

54 Ibid., p. 115-139.

55 Ibid., p. 25-28, 210-212.

56 Ibid., p. 26, 211-212.

57 Robin Greenwood en David Scharfstein, 'The Growth of Finance', *Journal of Economic Perspectives* 27, nr. 2 (Spring 2013), p. 3-5, op pubs.aeaweb.org/doi/pdfplus/10.1257/jep.27.2.3, citeert Thomas Philippon en Ariell Reshef, 'Wages and Human Capital in the U.S. Financial Industry: 1909-2006', NBER Working Paper 14644 (2009) over de verdiensten van de financiële dienstverlening; Adair Turner, *Between Debt and the Devil: Money, Credit, and Fixing Global Finance* (Princeton: Princeton University Press, 2016), p. 1, 7, 19-21; Zie ook Greta R. Krippner, *Capitalizing on Crisis: The Political Origins of the Rise of Finance* (Cambridge, MA: Harvard University Press, 2011), p. 28.

58 Rana Foroohar, *Makers and Takers: The Rise of Finance and the Fall of American Business* (New York: Crown Business, 2016); Adair Turner, *Economics After the Crisis: Objectives and Means* (Cambridge, MA: MIT Press, 2012), p. 35-55; J. Bradford Delong, 'Starving the Squid', Project Syndicate, 28 juni 2013, op project-syndicate.org/commentary/time-to-bypass-modern-finance-by-j-bradford-delong.

59 Adair Turner, 'What Do Banks Do? Why Do Credit Booms and Busts Occur and What Can Public Policy Do About It?' in *The Future of Finance: The LSE Report*, London School of Economics (2010): harr-123et.wordpress.com/download-version.

60 Michael Lewis, *Flash Boys: A Wall Street Revolt* (New York: W.W. Norton & Company, 2015), p. 7-22.

61 James Tobin, 'On the Efficiency of the Financial System', *Lloyds Bank Review*, juli 1984, p. 14, geciteerd in Foroohar, *Makers and Takers*, p. 53-54.

62 Foroohar, *Makers and Takers*, p. 7.

63 Warren E. Buffet, 'Stop Coddling the Super-Rich', *The New York Times*, 14 augustus 2011: nytimes.com/201 1/08/15/opinion/stop-coddling-the-super-rich.html.

64 Later zou Ryan zijn uitspraak nuanceren. Zie Paul Ryan, 'A Better Way Up From Poverty', *The Wall Street Journal*, 15 augustus 2014, op wsj.com/articles/paul-ryan-a-better-way-up-from-poverty-1408141154?mod=article_inline; Greg Sargent, 'Paul Ryan Regrets That "Makers and Takers" Stuff. Sort of, Anyway', *The Washington Post*, 23 maart 2016, op washingtonpost.com/blogs/plum-line/wp/2016/03/23/paul-ryan-regrets-that-makers-and-takers-stuff-sort-of-anyway.

65 Rona Foroohar, *Makers and Takers*, p. 13.

66 Ibid., p. 277.

Conclusie

1 Howard Bryant, *The Last Hero: A Life of Henry Aaron* (New York: Pantheon Books, 2010), p. 23-27.

2 Ibid., p. 25.

3 R.H. Tawney, *Equality* (1931, herdruk, HarperCollins Publishers, 5e editie, 1964).

4 Ibid.

5 James Truslow Adams, *The Epic of America* (Garden City, NY: Blue Ribbon Books, 1931), p. 404.

6 Ibid.

7 Ibid., p. 414-415.

8 Ibid., p. 415.

9 Ik maak in deze paragraaf gebruik van Michael J. Sandel, *What Money Can't Buy: The Moral Limits of Markets* (New York: Farrar, Straus and Giroux, 2009), p. 203.

Dankwoord

Ik ben dankbaar dat ik over sommige thema's uit dit boek heb kunnen spreken met verschillende collega's: tijdens het colloquium over politieke theorie van het University Department of Government, waar ik kon reken en op het kritische commentaar van Jonathan Gould; tijdens de zomerworkshop van de Harvard Law School, die me uitdagende reacties opleverde van en vervolggesprekken met Richard Fallon, Terry Fisher, Yochai Benkler en Ben Sachs; en tijdens het faculteitsseminar dat ik samen met mijn vrouw Kiku Adatto voorzit: Art, Popular Culture, and Civic Life, aan het Mahindra Humanities Center aan Harvard.

Tijdens het najaarsemester van 2019 gaf ik een seminar getiteld Meritocracy and Its Critics aan een van de meest enthousiaste en intellectueel innemende groepen studenten die ik ooit heb meegemaakt. Ik ben hun allen dank verschuldigd, omdat ze mijn begrip van de onderwerpen in dit boek hebben helpen verdiepen. Daniel Markovits van de Yale Law School, wiens onlangs gepubliceerde boek over meritocratie we lazen tijdens het seminar, sloot zich op een bepaald moment bij ons aan voor een gedenkwaardige discussie waarvan zowel de studenten als ik veel hebben geleerd.

Ik mocht delen van het boek presenteren tijdens lezingen,

gevolgd door een discussie, in verschillende stimulerende academische en publieke contexten: de Niemeyer Lectures in Political Philosophy aan de University of Notre Dame; de Garmendia Memorial Lecture aan de Universiteit van Deusto in Bilbao, Spanje; de Airbus Lecture aan de American Academy in Berlijn, Duitsland; de RSA (Royal Society for the Encouragement of Arts, Manufactures and Commerce) in Londen; het Institute for Human Sciences in Wenen, Oostenrijk; de Reset Dialogues on Civilization at the Giorgio Cini Foundation in Venetië, Italië; het Marshall Institute van de London School of Economics and Political Science (LSE) in Londen; de Democratic Agendas-conferentie van de Northwestern University; en de inaugurele Day of France aan Harvard University. Ik ben het publiek en de deelnemers aan discussies bij deze gelegenheden zeer dankbaar voor hun verstandige bijdragen.

Daarnaast wil ik graag Elizabeth Anderson, Moshe Halbertal, Peter Hall, Daniel Markovits, Cullen Murphy en Samuel Scheffler bedanken voor de nuttige gesprekken en e-mailwisselingen over aspecten van dit boek; Charles Petersen omdat hij me hoofdstukken van zijn dissertatie over meritocratie en toelatingsbeleid heeft laten lezen; Aravind 'Vinny' Byju als uitstekend ondezoeksassistent; en Deborah Ghim bij Farrar, Straus and Giroux voor haar verstandige ondersteuning als redactrice. Ik ben dank verschuldigd aan mijn agent, de formidabele Esther Newberg bij ICM Partners in New York, en aan Karolina Sutton, Helen Manders en Sarah Harvey bij Curtis Brown in Londen.

Een boek schrijven voor FSG, inmiddels al het derde, is altijd weer plezierig dankzij de royale intellectuele en literaire gevoeligheid van Jonathan Galassi, Mitzi Angel en Jeff Seroy. Ik mag zeker Eric Chinski niet vergeten, een briljante redacteur die begreep wat ik hoopte te bereiken met dit boek nog voor ik het schreef en die me steeds van wijze adviezen is blijven voorzien. Daarnaast ben ik Stuart Proffitt, de terecht zo gevierde redacteur bij Allen Lane/Penguin, mijn Britse uitgever, die net als Eric elk hoofdstuk zeer nauwkeurig las, uiterst dankbaar. Dankzij een dergelijke redactionele steun aan beide zijden van de Atlantische Oceaan is elke fout die er nu nog in zit natuurlijk geheel mijn eigen verantwoordelijkheid.

Tot slot ben ik de leden van het 'schrijvershuis' zeer dankbaar. Dat is de naam die mijn vrouw Kiku Adatto, onze zonen Adam Adatto Sandel en Aaron Adatto Sandel en ik gaven aan onze gewoonte om stukken uit eerste versies en hele hoofdstukken hardop voor te lezen aan het hele gezin, waarna we ons kritische commentaar op elkaars projecten met elkaar delen. Door hun aandacht, advies en liefde zijn zowel het boek als ik beter geworden.

Over de auteur

Michael J. Sandel doceert politieke filosofie aan Harvard University. Zijn boeken *Niet alles is te koop: De morele grenzen van marktwerking* en *Rechtvaardigheid: Wat is de juiste keuze?* waren internationale bestsellers en zijn in zevenentwintig talen vertaald. Sandels legendarische cursus Justice was de eerste aan Harvard die online en op televisie gratis beschikbaar werd gesteld en door miljoenen is gezien. In zijn BBC-serie, *The Global Philosopher*, onderzoekt hij de filosofische ideeën achter de krantenkoppen, samen met gasten van over de hele wereld.